Termine mit Gott

366 Tage mit der Bibel

Termine mit Gott

366 Tage mit der Bibel

Brunnen Verlag Gießen und Basel
Aussaat- und Schriftenmissions-Verlag
Neukirchen-Vluyn

Herausgeber: Karl Albietz, Klaus Jürgen Diehl, Konrad Eißler, Christoph Morgner, Ulrich Parzany, Rolf Woyke
Redaktion: Ulrich Parzany (1. Januar bis 9. Juli) und Siegfried Zülsdorf (10. Juli bis 31. Dezember)

Fotonachweis
Umschlag: Peter Santor
Claudia Ludwig, S. 9
Wälde-Design, S. 165
Alle anderen: Brunnen-Archiv

Brunnen Verlag Gießen und Basel
Aussaat- und Schriftenmissions-Verlag, Neukirchen-Vluyn

ISBN 3-7655-5791-9 (Brunnen)
ISBN 3-7615-4601-7 (Aussaat)

Jahreslosung 1992:

Jesus Christus spricht:
„In der Welt habt ihr Angst;
aber seid getrost,
ich habe
die Welt überwunden."
Johannes 16,33

In den Abschiedsreden Jesu, wie der Evangelist Johannes sie uns überliefert hat, sind dies die letzten Worte. Es ist wie ein Vermächtnis, in dem Jesus noch einmal zusammenfaßt, was er zuvor in einer längeren, seelsorgerlichen Ansprache an seine Jünger entfaltet hat. Sehr nüchtern hat Jesus seine Nachfolger in diesen Abschiedsworten auf seinen Weggang vorbereitet. Er hat vom Abschiedsschmerz gesprochen, von kommenden Leidens- und Verfolgungszeiten, und ohne Beschönigung vom Haß der Welt geredet, der sie treffen wird. Aber er hat ihnen zugleich fest versprochen, daß er sie in alledem nicht allein lassen wird: Der heilige Geist wird künftig ihr Beistand sein, und Jesus selbst wird mit seiner Rückkehr in die himmlische Welt zum Platzhalter für seine Jünger werden. Was immer ihnen auch zustoßen mag, sie werden erleben, daß sie in vorbereitete Verhältnisse kommen. Am Ende wird alles gut werden, denn gemeinsam werden sie beim Vater sein.
Ist das eine billige Jenseits-Vertröstung? Nein. Denn die Worte Jesu sind gedeckt durch die Hingabe seines Lebens und den Triumph über die Macht des Todes. Zuversichtlich können wir deshalb leben, weil Jesus zwar die tiefsten Ängste selbst am eigenen Leib durchlitten hat, aber daran nicht zugrundegegangen ist. Jesus hat die Welt mit ihrem Bedrohungs-Potential, mit ihren angsteinflößenden Schrecken überwunden. Das heißt: Er hat ihr

etwas Stärkeres entgegenzusetzen vermocht: seine Liebe – und die Botschaft, daß sich das Reich Gottes am Ende gegen alle Widerstände siegreich durchsetzen werde.
Sein Wort ist daher mehr als individueller Seelentrost für verzagte Herzen. Jesu Trostbotschaft stellt uns in einen universalen Horizont: Wir dürfen hoffen für die ganze geschundene, kaputte, aus tausend Wunden blutende Welt. Im Blick auf die Zukunft dieser Erde erleben wir gerade in unseren Tagen häufig ein hitziges Endzeitfieber. Aus solch aufgeregter „Fünf-vor-Zwölf"-Stimmung ist nichts von der Überwindungsmacht Jesu herauszuspüren.
Wir sind gefragt, ob wir uns 1992 von unseren eigenen Ängsten und den Katastrophen-Botschaften dieser Welt bestimmen lassen – oder der Zusage Jesu vertrauen wollen.

Klaus J. Diehl

Monatsspruch Januar:

Jesus Christus spricht: Ich bin gekommen, die Sünder zu rufen und nicht die Gerechten. Markus 2,17

Mittwoch

1. **Jakobus 4,13-15**
Rauchzeichen Gottes

Wir müssen heute oder morgen etwas anzünden. Wir müssen in dieser oder jener Stadt den Rauch hineinlassen. Wir müssen satte Gewinne machen, daß es nur so raucht, denn „Leben ist ein Wettlauf zwischen Geldverdienen und Geldverschwenden“ (Hörbiger). Und dann sind wir ausgebrannt, und dann sind unsere Aktivitäten verraucht, und dann ist unser Name auf einem Grabstein nur noch Schall und Rauch. „Meine Tage sind vergangen wie ein Rauch“ (Ps. 102,4). – Es gibt eine andere Möglichkeit, sein Jahr zu planen: Wir müssen nicht Rauch machen, sondern wir können Rauch sehen. Der ganze Berg Sinai rauchte wie ein Schmelzofen (2. Mose 19,18). Und dann verkündigte der lebendige Herr, was er will und was er nicht will. Die Zehn Gebote sind die Rauchzeichen Gottes in der Welt. An ihnen kann ich mich orientieren. Ihretwegen geht es nicht mehr nach meinem Schädel, sondern nach seinem Willen.

Apostelgeschichte 18,21

Donnerstag

2. **Markus 1,1-8**
Es kommt einer

Seltsam war sein Aufzug schon: Kamelhaartalar mit Leibriemen. Noch seltsamer war seine Ernährung: Heuschrecken mit wildem Honig. Am seltsamsten aber war seine Botschaft: Umkehr, Rückkehr, Heimkehr. Manche taten ihn deshalb als gesetzlichen Starrkopf, unüberlegten Feuerkopf und hölzernen Dickkopf ab. Aber er ließ sich sogar um seiner Botschaft willen einsperren. Das tut ein Betonkopf nicht. Dieser Türsteher an der Schwelle zwischen alter und neuer Zeit muß es hinausschreien: Es kommt einer, der stärker ist als ich. Es kommt einer, der größer ist als meine Wenigkeit. Es kommt einer, der nicht nur mit Wasser, sondern mit Feuer tauft. Deshalb kann ich nicht zusehen, wie man alles vorbereitet, nur nicht die Ankunft des Herrn. Deshalb kann ich nicht ausstehen, wie man alles erhofft, nur nicht die Zukunft dieses Gottes. Kehrt um!

Markus 1,15

Das Evangelium nach Markus

Verfasser
Sein jüdischer Name war Johannes, sein lateinischer Beiname Markus. Seine Mutter Maria besaß in Jerusalem ein Haus, in dem sich viele Christen versammelten (Apg. 12,12). Petrus nennt Markus seinen Sohn (1. Petr. 5,13), was im geistlichen Sinn gemeint ist: Markus war durch Petrus zum Glauben an Christus gekommen. Barnabas, sein Onkel, nahm ihn mit auf die erste Missionsreise des Apostels Paulus. Zwar trennte sich Markus in Kleinasien von ihnen, so daß Paulus ihn auf seine zweite Missionsreise nicht mitnahm. Doch gewann Markus das Vertrauen des Paulus zurück. In der ersten Gefangenschaft des Paulus in Rom war er sein Mitarbeiter (Philem. 24) und ihm „nützlich zum Dienst" (2. Tim. 4,11). Die älteste kirchliche Überlieferung über Markus lautet: „Markus, Dolmetscher des Petrus, schrieb alles sorgfältig auf, was von Christus gesagt oder getan worden ist." Daraus geht hervor, daß Markus den Apostel Petrus begleitet und die Erzählungen, die er in seinem Evangelium bringt, aus den Missionsreden des Apostels, also von einem der wichtigsten Augenzeugen empfangen hat.

Leserkreis
Markus wendet sich in seinem Bericht an *Heidenchristen*, wahrscheinlich an solche in Italien, vielleicht gar in Rom selbst. („Babylon" in 1. Petr. 5,13 ist vermutlich ein Deckname für Rom.) Dies geht daraus hervor, daß er jüdische Bräuche und Sitten, wie z.B. Waschungen vor dem Essen, erklärt und hebräische bzw. aramäische Wörter übersetzt (z.B. 5,41).

Markus bringt fast keine Zitate aus dem Alten Testament als Schriftbeweis wie Matthäus. Er bietet auch keine grundsätzlichen Erörterungen über das Gesetz und erwähnt nicht, daß Jesus bei der Aussendung seiner Jünger ihnen verboten habe, unter Samaritern und Heiden zu missionieren.

Eigenart des Markusevangeliums
Es ist das kürzeste unter den Evangelien. Fast sein ganzer Inhalt findet sich auch bei Matthäus und Lukas. Was nur bei Markus zu finden ist, macht etwa ein Zwanzigstel seines Umfangs aus. Die großen Reden – wie sie Matthäus hat – fehlen. Markus schildert Jesus also weniger als Lehrer, sondern vielmehr als den Sieger über die Macht des Bösen und der Dämonen, der Krankheiten, der Naturgewalten und des Todes. Markus erzählt achtzehn Wunder Jesu. Doch ist gerade für dieses Evangelium die Angabe charakteristisch, daß Jesus den Geheilten oft verboten hat, von ihrer Heilung öffentlich zu berichten (1,43.44; 5,43; 7,36). Jesus wollte nicht als bloßer Wundertäter mißverstanden werden. Das von allen Evangelisten bezeugte volle Menschsein Jesu wird von Markus noch dadurch hervorgehoben, daß er Gemütsbewegungen Jesu beschreibt (z.B. Zorn, Traurigkeit und Zuneigung: 3,5; 10,14.21). Einen breiten Raum nimmt die Passionsgeschichte ein. Der Stil des Evangelisten zeichnet sich durch seine schlichte, aber anschauliche und lebendige Erzählung aus. Viele Einzelheiten verraten den hinter den Berichten stehenden Augenzeugen Petrus als Gewährsmann.

Die Zeit ist erfüllt, und das Reich Gottes ist herbeigekommen.
Markus 1,15 a

Freitag

3. **Markus 1,9-13**
Einzigartige Taufe

Von außen gesehen ist es eine Taufe wie jede andere. Jesus steht in Reih und Glied mit Soldaten, Hausfrauen, Zöllnern und vielen anderen Menschen. Von innen gesehen jedoch ist es eine einzigartige Taufe. Jesus hat eine Vision – er sieht den Himmel offen. Das ist, wie auf dem Berg der Verklärung, Stärkung vor den Stürmen. Dann erfährt er eine Audition – er hört eine Stimme von oben. Das ist, wie bei Jesaja im Tempel, Berufung zum göttlichen Dienst. Dann erlebt Jesus eine Ordination – er spürt den herabkommenden Geist. Das ist, wie bei den Jüngern am Pfingstmorgen, Einsetzung ins Hirten- und Zeugenamt. Nun wissen wir, wer dieser Täufling ist: Jesus Christus, der Herr von Gottes Gnaden. Seine Taufe mit ihren drei Begleiterscheinungen kann unseren Glauben stärken. Wir sind aufgefordert, nur ihm zu gehören, im Leben und Sterben. Hebräer 13,8

Samstag

4. **Markus 1,14-20**
Nichts lieber als Jesus

Sie hocken am See. Ihre Hände knüpfen gerissene Netze. Fischer ist ein harter Beruf. Plötzlich tippt ihnen Jesus auf die Schulter und sagt: Folgt mir nach! Sie sehen ihre Boote und Bottiche: Wir müssen doch Fische fangen – aber Jesus sagt: Folgt mir nach! Sie denken an ihre Mutter und die Geschwister: Wir müssen doch die Brötchen verdienen – aber Jesus sagt: Folgt mir nach! Sie hören schon den Spott der Freunde: Wir müssen doch normal bleiben – aber Jesus sagt: Folgt mir nach! Mit tausend Seilen sind sie an ihren Job, an die Familie, an die Freunde gebunden, aber Jesus kappt alles mit dem messerscharfen Wort: Folgt mir! Jesus will von dem losmachen, was uns lieber werden könnte als die Liebe zu ihm. Deshalb tippt er auch bei uns an. Was muß ich zurücklassen? Was muß ich loslassen? Was muß ich jetzt anfassen? Schieben wir es nicht auf die lange Bank! Lukas 9,62

Die Finsternis vergeht, und das wahre Licht scheint jetzt. 1. Johannes 2,8b

Sonntag

5. **1. Johannes 5,11-13**
Wer Jesus hat, der hat's

Immer hängen wir Sachen nach. Mit 14 bestaunen wir den „heißen Ofen“. Wer dieses Motorrad hat, der hat's. Mit 24 suchen wir den Traumjob als Topmanager. Wer diesen Beruf hat, der hat's. Mit 34 sparen wir für das Eigenheim. Wer die Villa hat, der hat's. Kurzum: Das Leben hängt mit Sachen zusammen, Zählbarem, Greifbarem, Sichtbarem. Aber Johannes sagt: Leben ist nie sachgebunden, sondern immer persongebunden. Jesus Christus macht es klar: Ich bin das Leben. Er ist kein Es, keine Sache, kein Ding, sondern ein Du, eine Person, ein Mensch. In ihn packt Gott alles hinein. Mit ihm kam ein Stück Himmel auf die Erde. Die ersten Christen riefen begeistert: Das Leben ist erschienen. So wurde Jesus zum Lebensspediteur. Wer ihn hat, der hat's tatsächlich. Kein frommer Klimmzug ist dazu nötig, auch kein religiöser Salto mortale, sondern nur diese Bitte: „Herr, schenke mir das Leben.“ 1. Johannes 1,2

Montag

6. **Markus 1,21-28**
Die Vollmacht

■ Wenn Jesus den Mund auftut, sperren Zuhörer Mund und Augen auf. Warum? Hat er eine Redekunst, die bisher nur von den Griechen bekannt war? Hat er eine Lautstärke, die wie ein Donner die Herzen rührt? Hat er einen Gedankenreichtum, der selbst Gelehrte in den Bann schlägt? Markus berichtet gleich zweimal: Er lehrte mit Vollmacht. Jesus hatte also volle Macht über die Mächte. An einem Gottesdienstbesucher wird es demonstriert. Dieser Arme war nicht nur von allen guten Geistern verlassen, sondern von einem bösen Geist besessen. So hat der Teufel seine Leute fest im Griff. Aber Jesus ist stärker. Auf seine Drohung hin wird der Kranke hin- und hergerissen, aber schließlich vom Teufel losgerissen. Als Gesunder kehrt er heim. Viele erfahren davon: Dieser Jesus jagt sogar den Teufel zum Teufel. Dieser Jesus hat die volle Macht.

Matthäus 28,18

Dienstag

7. **Markus 1,29-39**
Der Heiland

■ „Euch ist heute der Heiland geboren.“ So haben es die Hirten von Bethlehem gehört. So haben es die Einwohner von Kapernaum erfahren. Zuerst die Schwiegermutter des Simon. Weil sie Fieber hatte, lag sie im Bett. Aber Jesus faßte sie an, da ging die Temperatur zurück. Dann schleppten sie andere Kranke heran. Weil sie Gicht oder Krebs hatten, lagen sie auf ihren Matratzen. Aber Jesus rührte sie an, da regten sie wieder ihre Glieder. Dann führten sie Geisteskranke zu ihm. Weil sie okkult belastet waren, belasteten sie ihre Angehörigen. Aber Jesus sprach sie an, da fuhren die Teufel aus. Jesus ist der Heiland aller Kranken – aber nicht der Wunderdoktor. Deshalb sucht er zuerst die Stille. Im Gebet unterwirft er sich demütig dem Vater, dem er dienen will. Dann sucht er die Weite. Er flieht vor der Menge, die nur seine Wunder bewundern will. Er will keine Bewunderer, nur Nachfolger.

Psalm 30,3

Mittwoch

8. **Markus 1,40-45**
Jesus kann

■ Dieses erbärmliche Bündel Mensch setzt alles auf eine Karte: Du kannst! Jesus müßte sich freuen, aber er gerät in Zorn. Warum? Er sieht nicht nur die handgroßen Knoten auf der Haut. Jesus schaut überhaupt nicht nur auf das Böse, sondern durchschaut den Bösen. Hinter allem Übel ist eine gottwidrige Urmacht am Werk. Überall hat der Teufel seine schmutzigen Finger dazwischen. Und dem gilt der Kampf. Mit heiliger Respektlosigkeit tritt Jesus ihm entgegen: Das wollen wir doch sehen, wer der Stärkere ist. Jesus streckt seine Hand aus, zieht den Mann auf seine Seite und heilt ihn. Andere hat er nicht geheilt. Viele leiden weiter. Die Elendsquartiere sind keineswegs evakuiert. Trotzdem hat er ein für allemal die Machtfrage in der Welt entschieden. Wer heute mit seinem persönlichen Elend zu ihm kommt und sagt: Ich kann nicht mehr, Herr, aber du kannst!, den zieht er auf seine Seite und der gehört ihm, lebend, leidend, sterbend, unverlierbar.

1. Johannes 3,6

Donnerstag

9.

Markus 2,1-12

Wurzelbehandlung ist nötig

Die vier jungen Männer wollten wirklich helfen. Sie hörten nicht nur – wie andere Bürger Kapernaums – neugierig oder sogar feindselig der Rede Jesu zu. Nein, sie wußten, Jesus hat die Kraft, konkret zu helfen. Mit diesem Glauben bringen sie den gelähmten Freund direkt durchs Lehmdach vor die Füße Jesu. Dabei stören sie die religiöse Atmosphäre, doch Jesus spricht einen unerwarteten Satz zu dem Kranken: „Dir sind deine Sünden vergeben!" Mit dieser Zusage kommt die Grundbeziehung zu dem lebendigen Gott wieder in Ordnung. Sünde blockiert immer, blockiert die innere Geborgenheit in Zeiten der Angst, blockiert die Freude, weil wir Gottes Geschenke nicht mehr sehen können, blockiert die Liebe, weil wir mit den eigenen Fesseln beschäftigt sind, blockiert die Hoffnung, weil Sünde uns von Gott trennt. Jesus bietet uns heute Vergebung unserer Schuld an. Dies ist mehr als Gesundheit. Dies ist Wurzelbehandlung. So bekommt unser Leben eine neue Chance! 1. Johannes 1,9

Freitag

10.

Markus 2,13-17

Jesus bietet Lebensgemeinschaft an

Gerade zu dem abgestempelten Zöllner sagt Jesus: „Folge mir nach!" So ist dieser Jesus, er beurteilt keinen nach seiner religiösen Geschichte oder frommen Verwandtschaft. Jeder hat eine Chance bei Jesus. Die Antwort gegenüber den feindseligen Pharisäern zeigt es deutlich: Jesus hat ein Herz für die Kranken und für die Sünder. Wenn Jesus Menschen zur Nachfolge auffordert, bietet er auch Lebensgemeinschaft an. Er nimmt sich Zeit für ein orientalisches Festmahl mit Levis Kollegen. Auch heute können wir echte Gemeinschaft mit Jesus erleben. In Alltagssituationen will er uns begleiten. Er steht zu uns, auch wenn Menschen uns abstempeln oder innere Nöte uns quälen. Lebensgemeinschaft mit Jesus erfahren wir heute besonders in einer lebendigen christlichen Gemeinde- und Jugendarbeit. Dazu herzliche Einladung! Markus 2,17

Samstag

11.

Markus 2,18-22

Die neue Zeit mit Jesus

Fasten ist heute in – Körnerkuren oder Nulldiät mit Wasser. Hungern für die Gesundheit. Darum geht es hier nicht. Fasten als anstrengende Leistung für ernsthaft glaubende Menschen, so erlebten dies die Johannesjünger und Pharisäer. In der Geschichte der Kirchen und Religionen kennen wir dies tausendfach. Mit dem Kommen Jesu ist eine neue Zeit angebrochen, eine Freudenzeit wie bei einer orientalischen Hochzeitswoche. Gottes Reichtum ist jetzt greifbar, weil der Messias Jesus unter den Menschen lebt. Jesus hat an Ostern den Tod durchbrochen, deshalb ist jetzt Freude angesagt, so sehen es die Christen. Jeder kann unmittelbar mit Jesus feiern. Wie Kinder sollen seine Leute sich freuen, weil er jetzt mitten unter uns ist. Frische Freude, die alten Leistungs- und Traditionsglauben sprengt. Wie frisch ist unser Christsein?

Johannes 3,29

Welche der Geist Gottes treibt, das sind Gottes Kinder. Römer 8,14

Sonntag

12. Römer 12,1-8

Gemeinde lebt von Christushingabe

Paulus hat in den ersten Kapiteln des Römerbriefes in vielen Farben die Barmherzigkeit Gottes gemalt. Jetzt werden wir Christen aufgefordert, mit der Gnade Gottes unser Leben zu gestalten. Weil Gott alles für uns eingesetzt hat, deshalb ist es eine logische Konsequenz (= vernünftiger Gottesdienst), daß wir unser gesamtes Leben für Gottes Sache zur Verfügung stellen. Dadurch wird Gemeinde lebendig und glaubhaft. Es ist eine alltägliche Erfahrung, daß Christen zwar mitten im Gefüge dieser vergehenden Welt leben, aber von Gottes ewiger Kraft geprägt sind. Gottes Wille soll unser Leben bestimmen, gegen alle Selbstherrlichkeit unseres eigenen Willens. Wer nach Gottes Willen fragt, trägt Frieden, Liebe und Hoffnung in die Welt hinein. Wo ist heute Umdenken und Umkehr in unserem Leben und in unserer Gemeinde nötig? Micha 6,8

Montag

13. Markus 2,23-28

Sonntag – ein Geschenk Gottes

Nach jüdischem Gesetz haben die Jünger und Jesus das Sabbatgebot übertreten. Ährenausraufen ist Erntearbeit. Am jüdischen Feiertag ist jegliche Arbeit verboten. Warum hält sich Jesus mit seinen Jüngern nicht an das biblische Gebot? Mit ihm, dem Weltenrichter (d.h. „Menschensohn" – vgl. Daniel 7,13), bricht auch für das Sabbatgebot eine neue Zeit an. Gott will das Leben! Er ist menschenfreundlich. In Erinnerung an die Auferstehung Jesu feiern die Christen den Sonntag. Sonntag ist Ruhetag, um neue Kräfte zu sammeln für den Arbeitsalltag der Woche. Sonntag ist Orientierungstag, um das Leben wieder auf Gottes Wort auszurichten und Gottesdienst in der Gemeinde zu feiern. Jeder Sonntag atmet Auferstehungshoffnung. So hat Gott den Ruhetag als Lebenshilfe für uns Menschen gemacht. Was bedeutet uns der Sonntag? Jesus hat den Sabbat in der besonderen Nähe zu seinem himmlischen Vater und in der jüdischen Gemeinde erlebt. Er ist der Herr des Sonntags! Apg. 20,7

Dienstag

14. Markus 3,1-6

Jesus ist Menschenfreund

Der religiös-fanatische Mensch kann hart und unmenschlich sein. In dieser Sabbatbegebenheit zeigt sich die Unmenschlichkeit gegenüber einem kranken Mann und gegenüber Jesus selbst. Jesus handelt gegen ihr kaltes Gesetzesdenken, das ärztliche Handlungen am Sabbat nur bei äußerster Lebensbedrohung erlaubt. Jesus handelt anders, weil die Liebe Gottes ihn bestimmt. Diese Haltung hat Jesus schließlich am Karfreitag die Hinrichtung gebracht. Auch noch im Sterben am Kreuz durchbricht er den tödlichen Haß und frommen Gesetzesfanatismus mit seiner Liebe, indem er für seine Feinde betet: „Vater, vergib ihnen; denn sie wissen nicht, was sie tun!" Heute sind wir zu echter Liebe herausgefordert. Liebe, die auch harte Mauern durchbrechen kann, um unseren Mitmenschen Gutes zu tun. Welche Schritte der Liebe sollte ich heute gehen? Johannes 15,9

Die Briefe an Timotheus

Die Eigenart der Briefe
Diese Briefe vermitteln einen Einblick in die seelsorgerliche Praxis des Paulus. Sie sind mit persönlichen Ratschlägen an seinen Mitarbeiter gerichtet. Aber das, was Paulus ganz persönlich schreibt, hat doch überpersönliche und überzeitliche Bedeutung.

Im 1. Timotheusbrief und im Titusbrief finden wir die ältesten Gemeindeordnungen der Christenheit.

Empfänger

Timotheus begleitet schon mit zwanzig Jahren neben Silas den Apostel auf seinen Missionsreisen. Dann wird er mit selbständigen Aufgaben betraut (Apg. 19,22). Später teilt er mit Paulus die römische Gefangenschaft (Kol. 1,1). Kennzeichnend sind die unvergleichliche Selbstlosigkeit und Treue des Timotheus (Phil. 2,20). Er ist dem Paulus Freund und Tröster in schwerer Bedrängnis. Die Briefe bezeugen die verantwortliche Stellung des Timotheus in den kleinasiatischen Gemeinden.

Anlaß und Ziel
Judaistische und gnostische Irrlehrer verwirren die jungen Gemeinden und bedrängen die Leiter und Gehilfen des Paulus. Die Gnostiker rühmen sich höherer Erkenntnisse, und die Judaisten verstrikken die Gemeindeglieder in unfruchtbare Diskussionen über das Gesetz (1. Tim. 6,20). Paulus verkündet die Freiheit vom Gesetz (1. Tim. 1,18-3,16). Gleichzeitig muß er aber auch Richtlinien für den Gottesdienst und für die Leiter und Diakone geben (1. Tim. 3,1-13) sowie Anweisungen für die Auseinandersetzung mit den Irrlehrern (1. Tim. 4,1-11).

Der erste Brief an Timotheus erhält seine persönliche Note durch Regeln für die seelsorgerliche Praxis des Timotheus und für die Leitung der Gemeinde (4,12-6,2). Sehr praktisch sind auch die Anweisungen zum rechten Gebrauch der materiellen Güter (6,3-19).

Im zweiten Brief an Timotheus ruft Paulus zum furchtlosen Zeugnis und zur Leidensbereitschaft auf (1,3-2,13; 3,10-13). Weiter gibt er situationsbezogene Hinweise für den Kampf mit den Irrlehrern (2,14-3,9; 3,13-4,5). Zum Schluß berichtet er über seine eigene Lage (4,6-18).

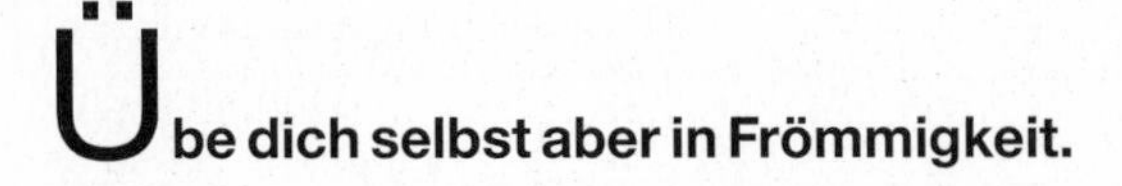

1. Timotheus 4,7 b

Mittwoch

15.

1. Timotheus 1,1-11
Hinweis: Da geht es lang

Paulus ist schon viele Jahre auf dem Weg mit Jesus. Er weiß, was verantwortliche Mitarbeit ist. Timotheus steht da noch am Anfang. Paulus hilft ihm, seine Verantwortung wahrzunehmen. Er gibt ihm Orientierungshilfe. Er zeigt auf, bei welchen Gelegenheiten ein Mitarbeiter ein klares „Ja" und wo er ein genauso deutliches „Nein" sagen muß. Irrlehrer bringen die Gemeinde durcheinander. Spekulative Geheimlehren vernebeln Gottes Wort und damit die Köpfe der Christen. Die Folge ist eine laxe Lebensgestaltung bei vielen. Der Gehorsam des Glaubens wird untergraben. In einer solchen Atmosphäre kann ein junger Mitarbeiter leicht ins Schleudern geraten. Worauf kommt es denn an? Paulus sagt: Das Verhältnis zu Gott muß klar sein. Nur er nimmt die Last von meinem Gewissen. Nur bei ihm entdecke ich, wie Liebe wirklich aussieht. Nur er ist wirklich vertrauenswürdig. Gute Hinweise, an denen ich mich heute orientieren kann! 1. Timotheus 1,5

Donnerstag

16.

1. Timotheus 1,12-20
Zeugnis: Alle Ehre gehört Gott

Was kann einen jungen Mitarbeiter in seiner Verantwortung ermutigen und stärken? Am besten ein persönliches Zeugnis von einem, der schon länger Erfahrungen mit Jesus gemacht hat. Und so schreibt Paulus dem Timotheus ein Zeugnis von Gottes unbegreiflicher Barmherzigkeit und verändernder Kraft. Gott hat es fertiggebracht, einen Mann „mit Vergangenheit" zum Apostel der Völker zu machen. Wie wird er erst den Timotheus gebrauchen können, der mit ganz anderen Vorgaben in die Mitarbeit kam (vgl. 2. Tim. 1,5)?! Aussagen persönlicher Art haben es in sich: Bei manchem „Zeugnis" ist man peinlich berührt, wenn jemand sich und seinen Glauben herausstellt. Das Zeugnis des Paulus ist anders: Hier wird nicht ein großer Mensch, hier wird Gott allein gerühmt. Gott tut Großes: Er macht Menschen zu Jüngern Jesu. Auch an mir arbeitet der barmherzige Gott. „Herr, mach etwas Gutes für dich daraus!"
1. Timotheus 1,15

Freitag

17.

1. Timotheus 2,1-15
Entdeckung: Gott hat Weltperspektive

Wie kleinkariert wir Christen doch oft denken: mein Leben – meine Familie – meine Gemeinde – unser Volk! Aber Gott hat die Arme ausgebreitet und will alle: jeden Menschen in jeder Position und in jeder Ecke dieser Welt! Paulus schreibt nicht schwülstige Sprechblasen. Seine Worte sind durch seinen Dienst gedeckt. Vor römischen Statthaltern und jüdischen Königen, vor dem Mob von Jerusalem und dem Establishment Israels nennt er den Namen Jesus, durch den Gott die Welt retten will. Nun komme ich wahrscheinlich nicht in Regierungspaläste. Und ein Völkerpotential bin ich auch nicht. Aber den Welthorizont Gottes kann auch ich haben: Ich kann für „die da oben" beten, daß sie Entscheidungen im Sinne Gottes treffen. Wer betet schon für die Politiker? Sehr viel hängt in unserer Welt von deren Entscheidungen ab! Ich kann für meine Arbeitskollegen oder Schulkameraden beten, daß sie Jesus kennenlernen. Sie brauchen ihn doch! 1. Timotheus 2,3.4

Samstag

18.

1. Timotheus 3,1-13
Anstoß: Das Leben predigt

Von Bischöfen und Diakonen ist hier die Rede. Doch gilt die Mahnung nicht jedem Mitarbeiter? An unserm Leben wird gemessen, was der Glaube wert ist! Mitarbeiter werden ganz besonders unter die Lupe genommen. Ihr Leben wird besonders beachtet: Mitchristen orientieren sich am Mitarbeiter. Sein Verhalten kann das geistliche Leben in einer Gemeinde anspornen oder bremsen. Nichtchristen nehmen in jedem Falle am Leben des Mitarbeiters Anstoß. Entweder wird es positiver Anstoß, sich zu Jesus hinzuwenden oder negativer Anstoß zur entschiedenen Abkehr von ihm. Lassen wir uns nicht einreden, das alles wäre „Gesetz" und hätte mit dem Evangelium nichts zu tun. Jesus hat uns zu Lichtern in der Welt ernannt. Wirft mein Leben ein bezeichnendes Licht darauf, daß Jesus wirklich Herr ist und bei mir das Sagen hat? Wird an meinem Leben erkennbar, daß er in jeder Beziehung mein Leben prägt und gestaltet?

1. Timotheus 3,5

Das Gesetz ist durch Mose gegeben; die Gnade und Wahrheit ist durch Jesus Christus geworden.

Johannes 1,17

Sonntag

19.

Römer 12,9-16
Praxis: Liebe regiert

Oft habe ich die Frage schon gehört: Wie sieht das denn nun praktisch aus? Das Leben eines Christen besteht doch nicht nur aus Gebet zu Gott, dem Hören auf die Schrift, dem Singen von Glaubensliedern, dem Besuch von Versammlungen. Es besteht aus viel Alltag: Begegnungen mit Menschen, Zusammenarbeit in der Gemeinde, Erleben unterschiedlichster Situationen. Wie kommt der Glaube in das Leben? Wie geht es aus dem Sonntag in den Alltag? Paulus gibt ganz praktische Ratschläge für das Leben als Christ. Regie führt die Liebe. Wir haben sie von Christus entgegengenommen. Sie will umgesetzt werden im Verhältnis zu meinen Mitchristen, im Verhalten gegen meine Widersacher, in bedrängenden Situationen, in Notlagen, mit denen ich konfrontiert werde.

Römer 12,12

Montag

20.

1. Timotheus 3,14-16
Geheimnis: Das macht Gemeinde aus

Besteht nicht eine riesige Differenz zwischen dem Anspruch, den dieser Text stellt, und der Wirklichkeit in unseren Gemeinden? Aber hier wird nicht beschrieben, was wir vor Augen haben, sondern was Gott vor Augen hat. Vielleicht hat Timotheus angesichts der Querelen in der Gemeinde die Flügel hängen lassen. Deshalb zeigt ihm Paulus die Ansicht der Gemeinde von Gottes Warte aus: Sie ist nicht die Summe von Mitarbeitern, Gruppen und Klüngel. Sie ist Gottes Eigentum. Sie ist nicht Ansammlung von Meinungen und Strömungen. Sie ist dazu da, um Jesus der Welt zu präsentieren (Pfeiler). Sie ist nicht gegründet auf gemeinsamer Interessenlage und gegenseitiger Sympathiebekundung. Sie ist ein Werk Gottes (Grundfeste). Und das wichtigste an ihr ist ihr Herr. Den hat sie anzubieten und der Welt bekanntzumachen.

1. Timotheus 3,16

Dienstag

21.

1. Timotheus 4,1-11
Achtung – abbiegen verboten
Im Kapitel 3 hatte Paulus in einem Lobpreis dem Timotheus Jesus vor Augen gemalt. Mit dem Herrn und auf die Begegnung mit ihm hin geht der Lebensweg eines Christen. Ein zielorientierter und zugleich ein gefährdeter Weg. Das Hohngelächter der Gottlosen, die sanfte Verführung der Inkonsequenten, die radikale Lebensart der Fanatischen sind die Anfragen an ein geistliches Leben. Ein Wirrwarr von Stimmen und Meinungen. Woran soll sich Timotheus, woran sollen wir uns halten? Timotheus hat es gut. Er hat durch Paulus eine biblisch fundierte Lehre erhalten. Er hat gelernt, die Meinungen und Lebensstile an der Schrift zu prüfen. Und er darf auf die Hilfe und Gegenwart seines Herrn Jesus Christus hoffen. Worauf verlassen wir uns? Welcher Maßstab ist uns wichtig?
1. Timotheus 4,8b

Mittwoch

22.

1. Timotheus 4,12-5,2
Qualifizierung gefragt
Weder verleiht das Alter geistliche Autorität, noch qualifiziert der jugendliche Schwung zum geistlichen Amt. Nicht einmal die theologischen, pädagogischen, diakonischen Abschlüsse der heutigen Zeit machen einen Mitarbeiter im Reich Gottes aus. „Sondern sei ein Vorbild". – Lehre und Leben, Begabung und Geben müssen zusammenpassen. Vorbild im Wort: Hat das Wort Gottes auch seinen Platz im Tageslauf oder ist es nur Arbeitsmittel? Vorbild im Wandel: Kann Jesus vom Morgen bis zum Abend dabei sein? Beim Pizzaessen oder Autokauf? Vorbild in der Liebe: Die Liebe Gottes, die Agape, die sich verschenkt, sich austeilt, das Eigene zurücksteckt. Vorbild im Glauben, Vorbild in der Reinheit ... Zumutungen an Timotheus und an uns. Aber billiger geht es nicht. Jesus hat alles eingesetzt, um Menschen zu retten. Da ist unser Einsatz immer noch vergleichsweise kümmerlich.
Johannes 15,14

Donnerstag

23.

1. Timotheus 5,3-16
Liebe praktisch
Christen wird oft vorgeworfen, sie würden nichts dazu beitragen, die Welt revolutionierend zu verändern. Dieser Vorwurf wird schnell unhaltbar, wenn wir in die Geschichte blicken. Angerührt durch die Liebe Jesu, haben Christen die sozialen Probleme ihrer Zeit erkannt. Errungenschaften wie Renten, Krankenhäuser usw. sind in ihrer Entstehung auf das Wirken von Christen zurückzuführen. Ohne Jesus bleibt der Mensch nur auf sich bezogen. Aber unter seiner Herrschaft öffnen sich Herzen und Hände für Menschen in Not. Und so ist die Lage der Witwen in der Gemeinde dem Paulus nicht egal. Er rät dem Timotheus, verantwortlich, mit Weisheit und seelsorgerlichem Geschick diesem Problem zu begegnen. Manche Hinweise erscheinen uns seltsam. Aber auch heute gibt es Witwen, alleinerziehende Mütter, Ledige. Haben sie tatsächlich in unseren modernen Gemeinden einen akzeptablen Platz für sich gefunden? Wenn nicht, dann ist das eine Gelegenheit, die Liebe Jesu praktisch werden zu lassen.
Johannes 6,37b

Freitag

24.

1. Timotheus 5,17-25
Tierschutzvorschrift für Mitarbeiter?

■ Das Gottesgesetz sorgt sich ums Kleinste. In 5. Mose 25,4 wird geboten: Dreschende Tiere sollen nicht mit verbundenem Maul durch das leckere Futter stampfen müssen. Mit diesem Vergleich mahnte Paulus die Gemeinde, die oft alten Katecheten und Bischöfe nicht unversorgt zu lassen. Heute arbeiten die „Diener am Wort" kranken- und rentenversichert. Auch die Besoldung ist im Rahmen des Üblichen. Ein unnötiges Bibelwort? Nein, auch Gemeindeleiter haben Bedarf an menschlicher Nähe, an Trost und Ermunterung. Wer ihren Dienst anerkennt und im Gebet mitträgt, der kann auch einmal durch Kritik helfen. Und nicht überall in der Welt sind Gemeinden so gut ausgestattet wie bei uns. Deshalb ist es uns geboten mitzuhelfen, daß Mitarbeiter in armen Gemeinden ohne äußere Not sich der Ausbreitung der guten Nachricht widmen können. 2. Korinther 9,7

Samstag

25.

1. Timotheus 6,1-10
Versklavt und frei sein

■ Sklave wurde man schnell: wegen Geldschulden, als Kriegsgefangene oder als Kind in die Sklaverei hineingeboren. Sklaven gehörten zur damaligen Gesellschaftsordnung. Ein politischer Umsturz hätte nur die Herren zu Sklaven und die Sklaven zu neuen Herren gemacht. Aber wenn beide unter die Herrschaft Jesu kommen, dann verändert sich auch ihre Beziehung zueinander. Sie können sich in der Liebe Jesu begegnen und miteinander vor ihrem Herrn verantwortlich umgehen. Aber auch Freie können versklavt sein. Rechthaberei und Habsucht sind schlimme Sklavenherren. Sie fordern immer mehr Einfluß und Besitz. „So laßt uns genügen", mahnt der Apostel. Laßt euch nicht versklaven von Dingen. Im Februar beginnen wieder die Fastenwochen. Das ist eine gute Gelegenheit auszuprobieren, ob wir uns die Freiheit bewahrt haben und Zeit zum Hören und Beten finden. Johannes 8,34-36

Es werden kommen von Osten und von Westen, von Norden und von Süden, die zu Tisch sitzen werden im Reich Gottes. Lukas 13,29

Sonntag

26.

Römer 1,14-17
Wir schämen uns nicht

■ Jedenfalls schämt sich Paulus nicht, von Jesus zu reden. Heute am Sonntag werden viele Predigten gehalten und gehört. In vielen kommt der Name Jesus vor. Es scheint bis heute nicht einfach zu sein, vom gehenkten „Gotteslästerer", vom ehrlos Hingerichteten zu reden. Eine zu einfache Botschaft angesichts der komplizierten Polit- und Wirtschaftslagen? Gott sieht die Lage anders. Jesu Wort, um Menschenleben, Völker und Nationen zu retten. Viele Menschen wurden von Bergen von Sünde „freigesprengt" durch die Kraft (dynamis) Gottes, durch Jesus. Aber die Rettung ist keine Zwangsrettung. Sie wird angeboten, und jeder darf zugreifen, vertrauen – glauben. Gott schließt keinen aus. Juden, Griechen, für alle Menschen ist der Weg zur Rettung, zu Jesus frei. Dieser Botschaft braucht man sich nicht zu schämen. Römer 1,16

Auch Jesus hatte Angst

Es ist ein Ausdruck grober Unredlichkeit, wenn Prediger ihren Hörern versprechen, der christliche Glaube werde sie von ihren Ängsten befreien, frei nach dem Motto: „Wer an Jesus glaubt, der braucht keine Angst mehr zu haben."
Ich halte solch eine Aussage für höchst bedenklich. Sie verfälscht das Wort Jesu, der uns nicht Angstfreiheit, sondern Trost und Geborgenheit inmitten unserer Ängste versprochen hat. Sie stürzt womöglich gerade angsterfüllte Christen noch tiefer in Einsamkeit und Verzweiflung, die nun denken müssen: Offenbar glaube ich nicht richtig, denn sonst müßte ich doch nicht mehr solche Angst haben.
Dagegen ist die Feststellung tröstlich: Auch Jesus hatte Angst. In der Nacht seines Verrats zitterte Jesus vor dem nahenden Tod, und der Angstschweiß stand ihm auf der Stirn. In dieser Situation flehte Jesus um den Beistand seiner Jünger: „Bitte wacht und betet doch nur eine einzige Stunde mit mir!"
Ein vor lauter Todesangst heulender Heiland (man lese einmal Hebräer 5, Vers 7!) – das paßt nicht zum Bild des wundertätigen Gottessohnes. Ein verzweifelt nach Gott schreiender Jesus stört die Vorstellung von einem strahlenden Sieger über Tod und Teufel. Und doch schildert uns die Bibel Jesus ohne jede Beschönigung in seiner ganzen kreatürlichen Angst und seinem Angewiesensein auf den Beistand anderer.
Gewiß, in jener Nacht in Gethsemane vermochte die Todesangst Jesus zwar in die Knie zu zwingen, doch zerstören und zugrunderichten konnte sie ihn nicht. Denn noch mitten in der Angst wandte er sich vertrauensvoll an seinen himmlischen Vater und stellte ihm sein Geschick anheim: „Vater, nicht mein, sondern dein Wille geschehe!"
Daß auch Jesus die Angst bis zur bittersten Stunde des Todes durchleiden mußte, läßt ihn mir in meinen eigenen Ängsten nahe sein. Wie gut, daß er nicht erhaben wie ein Superstar über allem steht. Wie gut aber auch, daß ich von Jesus lernen darf: Der Weg zum Vaterherz Gottes bleibt immer frei – auch wenn ich in eine verzweifelte und schier aussichtslose Lage geraten sollte.

Klaus J. Diehl

Montag

27.

1. Timotheus 6,11-21
Den Schatz bewahren

Meine Großmutter hat immer das alte Erbsilber geputzt. Kein Fleck, kein Staubkorn hatte eine Chance. Sie wollte das Ererbte flekkenlos ihren Kindern weitergeben. „Halte dein Erbe fleckenlos und untadelig", mahnt Paulus. Es gilt, das Gold des Glaubens, die Worte und Weisungen Jesu, sein Gebot, zu bewahren. Das „Tafelsilber der Großmutter" wird blind durch die aggressive Luft. Unser Glaubensleben wird matt durch die aggressive Gottlosigkeit um uns. Vieles, was wir hören und sehen, kann uns beschmutzen und verletzen. Oft kostet es viel Kampf zu widerstehen. Und manchmal unterliegen wir auch. Aber aller Kampf wird zu Ende sein, wenn wir Jesus von Angesicht zu Angesicht sehen, wenn wir aus dem Dunkel unseres Lebens in sein Licht treten. Dafür lohnt es sich, sein Leben zu „putzen". 1. Timotheus 6,12

Dienstag

28.

2. Timotheus 1,1-12
Geistliche Väter und Mütter

Timotheus hatte das Vorrecht, in einer Familie aufzuwachsen, die vom Glauben an Jesus Christus bestimmt war (V. 5). Aber Glaube ist nicht vererbbar. Der Ruf Gottes mußte Timotheus ganz persönlich treffen, damit er Christ wurde (V. 9). Um Menschen zum Glauben zu führen, hält Gott Ausschau nach Christen, die bereit sind zu geistlicher Elternschaft. Paulus wurde der geistliche Vater des Timotheus (V. 2). Er nahm ihn zu sich (Apg. 16,1-3) und erklärte ihm die Schrift. Timotheus konnte an seinem geistlichen Vater studieren, wie Nachfolge Jesu praktisch aussieht. Auch als sich ihre Wege trennten, blieb Paulus für Timotheus verantwortlich. Er betete regelmäßig für ihn und ermahnte ihn, seiner Berufung treu zu bleiben und Jesus ohne Furcht mit seinen Gaben zu dienen (V. 6-8). Timotheus weiß, daß Paulus selbst treu in der Nachfolge lebt (V. 12). Auch wir brauchen geistliche Väter und Mütter, die durch Wort und Vorbild andere zum Glauben ermutigen. 1. Timotheus 4,12

Mittwoch

29.

2. Timotheus 1,13-18
Sich an Gottes Wort halten

Gott hat uns sein Wort als heilsame Lebenshilfe gegeben. Timotheus bekommt den Rat, sich fest daran zu halten. Sein Glaube und seine Liebe zu Jesus helfen ihm dabei (V. 13). Kostbares wird sorgsam bewacht. Gott hat den heiligen Geist zum Wächter über sein Wort bestellt. Er erinnert uns daran, so zu leben, wie Gott will (V. 14). Onesiphorus lebt nach dem Wort Gottes. Nicht nur in seiner Heimatgemeinde Ephesus, auch in der fremden Stadt Rom sorgt er in Liebe für den gefangenen Apostel. Er besucht ihn – ohne Furcht, selbst dadurch in Gefahr zu geraten. Paulus dankt ihm durch seine Fürbitte (V. 18). Phygelus und Hermogenes kennen Gottes Wort auch gut. Aber als ihre Sicherheit gefährdet ist, halten sie sich nicht daran. Ihre Selbstliebe ist größer als ihre Nächstenliebe. Sie trennen sich von dem Apostel. Ein warnendes Beispiel! Gott erwartet, daß wir uns auch dann, wenn es kritisch wird, an sein Wort halten. Wir können den heiligen Geist um Kraft dafür bitten. Jakobus 1,22

Donnerstag

30. **2. Timotheus 2,1-13**
Streiter Christi sein

■ Im Neuen Testament wird für Nachfolge oft das Bild des Kampfes gebraucht. So wird auch Timotheus aufgefordert, ein guter Streiter Christi zu sein. Er braucht dazu Konzentration und Zielklarheit (V. 4.5). Im Kampf kann man sich verletzen und sogar sterben. Paulus weiß, wovon er redet. Er leidet für Jesus und erwartet in seinem Prozeß das Todesurteil. Aber er weiß auch, daß Jesus den Kämpfenden beisteht (V. 7) und sie Ergebnisse des Kampfes sehen läßt (V. 6). Paulus kennt den Siegespreis, den alle bekommen, die recht kämpfen: Sie werden am Ende mit ewiger Herrlichkeit beschenkt (V. 10). Auch wir sollen wie Timotheus gute Streiter Christi sein und uns im Blick auf den Siegespreis ganz für unseren Herrn einsetzen. Wenn wir schwach werden im Kampf, können wir mit der Treue Jesu rechnen (V. 13). Wer sich entschließt, Jesus nachzufolgen, muß auch leidensbereit sein. Denn „wer sich vor Leiden fürchtet, gehört nicht zu dem, der gelitten hat" (Tertullian).

Johannes 15,20

Freitag

31. **2. Timotheus 2,14-26**
Irrlehren widerstehen

■ Wir sollen nicht in Panik geraten, wenn heute Irrlehrer in der Gemeinde Jesu auftreten. Zu allen Zeiten haben Christen wie Hymenäus und Philetus sich eines Tages von der Wahrheit abgewandt und Behauptungen aufgestellt, die der Bibel widersprechen (V. 18). Oder sie beißen sich an unnützen Fragen fest, auf die es keine Antwort gibt (V. 23). Damit nicht Streit und Verwirrung in der Gemeinde entsteht, gilt es, das Wort der Wahrheit klar zu predigen und danach zu leben (V. 15). Besonders die, die Verantwortung in der Gemeinde tragen, sollen durch ihre Lebensführung keinen Anstoß erregen (V. 22.24). Öffentliche Diskussionen über die Irrlehre verwirren die Zuhörer nur (V. 14). Mit den Irrlehrern selbst soll klar und liebevoll geredet werden, damit sie neu die biblische Wahrheit erkennen und sich von ihrem Irrtum abwenden können (V. 25). Auch dann, wenn Irrlehre sich breitmachen will, dürfen wir uns darauf verlassen, daß Gott uns im Blick hat (V. 19) und hilft.

2. Thessalonicher 3,3

Gott hat uns nicht geben den Geist der Furcht, sondern der Kraft und der Liebe und der Besonnenheit.

2. Timotheus 1,7

Monatsspruch Februar:

Wenn der Herr nicht das Haus baut, so arbeiten umsonst, die daran bauen. Psalm 127,1

Samstag

1. **2. Timotheus 3,1-9**
Achtung – Scheinfrömmigkeit
■ Diese Zeilen sind nicht geschrieben, damit wir spekulieren, ob die „letzten Tage" heute schon angebrochen sind oder wann sie endlich beginnen. Paulus zeigt uns vielmehr, was die Gemeinde Jesu zerstört: falsches Handeln (V. 2-4) bei anscheinend richtiger Frömmigkeit (V. 5). Da redet man ganz biblisch, aber lebt ganz egoistisch. Man nutzt nicht die Kraft, die Jesus schenkt, um gegen seine Undankbarkeit, Unversöhnlichkeit und Lieblosigkeit anzugehen; man ist geldgierig oder hochmütig oder ein Angeber – oder gar alles zusammen. Doch geht es nicht nur darum, bei sich selbst aufzupassen, sondern auch darum, in der Gemeinde solche Menschen zu meiden (V. 5b). Eine schwierige Aufgabe, bei der man leicht zum Pharisäer werden kann. Schwierig auch, weil diese Leute von immer neuen (angeblich geistlichen) Erkenntnissen träumen (V. 7). 1. Timotheus 6,12

Sonntag

2. **2. Korinther 1,8-11**
Aus der Krise gelernt
■ Eine Krisensituation aus seinem eigenen Leben erwähnt Paulus. Sie war so kritisch, daß er bereits mit seinem Leben abgeschlossen hatte. Doch gegen alle menschliche Kalkulation kam er noch einmal davon. Gnädige Bewahrung Gottes? Sicher – doch das allein war Paulus zu wenig. Er hat diese Geschichte als eine Lektion seines Gottes verstanden und daraus für sein Glaubensleben etwas gelernt, was er auch uns weitergeben möchte. Was? Wir Menschen sollen nicht so viel über menschliche Wahrscheinlichkeiten oder Unwahrscheinlichkeiten nachdenken und uns Sorgen machen. Wir sollten vielmehr unser Leben und Sterben getrost in Gottes Hände legen und ihm vertrauen. Seine Möglichkeiten sind unbegrenzt und nicht von uns zu kalkulieren. Und noch eins ist Paulus wichtig: Christen sollten nie die Macht der Fürbitte unterschätzen (V. 11)! 2. Timotheus 1,7

Montag

3. **2. Timotheus 3,10-17**
So sieht wahre Frömmigkeit aus
■ Nach dem Negativbild von Frömmigkeit (V. 1-9) folgt nun das positive Bild. Zwei Dinge betont Paulus: Zum einen gibt es kein frommes Leben ohne Anfeindung (V. 12). Paulus betrachtet das als allgemeine „Regel" für frommes Leben (V. 13). Auch wenn er Gottes Hilfe erfuhr, mußte es doch erstmal durchgestanden sein (V. 11). Zum anderen heißt „fromm leben": aus der Heiligen Schrift leben (V. 14-17). Auch wenn ein Mensch noch so lange im Glauben steht, wächst er nicht über die Schrift hinaus. Einen vierfachen Nutzen nennt Paulus beim Bibellesen (V. 16), u.a. Erziehung zur Gerechtigkeit. Kinder bedürfen der Erziehung – auch Kinder Gottes, damit sie erwachsene Menschen Gottes werden. Gott hat einen hohen Maßstab für Erwachsensein im Blick: zu allem guten (göttlichen) Werk geeignet! 1. Timotheus 6,6

Das zweite Buch Mose (Exodus)

Name
„Zweites Buch Mose" heißt es nach dem Verfasser. Gott selbst hat Mose ausdrücklich damit beauftragt, seine Worte aufzuschreiben (34,27).
„Exodus" heißt Auszug und leitet sich her von der Herausführung Israels aus Ägypten, die in der ersten Hälfte dieses Buches ausführlich beschrieben wird.

Inhalt
Das 2. Buch Mose enthält die Geschichte des Volkes Israel von Josefs Tod bis zur Gesetzgebung am Sinai. Es berichtet, wie aus den Söhnen Jakobs das Volk Israel und daraus Gottes Volk wird.
Heilsgeschichtlich können wir drei Stufen der Offenbarungsgeschichte erkennen. Nach Römer 7,9 und 8,2 unterscheiden wir
1. Menschen ohne Gesetz,
2. Menschen unter dem Gesetz des Mose,
3. Menschen in Christus und damit frei vom Gesetz.
Mit Mose beginnt eine neue Epoche der Gottesoffenbarung. Gott offenbart seinen Willen im Dekalog, in den Zehn Geboten. Doch auch diese Offenbarung ist noch nicht die endgültige und abschließende, sondern nur eine vorbereitende. Sie wird durch die Offenbarung der Propheten ergänzt und später – „als die Zeit erfüllt war" (Gal. 4,4) – mit der Menschwerdung Christi, seinem Leben, Sterben und Auferstehen vollendet. Die Erwählung des kleinen Volkes Israel entspricht dem Wesen Gottes, dem Zusammensein von Heiligkeit und Barmherzigkeit. Dieser heilige, richtende und barmherzige Gott handelt völlig frei, für menschliches Denken und Empfinden unverständlich. Der Schlüssel zum Erkennen und Verstehen seines Handelns kann in den Aussagen gesehen werden: „Die ganze Erde ist mein" (19,5) und „weil der Herr euch liebte" (5. Mose 7,7.8). Die göttliche Liebe, die in Gottes Heilsplan und seinem Rettungswerk sichtbar wird, ist der tiefste Grund für die Erwählung Israels (vgl. Joh. 3,16). Das vorläufige Ziel, das mit der Rettung des Volkes Israel aus Ägypten (3,12; 19,14) erreicht wird, ist der Empfang der Gottesoffenbarung, der Zehn Gebote, und der Bundesschluß. Gott will sein Volk an sich binden (Kap. 20-24). Es soll seine eigentliche Aufgabe erfüllen: Gottes Eigentum sein und allen Völkern der Erde als Licht voranleuchten (19,1-6). Gebote und Bundesschluß sind die Voraussetzung für das „Wohnen" Gottes bei seinem Volk (25-40).

Da redete der Herr mit Mose und sprach: Geh hin und rede mit dem Pharao, dem König von Ägypten, daß er Israel aus seinem Lande ziehen lasse. 2. Mose 6,11

Dienstag

4. 2. Timotheus 4,1-8

Verkündigung ist erste Aufgabe der Christen

■ Paulus schreibt eindringlich. Hier steht nicht das übliche griechische Wort für „ermahnen", sondern wörtlich: „So beschwöre ich dich ..." Worum geht es? Es muß verkündigt werden, und zwar immerzu und auf alle Art und Weise (V. 2 und 5). Alle Bedenken sind beiseite zu stellen. Das Wort muß unter die Leute. Schnellstens! Warum diese Eile (vgl. Jesus in Luk. 10,1-12)? Wenn wir nicht die Zeit nutzen, tun es andere mit ihren religiösen Sonderlehren und Irrlehren (V. 4). Wir sehen ja heute die vielen sektiererischen Gruppen in unserem Land! Es gibt einen zweiten Grund für die Eile: Die Lebensuhr des großen Missionars läuft ab (V. 6-8). Unermüdlich hat er das Wort durch die Welt gebracht. Nun müssen es andere tun. Maß muß in der Christenheit festhalten: So wichtig auch andere Aufgaben sind – die evangelistische Verkündigung hat absolute Priorität! Da geht es um Leben und Tod der uns anvertrauten Menschen.

Römer 10,17

Mittwoch

5. 2. Timotheus 4,9-22

Glaubensgewißheit trotz Kümmerlichkeit

■ So also sieht das Ende des großen Apostels aus: Ziemlich allein gelassen! Keine stolze Mitarbeiterschar, die ihn feiert und als größten Missionar des 1. Jahrhunderts bejubelt. Die Bilanz seines Lebens ist nicht überwältigend: einige Mitarbeiter sind wieder abgefallen (V. 10a und 16), andere sind wegen Krankheit ausgefallen (V. 20b). Er ist bedroht. Da ist einer in der Gemeinde oder in ihrem Umkreis, der auf gehässige Weise Widerstand leistet (V. 14.15). Paulus selbst braucht sowohl dringend seine warmen Wintersachen (V. 13 und 21) als auch einen neuen Mitarbeiter (V. 11). Alles andere also als ein relativ gesichertes Gemeindeleben. Noch nach Jahrzehnten ist schwere Aufbauarbeit nötig. Ist da nicht etwas Wehmut und Frustration bei Paulus zu spüren? Nein, denn die Hauptsache steht nach wie vor bombenfest: Auf den Herrn ist Verlaß! Er wirkt auch jetzt durch alle menschliche Schwäche hindurch (V. 17) und hat sein ewiges Reich für uns bereit. Da kann man doch nur loben und anbeten (V. 18).

2. Korinther 4,16

Donnerstag

6. 2. Mose 1,1-22

Streik der Hebammen

■ Wer Gott fürchtet, verliert die Furcht vor den Menschen. Zwei Hebammen fürchten Gott mehr als den König. Seinen Mordbefehl beantworten sie mit Streik – sie fangen keine langen Diskussionen an, ob und unter welchen Umständen es vielleicht doch erlaubt sein könnte, ein Kind zu töten. Gottes Wille ist in diesem Fall klar und eindeutig. Und der einfache Gehorsam ist die beste Art, mit den komplizierten Problemen des Lebens zurechtzukommen. Die beiden einfachen Frauen machen das Unrecht einfach nicht mit, einfach weil sie an Gott glauben. Glaube ist ein Gehorsam, der mit Gott rechnet, auch wenn das wie heller Wahnsinn aussieht. Man kennt ja das Argument: „Befehl ist Befehl. Als einzelner kann man sowieso nichts machen." Zwei schwache Frauen machen Pharaos Pläne zunichte. Pharao krümmt ihnen kein Haar, und Gott überschüttet sie und ihre Familien mit seinem Segen. „Weil die Hebammen Gott fürchteten, segnete er ihre Häuser."

2. Mose 1,21

Freitag

7. ■ **2. Mose 2,1-10**
Prinzessin hat was aus dem Kasten
Natürlich ist mit so einem Kästchen kein Kind zu retten. Das weiß Moses Mutter auch. Aber sie hat nicht nur gesunden Menschenverstand, sondern auch gesundes Gottvertrauen. Sie tut, was sie kann. Ab dann überläßt sie ihr Kind nicht seinem Schicksal, sondern seinem Schöpfer. Und dem fällt immer noch was ein, und wenn es eine badelustige Prinzessin ist. Die entdeckt im Schilf die Schatulle, läßt sie an Land ziehen, klappt den Deckel auf und ist hin – drin liegt ein Kind, dem die Tränen übers Gesicht kullern. Sie beschließt, das Bürschlein zu adoptieren. So kommt Mose mit dem Leben davon. Das Wort „Gott" kommt hier überhaupt nicht vor. Alles sieht aus wie Zufall. Doch der Glaube sieht hinter den Kulissen die Hand Gottes, die hier die Regie führt. „Unbegreiflich ist, wie Gott regiert."
Psalm 147,4

Samstag

8. ■ **2. Mose 2,11-25**
Meuchelmörder Mose
Er hatte es so gut gemeint: Solidarität mit den Unterdrückten, Protest gegen die Ungerechtigkeit, Kampf für die Freiheit. Nur nutzt die beste Absicht nichts, wenn von Gott kein Auftrag vorliegt. Als man ihn fragt: „Wer hat dich beauftragt?" muß er schweigen. Er kann ja nicht sagen: „Ich bin ein Meuchelmörder von Gottes Gnaden." Wer Menschen totschlägt, hat Gott nicht hinter sich. Mose hatte nicht den Auftrag, als Terrorist die Theologie der Revolution auszuprobieren. Seine Eigenmächtigkeit war sein Fehler. Mit so einem fehlerhaften Werkzeug kann Gott nicht arbeiten. Mose muß aufs Abstellgleis. Zum Dampfablassen schickt Gott den feurigen jungen Mann in die Wüste. 40 Jahre Wartezeit! Als alle selbsterdachten Befreiungspläne erloschen sind, macht Gott das Feuer wieder an. Go down, Moses!
2. Mose 3,10

Über dir geht auf der Herr, und seine Herrlichkeit erscheint über dir. Jesaja 60,2

Sonntag

9. ■ **2. Korinther 4,6-10**
Vermummungsgebot aufgehoben
Mose mußte sich vermummen, damit niemand den Schein des göttlichen Lichts auf seinem Gesicht sehen konnte (2. Kor. 3,13). Wir müssen den Mumm haben, Farbe zu bekennen, damit jeder sieht, was uns auf der Seele brennt. So soll durch uns Erleuchtung, Gotteserkenntnis entstehen. Durch uns! Unfaßlich! Wenn hier stünde „durch den heiligen Geist", da wäre das klar. Aber hier steht: durch uns! Wer sind denn wir? Damit uns diese hohe Ehre, Fackeln Gottes zu sein, nicht in die Köpfe steigt, erinnert uns Paulus daran, wer wir sind: Erd-Töpfe, zerbrechlich, angeschlagen. Es ist also keine Verwechslung möglich – die Kraft ist von Gott und nicht von uns. Aber durch uns soll der Kraftstrom fließen. Höchste Ehre des Schöpfers für seine Geschöpfe, „daß durch uns entstünde die Erleuchtung".
2. Korinther 4,6

Montag

10. **2. Mose 3,1-22**
Gott unter den Dornen

Den Hitzkopf, der darauf brannte, Unterdrücker kaltzumachen, hatte Gott auf Eis gelegt. Jetzt taut er ihn wieder auf, indem er ihm als Feuer entgegentritt: Mose sieht den brennenden Dornbusch. Ein Busch, der brennt und nicht verbrennt. Um auf den Busch zu klopfen, geht Mose näher. Gott kann auch die Neugier für seine Zwecke gebrauchen. Vielleicht geht einer mal aus Neugier in eine Kirche, um zu sehen, was das ist: etwas, das stirbt, ohne abzusterben, und wird dabei von Gott gepackt. So geht es Mose am Sinai. Aus dem Neugierigen wird ein Betroffener, aus dem Beobachtenden ein Berufener. Er begreift: Hier geht es um mich, und er meldet sich: „Hier bin ich." Dem Mose offenbarte sich Gott am Berg Sinai. Inzwischen hat er sich noch an einem anderen Ort offenbart – auf dem Berg Golgatha, unter der Dornenkrone des Gekreuzigten. Gott sucht man zwar nicht unter den Dornen, aber nur unter den Dornen ist er zu finden. Er sagt: „Ich will mit dir sein." 2. Mose 3,12

Dienstag

11. **2. Mose 4,1-17**
Mitarbeiter statt Marionetten

Die große Weltpolitik macht Gott selbst. Aber er braucht Menschen wie den Mose, die mitmachen. Klar brauchte Gott bloß mit dem Finger zu schnippen, und schon müßte Pharao kuschen und Israel wäre frei. Aber Gott handelt nicht wie ein Zirkusdirektor, vor dem alle Männchen machen müssen. Er will den Menschen nicht als Marionette, sondern als Mitarbeiter, der mit dem ganzen Herzen ja zu seinem Willen sagt und dann mit ganzer Kraft seinen Willen tut. Deshalb gewährt er dem Menschen das Mitspracherecht (Gott läßt mit sich reden) und das Streikrecht (Gott zwingt keinen). Mose geht die Muffe, deshalb geht er in den Streik. Viermal weigert er sich, die Berufung anzunehmen. Als Gott seine Ausreden entkräftet, will er aussteigen: Nein danke, nimm einen andern! Da reicht es Gott. Er staucht ihn zusammen, er steckt ihn mit seinem Bruder zusammen, er stellt sie unter die Verheißung: „Ich will euch lehren, was ihr tun sollt." 2. Mose 4,16

Mittwoch

12. **2. Mose 5,1-6,1**
Wer ist der Herr?

So fragt der ägyptische Pharao in V. 2 Mose und Aaron, die Sprecher der hebräischen Gastarbeiter. Er weiß nichts vom Gott Israels, will von ihm auch nichts wissen. Und schon gar nicht will er sich von ihm etwas befehlen lassen. Israel bleibt. Das steht für ihn fest, obwohl die hohe Geburtenrate der Israeliten unheimlich ist. Für ihn ist das Gerede von Gott sowieso nur ein Zeichen dafür, daß sie zuviel Zeit zum Nachdenken haben. Also bremst er die Rohstoffzufuhr (V. 7) und erhöht die Norm (V. 8). Der Streß ist unerträglich. Die Israeliten geben den Druck an Mose weiter. Der läßt seinen Druck bei Gott im Gebet ab. Gott versichert: Pharao muß das Volk nicht nur ziehenlassen – aus dem Land jagen wird er es. Was der Pharao bei den Israeliten erreichen wollte, tun heute viele sich selbst an. Vor lauter Rastlosigkeit können sie keinen Frieden mit Gott finden. Psalm 135,5

Donnerstag

13.

2. Mose 7,1-25
Wer nicht hören will, muß fühlen

Verstockung ist, wenn einer schließlich weitertun muß, was er ursprünglich tun wollte. Jetzt kommt der Pharao aus seiner Verhärtung nicht mehr heraus. Gott will ihn durch die Folgen seiner Fehler zu Verstand bringen. Nun wird Gott in der Zeichensprache der Wunder zu den Ägyptern reden, bis sie klein beigeben. Das wird ein schwerer Weg. Das erste harmlose Wunder läßt den Pharao kalt. Seine Magier können das auch. Aber ihre Schlangen werden gefressen. Er sitzt zu sehr auf dem hohen Roß und erkennt den tiefen Sinn dieser Tatsache nicht. Er wird nicht weich und läßt das Volk Gottes nicht ziehen. Nun lösen Mose und Aaron im Auftrag Gottes eine siebentägige ökologische Katastrophe aus. Aber auch diese Sprache versteht der Pharao nicht. Im Gegenteil. Seine Magier setzen auf seinen Befehl noch eins oben drauf, so daß das Unheil wächst. Er hört nicht auf Gott und wird dadurch verhärtet. Hebräer 4,7b

Freitag

14.

2. Mose 12,1-20
Kein sinnloser Tod

Der große Exodus des Volkes Israel aus Ägypten steht unmittelbar bevor. Die Nachtmahlzeit des Passa bekommt durch die Reisevorbereitungen und die Ankündigung des Strafgerichtes über die ägyptischen Erstgeborenen seine besondere Bedeutung. Das an die Türpfosten gestrichene Blut des Lammes macht deutlich: Hier muß nicht noch der Tod kommen. Hier wurde schon gestorben. Diese bei den Juden noch heute gefeierte Erinnerung an den Auszug aus Ägypten hat für die Christen eine besondere Bedeutung. Der Täufer Johannes zeigte auf Jesus und sagte: „Siehe, das Lamm Gottes, das die Sünde der Welt trägt." Jesus setzte während des letzten Passamahles mit seinen Jüngern ein Abendmahl ein. Das Blut, das Jesus am Kreuz für uns vergossen hat, ist wie das Blut an den Türpfosten. Wer von Herzen glaubt, daß der Gottessohn sein Blut zur Vergebung unserer Sünden vergossen hat, wird leben.
Römer 5,8

Samstag

15.

2. Mose 12,21-33.51
Vor unseren Augen

Die Israeliten beugen sich vor Gott, beten ihn an (V. 27) und richten sich nun auch nach seinen Anweisungen. Sie erleben, wie Gott sie schützt, als der Tod umgeht. Eine landesweite Totenklage hebt an. Erst jetzt gibt der Pharao klein bei und läßt die Israeliten ziehen. Daß dies geschieht, wird seither als Spitzentat Gottes gefeiert und dient allen folgenden Generationen zur Charakterisierung Gottes. Er wird seither der „Gott, der dich aus Ägyptenland geführt hat" genannt. Gottes Geschichte spielt sich nicht hinter unseren Stirnen, sondern vor unseren Augen ab. Nur noch an einer Stelle der Weltgeschichte überbietet Gott dieses Wunder. Er setzt seiner Liebe die Krone auf, als er auf Golgatha sein gerechtes Urteil über unser Leben an seinem eigenen Sohn Jesus vollstreckt. Daß Jesus dazu ja gesagt und unsere Strafe auf sich genommen hat, ist seither unter den Christen das Thema Nr. 1. 1. Petrus 1,18.19

Wo ist der Weg aus der Angst?

Kaum einer ist wohl in die Tiefe menschlicher Ängste so sehr hinabgestiegen und hat ihnen in beklemmenden Worten so stark Ausdruck verliehen, wie der Dichter Franz Kafka. Sein ganzes literarisches Werk ist eine einzige Schilderung des Labyrinths und der Ausweglosigkeit, in der sich der moderne Mensch befindet.
Von Franz Kafka stammt auch die Fabel „Die Maus". Kurz und knapp lautet sie etwa folgendermaßen: Eine Maus läuft durch ein großes Zimmer und sucht ängstlich nach ihrem Schlupfloch. Plötzlich hat sie es entdeckt – doch direkt davor steht eine Mausefalle. „Was soll ich nur tun?" sprach die Maus. Da hörte sie hinter sich eine Stimme: „Du mußt dich nur umdrehen!" – sagte die Katze und fraß sie auf.
Den Ort der Geborgenheit – das Schlupfloch – gibt es bei Kafka nicht. Der Mensch ist eine in die Enge getriebene kleine Maus, die nur noch die Wahl zwischen Mausefalle und Katze hat.
Im Neuen Testament wird uns eine ähnliche Geschichte erzählt. Allerdings mit zwei bedeutsamen Unterschieden: Es ist keine Fabel, sondern der Bericht von tatsächlich Geschehenem. Und: Die Geschichte in der Bibel hat ein anderes Ende. Welche ich meine? Sie ist nachzulesen in Johannes 20.
Da sitzt eine Handvoll verängstigter Männer hinter verrammelten Türen. Sie fürchten, daß es ihnen ans Leben gehen könnte wie ihrem Herrn und Meister Jesus, der kurz zuvor gekreuzigt wurde. Würde die jüdische Geheimpolizei ihr Versteck aufspüren? Saßen sie schon in der Falle? Doch dann steht ganz plötzlich ein anderer mitten unter ihnen. Als sie sich umdrehen, erkennen sie ihn: Es ist Jesus. Es besteht kein Zweifel: An den Nägelmalen erkennen sie ihren gekreuzigten Herrn. Er hat den Tod besiegt. „Da wurden die Jünger froh, als sie den Herrn sahen", so lesen wir bei Johannes.
Nicht die gefräßige Katze wartet auf uns, um uns zu verschlingen, sondern Jesus, der uns aus dem Rachen der Angst locken und unsere Füße auf weiten Raum stellen will.

Klaus J. Diehl

Wir liegen vor dir mit unserm Gebet und vertrauen nicht auf unsere Gerechtigkeit, sondern auf deine große Barmherzigkeit. Daniel 9,18

Sonntag

16.

1. Korinther 9,24-27
Mehr als ein Wegweiser

Unser Lebens-Lauf als Christ hat ein herrliches Ziel. Aber unterwegs blinkt ein großes, rotes Warnlicht mit der Aufschrift „Wie echt sind Christen?". Paulus spricht über die Echtheit der Christen. Manche reden so, aber handeln ganz anders (V. 27). Das raubt den Christen die Vollmacht. Sie gleichen dem Arzt, der Vorträge gegen das Rauchen hielt, aber selbst rauchte. Als ihm jemand daraus einen Vorwurf machte, erwiderte er: „Haben Sie schon einmal einen Wegweiser gesehen, der in die Richtung läuft, in die er zeigt?" Christen sind mehr als Wegweiser. Damit wir unser Ziel erreichen, sollen wir uns nicht mit allem Möglichen belasten. Sonst bleiben wir auf der Strecke. Wir haben ein lohnendes Ziel vor Augen. „Das Ja zu einem großen Ziel erfordert manches Nein."

1. Johannes 1,6

Montag

17.

2. Mose 13,17-22
Zeichen von Gottes Gegenwart

Ein langer und beschwerlicher Weg liegt vor dem wandernden Volk. Es ist ein Weg auf Leben und Tod, auf dem sie die Gewißheit brauchen, daß es Gottes Weg ist. Anders ist er nicht zu ertragen. Gott schenkt den Israeliten mit der Wolken- und Feuersäule Zeichen seiner Gegenwart. Am Wochenanfang machen uns regelmäßig die dumpfen Töne der Montagsmuffel zu schaffen. Manchmal sind wir selbst welche und fühlen uns wie gelähmt. Wenn wir am Wochenanfang schon am Ende sind, können wir daran denken, daß Jesus uns seine Gegenwart versprochen hat: „Siehe, ich bin bei euch alle Tage." Ohne diese Gewißheit wären manche Tage nicht zu ertragen. Wir können sogar gewiß sein, daß Jesus schon vor uns in solchen Situationen ist, die drohend vor uns liegen. Das macht uns ruhig und gefaßt. Philipper 4,7

Dienstag

18.

2. Mose 14,1-14
Kein Grund zur Panik

Helle Aufregung: Mit neuester Technik jagt Ägyptens erster Mann hinter Auswanderern her, denen er doch selbst den Auszug gestattet hat. Entsetzt schreien die Bedrängten auf und „erinnern" sich ganz falsch an das, was wirklich geschehen war (V. 10-12). Wir lernen in diesem Abschnitt aber nicht nur Ägyptens Wut und Israels Panik kennen. Wir erfahren auch, daß Gott Ruhe ausstrahlt: V. 1-4.13.14. Er hat alles so eingerichtet, wie er es wollte. Deshalb gibt es keinen Grund zur Panik für die Verfolgten, obwohl sie keine Chance hätten: „Der Herr wird für euch streiten und ihr werdet stille sein." Grund zu Angst und Panik gibt es irgendwann in jedem Leben. Gott aber hat alles im Griff. Er hat auch unser Leben nach seinem Plan eingerichtet. Matthäus 6,34

Mittwoch

19.

2. Mose 14,15-31
Davongekommen

Wie V. 15 zeigt, war Mose nicht ganz so gelassen geblieben, wie man aus V. 14 schließen könnte. Sein Gebet war nicht ohne Angst und Zweifel. Auch er „schrie". Ein Trost für uns! – Israel hatte dem geballten militärischen Großaufgebot nichts entgegenzusetzen. Gott aber ist mit Ägypten fertig geworden. Der Widerstand Ägyptens gegen Gottes Willen war ausgereift. Pharao und seine Streitkräfte sind deshalb reif für Gottes vernichtendes Handeln (V. 18). Gottes Volk kommt davon; Mose wird nur durch symbolische Gesten daran beteiligt (V. 21 und 27). Mehr kann er nicht tun. Wenn Jesus wiederkommen wird, werden alle Völker reif sein für Gottes Gericht. Wir können davonkommen, obwohl wir nichts dazu tun können. Wir müssen in Anspruch nehmen, was Gott allein tun konnte, ohne unsere Beteiligung: Er hat seinen Sohn geopfert, damit wir ewig leben sollen. Wenn wir das wissen, erleben wir so manchen wunderbaren Durchzug durch das Meer. Römer 5,18

Donnerstag

20.

2. Mose 15,1-21
Sieger-Ehrung

Ein Lied primitiver Schadenfreude? Das wäre ein Mißverständnis. Die Israeliten sind nicht schadenfroh; sie singen mit zitternden Knien (V. 9). Das Lied ist in einer ganz anderen Stimmung entstanden als der, in der man sagt: „Wir sind noch einmal davongekommen." Das zentrale Thema ist Gott und sein unbegreifliches Handeln! – Dies ist das erste Lied der Bibel, das Gottes Sieg zugunsten seiner Leute besingt. Weitere Lieder folgen. Höhepunkt sind die Danklieder der Erlösten, die wir in der Offenbarung des Johannes finden. Wenn Gott endgültig den Bösen und seine Handlanger besiegt hat, wird es Sieger-Ehrungen geben, bei denen diese Lieder gesungen werden. Auch wir werden mitsingen, wenn wir zu Jesus gehören! Bis es soweit ist, dürfen wir jetzt schon frohe Lieder anstimmen, wenn uns durch Gott etwas gelingt! Denn auch die kleinen „Siege" verdanken wir ihm. Römer 11,33

Freitag

21.

2. Mose 16,1-36
Volle Versorgung

Von großartigen Erfahrungen und unbegreiflichen Erlebnissen lesen wir in den vorausgegangenen Kapiteln. Aber schon bei der nächsten Herausforderung ist alles vergessen. Die Erinnerung macht die Schinderei in Ägypten zu einem Leben im Wohlstand und Mose werden mörderische Motive unterstellt (V. 3). Gott zeigt sich geduldig. Selbst die üble Kritik hält ihn nicht davon ab, sein Volk, das allen Ernstes Sehnsucht nach Ägypten hat, in der Wüste zu versorgen. Ist eine solche Sehnsucht nach dem „alten Leben" uns ganz und gar unbekannt? Meinen wir nicht doch manchmal (vor allem in Wüstensituationen des Lebens), es sei ohne Jesus doch alles schöner, bequemer, spannender? Gerade in solchen Zeiten brauchen wir dies: Gott will alles für uns sein. Er will uns voll und ganz versorgen. Was wir brauchen, bekommen wir von ihm. Und was wir nicht von ihm bekommen, brauchen wir nicht. Matthäus 6,8

Samstag

22.

2. Mose 17,1-16
Grundversorgung

Jahrzehntelang lebten die Israeliten von Manna und Wachteln. Aber in Refidim fehlt es am wichtigsten Nahrungsmittel: Wasser. Dies ist die dritte Enttäuschung auf dem langen Weg von Ägypten in das versprochene Land. So groß ist der Frust, daß Mose sogar in Lebensgefahr gerät (V. 4). Das ist der vorläufige Tiefpunkt in der Geschichte des wandernden Gottesvolkes. Was weder die Sturheit des Pharao noch seine tobenden Elitesoldaten zustandegebracht haben, wäre beinahe durch die Steinwürfe der Kinder Gottes geschehen. Wieder beweist Gott, daß alles Mißtrauen gegen ihn und Mose vollkommen unberechtigt ist. Für die neutestamentlichen Zeugen ist der wasserspendende Fels in der Wüste zum Urbild für das Christusgeschehen geworden: 1. Korinther 10,4; 1. Petrus 2,4. Jesus ruft: „Wen da dürstet, der komme zu mir und trinke." Johannes 7,37.38

Heute, wenn ihr seine Stimme hören werdet, so verstockt eure Herzen nicht. Hebräer 3,15

Sonntag

23.

Hebräer 4,12.13
Der Durchblick

Die tägliche Bibellese zeigt uns in diesen Tagen das wandernde Gottesvolk auf seinem Weg in das Land der Verheißung. Wir lesen von den Widerständen und Enttäuschungen und erfahren, wie Gott damit umgegangen ist. Der Hebräerbrief ist unter anderem ein Kommentar zu diesem Abschnitt der Geschichte des Volkes Gottes. Gott hatte Israel ein Ziel gesetzt. Auch unser Lebensweg soll ein Ziel haben. Wir sollen nicht in Verlorenheit enden, sondern in Gottes ewiger Ruhe unseren endgültigen Platz finden (Hebr. 4,11). Auf unserem Weg zum Ziel ist Zielstrebigkeit nötig, damit wir es nicht verfehlen. Zu dieser Zielstrebigkeit verhilft uns Gottes Wort. Es ist mehr als nur „Information". Gott sieht uns ohne Filter. Sein Wort hilft uns, uns selbst mit seinen Augen zu sehen. Das mag schmerzhaft sein, weil die Wahrheit unangenehm ist. Aber nur die Klarheit hilft weiter. Psalm 33,4

Montag

24.

2. Mose 18,1-27
Guter Rat für den Mann Gottes

Es muß sich herumgesprochen haben: Gottes Volk zieht heim nach Kanaan, und die Wolkensäule des Herrn geht ihnen voran. Wunderbare Durchhilfe am Schilfmeer, in Hunger und Durst und im Angesicht der Feinde veranlassen Jitro, Moses Schwiegervater, zu einem Familienbesuch beim Volk Gottes. Moses Söhne dürfen sehen, wie der Herr ihren Vater gebraucht und für ein ganzes Volk zum Segen setzt. Doch das wichtige an unserem Text ist nicht das Familientreffen, sondern der weise Rat des Jitro. Hier macht sich ein Schwiegervater sehr nützlich. Er sieht die Überlastung des Mose. Er gibt gute Tips für die Leitungsaufgabe, die darin besteht, Aufgaben delegieren zu können. Die Verantwortung kann geteilt werden, weil Gott allen Begabungen geschenkt hat. Die Leitungsaufgabe (Röm 12,8) besteht gerade darin, zu erkennen, wer im Volk Gottes welche Aufgaben verantwortlich übernehmen kann. Apg. 6,2b.3

Dienstag

25.

2. Mose 19,1-25

Der heilige Gott will ein geheiligtes Volk

Der Gott Israels zeigt sich als einer, der sich wie ein Vater seiner Kinder annimmt. Er hat sie an der Hand genommen, aus Ägypten geführt und wie auf Adlers Flügeln hin zum Sinai, dem Ort der Gottesbegegnung, geleitet. Jahwe heißt der anwesende, der nahe Gott! Zugleich ist er der heilige Gott, der Distanz gebietet! Kein „göttliches Gebilde“ mit dem man kumpelhaft verkehrt, über das man wunschgemäß verfügt. Gott ist souverän der ganz andere, der Schöpfer und Herr! Wenn die Leute oft sagen: „Zeige mir Gott, so will ich an ihn glauben“, ist ihnen nicht bewußt, daß eine Begegnung mit dem heiligen Gott ein schreckliches Erlebnis ist. Sie ist nur da erträglich, wo er uns in Jesus von Nazareth begegnet. Deshalb die Bannmeile um den Berg für das Volk, deshalb die Aufforderung sich zu reinigen und zu heiligen. Deshalb auch der Ruf zum Gehorsam, weil der Herr ein Volk von Heiligen will. Sie sollen ihm ganz zur Verfügung stehen, ihm gehören wollen. 2. Mose 19,6a

Mittwoch

26.

2. Mose 20,1-21

Die guten Lebensregeln Gottes

In Kapitel 19 erfuhren wir, daß Gott heilig ist und ein geheiligtes Volk will. In unserem Abschnitt sagt er seinen Leuten, was sein heiliger Wille ist. Wer sich an diese Wegweisungen hält, lebt im Gehorsam gegenüber Gott und hat die Verheißung bleibenden Lebens (siehe Psalm 1). Deshalb beginnen fast alle Gebote mit dem berühmten: „Du sollst nicht ...!“ Dem Menschen wird gesagt, was nicht gut für ihn ist. Gott weiß, wohin sich das Herz des Menschen neigt, was seine Wünsche und Triebe sind. Die Befolgung dieser Gebote ist lebensnotwendig, ein sicherer Schutz gegen die verheerenden Folgen der Sünde damals wie heute. Die Geschichte Israels ist eine lebendige Illustration dafür. Gott erinnert an seine Gnade und Treue, bevor er die Gebote gibt. Dem Gebot geht die Vatergüte voraus. So ist Gott! Wir dürfen, können und sollen auf seine Gnadenerweise mit Gehorsam dankbar antworten. Er spricht uns mit „du“ an. 2. Mose 20,20

Donnerstag

27.

2. Mose 24,1-18

Gottes Bund mit seinem Volk

Einer allein ist erwählt, sich dem heiligen Gott zu nahen. Mose ist zum Mittler zwischen dem Herrn und seinem Volk geworden. Seine Ohren hören den Willen Gottes. Er ist der heiligen Nähe Gottes ausgesetzt, die sonst kein Mensch ertragen kann. Er erfährt die Herrlichkeit des Herrn in Feuer und Glut und hält das göttliche Gesetz auf steinernen Tafeln fest. Das ist der heilige Bund Gottes mit seinem Volk: Haltet euch an mein Wort, und ich werde mich zu euch halten! Dieser Bund wird feierlich mit Blut besiegelt, mit dem Blut von unschuldigen Tieren. Hier ist es der Berg Horeb, wo solches geschieht. Später, auf dem Berge Golgatha, wo das Blut des Lammes Gottes fließt, beginnt der neue Bund, der die Völker in aller Welt einschließt in Gottes Gnade und Treue. Da kommt Jesus, Gottes Sohn, selbst, der den Menschen den Willen seines Vaters mitteilt und sich hingibt für Sünder, und begegnet uns in verhüllter Herrlichkeit Gottes, die nur der schaut, der ihm glaubt! 2. Mose 24,8b

Freitag

28. 2. Mose 32,1-14

Ein Gott zum Anfassen

Der Glaube an den heiligen Gott wird gelegentlich einem Echtheitstest ausgesetzt. Da Mose lange Zeit auf dem Berg vor dem Angesicht Gottes bleibt, um dessen Willen zu empfangen, geht den Leuten die Geduld, die Ausdauer und das Vertrauen aus. Ihnen sind der durch die Wolke verhüllte Gott und sein Diener fern und unheimlich. Wie die Heiden ringsum möchten sie einen Gott zum Anfassen. Ein goldenes Kalb wird zum Gottessymbol. Der Gottesdienst wird zum Götzendienst. Aus einer Opferfeier wird eine rauschende Orgie. Die beim Bundesschluß das Bilderverbot zur Kenntnis nahmen und antworteten: „Was der Herr geredet hat, wollen wir tun", beten jetzt Gott in Gestalt eines Kalbes an. Da kann Mose nur Fürbitte tun angesichts des göttlichen Zorns. Er nimmt Gott beim Wort und erinnert ihn an seine Verheißungen. Fürbitte lohnt sich. Gott läßt sich bewegen, er ist mehr als ein Gott zum Anfassen. Das wird an Jesus deutlich. Jesaja 38,17

Samstag

29. 2. Mose 32,15-35

„Kehrt um – Gott will neu beginnen!"

Im 32. Kapitel des 2. Mosebuches wird die gewichtige Rolle des Mose als Mittler zwischen Gott und seinem Volk deutlich. Der Mann Gottes bittet den Herrn um Gnade und ergreift Maßnahmen, die Menschen auf den Weg des Gehorsams zurückführen. Gott ist bereit, neu anzufangen. Mose weiß, daß Buße nötig ist. Zunächst sieht er voll Zorn das Treiben der Leute. Seinen Ruf zur Umkehr zum Herrn befolgen zunächst nur die Leute vom Stamme Levi. Wer privilegiert ist, zum auserwählten Gottesvolk zu gehören, und in Empörung oder Verstockung den Bußruf in den Wind schlägt, verfällt der Strafe. Die Härte dieses Gerichtes geschieht mit der Absicht, die, mit denen der Herr weiterziehen will, zu reinigen und zu heiligen. Am Sinai endet nicht Gottes Heilsgeschichte mit den Menschen. Gottes Rettungswerk, das in Jesus gekrönt wird, geht weiter. Unser Ungehorsam im Alltag unseres Lebens verlangt Umkehr. Gut, daß wir in Jesus Gnade und Chance zum Neuanfang haben. 2. Mose 32,34

Und der Herr sprach:
Wem ich gnädig bin,
dem bin ich gnädig,
und wessen ich mich erbarme,
dem erbarme ich mich.

2. Mose 33,19b

Monatsspruch März:

Jesus Christus spricht: Das ist mein Gebot: Liebt einander, so wie ich euch geliebt habe.

Johannes 15,12

Sonntag

1.

1. Korinther 13
Eine Liebeserklärung
Für Liebeserklärungen sind wir jederzeit empfänglich. Sie tun uns wohl. Paulus stimmt ein atemberaubendes Liebeslied an. Aber es ist keine Liebeserklärung an uns. Vielmehr geht es Paulus um die deutliche Klärung, was Liebe ist. Er stimmt sein Lied sehr hoch an. Zu hoch für uns? Wer ist schon so geduldig, so selbstlos, so bescheiden und hoffnungsvoll? Da müßte man schon die Liebe in Person sein. Vieles klärt sich, wenn die Liebe einen Namen bekommt: Jesus. 1. Korinther 13 ist eine einzige Liebeserklärung an Jesus. Wenn wir den Text so hören, wird das Liebeslied zu einem mutmachenden Lied. Es lohnt sich, nur die einzige Sorge zu haben: Wie können wir fest mit Jesu Liebe verbunden sein? Wenn seine Liebe uns wohltut, dann könnten wir heute zur Wohltat für andere werden.

Johannes 15,9

Montag

2.

2. Mose 33,1-23
Komm und zeig dich mir!
Mose will es wirklich wissen, wie er mit Gott dran ist. Kühn wagt er sich an Gott heran. Gottes Gnadenzusage ist ihm noch zu wenig. Der anvertraute Name nicht genug. Er will alles: „Komm und zeig dich mir!" Wie vertraut ist uns dieses Verlangen? Barmherzig räumt Gott ihm einen Platz ein (V. 21). Das ist ein Schutzraum, von dem aus er Gottes Nähe wahrnehmen kann, ohne zu vergehen. Unser Platz ist bei Jesus. Hier zeigt uns Gott sein menschliches Gesicht. Wir sehen seine Liebe und sein Leiden für die Welt. Wenn Jesus wiederkommt, werden wir Gott in seiner Macht und Herrlichkeit sehen. Mit Jesus an der Seite wird keiner vergehen. Noch läßt sich Gott Zeit. Er möchte, daß noch viele in den Schutzraum Jesu kommen. Wir sollen in seiner Herrlichkeit aufatmen und leben können. Angesichts des Leidens warten wir sehnsüchtig darauf.

Johannes 12,45

Dienstag

3.

2. Mose 34,1-10.29-35
Begnadigt
Gott läßt sich sehen. Er öffnet Mose sein Herz und sein ganzes Wesen. Da erlebt Gott eine Enttäuschung nach der anderen mit seinem ungehorsamen und halsstarrigen Volk. Dennoch bleibt er sich selbst und seiner Gnade treu. Diese gilt allen und gilt immer! Aber da ist auch die andere Seite seines Wesens. Wir haben es nicht mit einem ewig lächelnden Gott zu tun. Seine eifrige Liebe zieht zur Verantwortung. Es entspricht auch unseren Erfahrungen, daß wir uns mit unserer Sünde nicht nur selbst belasten. Wir belasten immer auch andere – auch Generationen nach uns (V. 7). So fest gehören Gottes Gerechtigkeit und sein Erbarmen zusammen. Ein Blick auf das Kreuz Jesu ist der Blick ins Herz Gottes. Er hat aus Liebe seinem Sohn diesen Tod nicht erspart! So teuer ist der neue Bund. Hoffentlich ändert dieser Blick unser Leben.

Römer 8,32

Mittwoch

4.

Markus 11,1-11
Anders als erwartet!

■ Jesus bereitet sich auf eine entscheidende Begegnung mit der Öffentlichkeit vor. Er kennt die Messias-Hoffnungen seines Volkes. Jesus hat Vorkehrungen getroffen (V. 1-6), um ihnen ohne Worte durch den Einzug in die Hauptstadt auf einem kleinen Esel zu zeigen: Er ist der erwartete Messias, er wird die Verheißungen erfüllen (Sach. 9,9). Er ist die richtige Adresse für den Schrei „Hosianna", d.h. „Hilf! Bring das Heil! Jetzt!" Aber er wird den Hilferuf anders erhören, als erwartet: Keine Machtdemonstrationen – der Esel zeigt die friedliche Absicht. Keine Gewalt wird von Jesus ausgehen – er wird die Gewalt am eigenen Leib zu spüren bekommen. Keine kurzen Prozesse – dafür läßt er sich den Prozeß machen. Die falschen Erwartungen machen viele blind für Gottes Handeln unter ihnen! Eine Anfrage an uns: Wo machen uns heute festgefahrene Vorstellungen über Gottes Handeln blind für das, was er unter uns und mit uns tut? Markus 10,45

Donnerstag

5.

Markus 11,12-19
Nicht Schein – Sein ist gefragt!

■ Auf den ersten Blick ist das Vorgehen Jesu ungerechtfertigt. Wie kann er von einem Baum reife Früchte verlangen, lange vor der Erntezeit? Er provoziert durch eine Gleichnishandlung: Die Blätterpracht versprach schon etwas, was aber bei näherem Hinsehen nicht gehalten werden konnte. Der Feigenbaum spiegelt genau den Zustand des Tempelbetriebes wider: Rege Betriebsamkeit, viel Geschäftstüchtigkeit – aber wenig Besinnung, noch weniger Änderung der Gesinnung: alles in allem viel „Blattwerk", aber keine Früchte des Glaubens. Am Feigenbaum demonstriert Jesus, was mit dem Tempel geschehen wird, wenn Anspruch und gelebte Wirklichkeit so weit auseinanderklaffen: Formen ohne Inhalt werden erstarren und dann sterben. Eine ernste Warnung an uns! Jesus fragt nicht nach einer imponierenden Außenansicht unseres Dienstes für ihn – er sucht nach der Frucht. Dazu gibt er uns seine Zusage: „Wer in mir bleibt ... der bringt viel Frucht; denn ohne mich könnt ihr nichts tun" (Joh. 15,5). Johannes 15,5

Freitag

6.

Markus 11,20-25
Beten heißt: von Gott Großes erwarten

■ Das „Bergeversetzen" war schon zur Zeit Jesu ein geläufiger Ausdruck für die Überwindung von Schwierigkeiten. Jesus macht Mut, von Gott Großes zu erwarten, auch die Veränderung schwierigster Verhältnisse. Beten ist deshalb nicht Formsache, sondern es führt zu Lösungen, wo wir von uns aus keine sehen. Wer betet, darf die große Zuversicht haben, daß für Gott nichts unmöglich ist. Er hört und erhört! Aber warum macht nicht jeder die Erfahrung, daß sein Gebet erhört wird? Gott bleibt souverän in seinem Willen! Nicht jede Schwierigkeit schafft er beiseite. Und ist die Kraft zum Durchhalten nicht auch Gebetserhörung? Zwei Fragen zur Selbstprüfung: 1. Ist das, was ich mir von Gott erbitte, seinem Wort und seinem Willen gemäß? 2. Möchte ich wirklich eine Lösung von Gott oder geht es mir darum, daß sich meine Vorstellungen erfüllen? Noch eins: Verbitterung steht der Gebetserhörung im Wege (V. 25). Gottes Prinzip ist Vergebung. Er will, daß wir uns darin üben!

Römer 12,12

Samstag

7.

Markus 11,27-33

Nur Taktik oder Suche nach der Wahrheit?

Mit dem Einzug in Jerusalem (V. 1-11) hat Jesus seinen *Anspruch* als Messias verdeutlicht. In der Tempelreinigung (V. 15-17) erhebt er *Einspruch* gegen einen Glauben, der in äußerer Betriebsamkeit stekken bleibt. Wenn Anspruch und Einspruch gerechtfertigt sind, dann ist Änderung, Umkehr nötig. Aber das wollen die so Herausgeforderten und Hinterfragten nicht! Deshalb starten sie den Gegenangriff und fordern von Jesus eine Legitimation von höherer Instanz. Jesus durchschaut das Spiel seiner Gegner, deshalb stellt er *sie* infrage. Die Antwort bleibt aus. Taktische Fragen im Blick auf Jesus Christus führen nicht zum Ziel – bis heute nicht. Wer aber wirklich wissen will, wer Jesus ist, den läßt er nicht ohne Antwort. Den führt er bis zu dem Bekenntnis: „Du bist Christus, des lebendigen Gottes Sohn." Matthäus 16,16

Dazu ist erschienen der Sohn Gottes, daß er die Werke des Teufels zerstöre. 1. Johannes 3,8b

Sonntag

8.

Hebräer 4,14-16

Gnade vor Recht

Christen zeichnet nicht ihre Mustergültigkeit aus. Christen müssen nicht Stärke um jeden Preis beweisen. Christen widerstehen nicht automatisch jeder Versuchung. Nein, Christen hängen von einer Person ab: von Jesus Christus. Er steht auf unserer Seite, er kennt und versteht uns in unserer ganzen Menschlichkeit. Und doch ist bei uns eigentlich nicht sein Platz, weil er sich nie von unserer Gottesferne (= Sünde) anstecken ließ. Er gehört in Gottes Welt (hat „die Himmel durchschritten", V. 14), er ist Herr über die gesamte Schöpfung. Und doch zieht es ihn zu den Geschöpfen in der Gottesferne. So steht er zwischen Gott und uns als Mittler, als Versöhner, als „Hoherpriester". Weil er am Kreuz Gott und die Welt zusammenbringt, ist das Kreuz (V. 16 „Thron der Gnade") der Ort, wo wir vor Gott in der Gewißheit stehen können: Gott läßt Gnade vor Recht ergehen. Hebräer 4,16

Montag

9.

Markus 12,1-12

Gottes Leidenschaft für sein Volk

Der „Weinberg" ist ein bekanntes Bild aus dem Alten Testament für das Volk Gottes (z.B.: Jesaja 5). In der Geschichte Israels sehen wir, wieviel Mühe sich der lebendige Gott um sein Volk gemacht hat. Doch alles scheint vergeblich zu sein! Zuletzt schickt Gott seinen „lieben Sohn" in den Weinberg. Jesus kommt in unsere machtgierige Welt. Er verkündigt die Herrschaft seines himmlischen Vaters. In seiner Person sehen wir die Liebe Gottes im totalen Einsatz. Jesus wird am Kreuz getötet. Damit scheint die Geschichte Gottes mit seinem Weinberg zu Ende zu sein. Doch nein, seine Leidenschaft für uns Menschen geht noch weiter: Am Ostermorgen reißt Gott seinen Sohn aus den Klauen des Todes. Damit wird Jesus zum Fundament der neutestamentlichen Christen-Gemeinde. Laßt uns heute für Gottes große Leidenschaft danken!

Hebräer 1,1.2

Angst vor dem Richter

Erschreckende Worte aus dem Munde einer Siebzehnjährigen, die mir da bei einem Jugendabend gegenübersaß. Ich hatte sie nach dem Sinn ihres Lebens gefragt – und dann als Antwort erhalten: „Sinn? In meinem Leben gibt es keinen Sinn. Alles ist so öde. Was soll der ganze Quatsch?“
Einen Moment lang war ich sprachlos. Da sitzt ein äußerlich sympathisches Mädchen, modisch gekleidet, vor mir und erklärt unumwunden, ihr Leben sei sinnlos und leer und am liebsten möchte sie einen Schlußstrich darunter ziehen. „Und warum tust du es nicht?“ frage ich zurück.
„Ehrlich gesagt, weil ich Angst habe. Angst vor dem, was danach kommt. Denn wenn Gott wirklich existiert, dann wird er mich fragen, warum ich mein Leben einfach weggeworfen habe. Ich glaube nicht, daß ich dann mit meiner Antwort vor Gott bestehen könnte ...“
Angst vor dem Urteil Gottes?! Man könnte vermuten, von solcher Angst würden allenfalls skrupelhafte Menschen erfüllt – oder Menschen, denen durch eine enge, gesetzliche Frömmigkeit die Angst vor der ewigen Verdammnis eingeflößt worden war. Aber dieses Mädchen schien weder von Gewissensbissen geplagt noch war sie das Opfer einer angstmachenden religiösen Erziehung.
Für mich bestand kein Zweifel: In diesem Mädchen steckte tief in ihrer Seele eine kreatürliche Angst vor Gott. Ohne es im einzelnen näher begründen und darlegen zu können, spürte diese Siebzehnjährige intuitiv: Mein Leben steht nicht in meiner Verfügungsgewalt. Ich bin einem anderen dafür Rechenschaft schuldig.
Einst war der junge Mönch Martin Luther in seiner Klosterzelle von der angstvollen Frage gequält worden: „Wie kriege ich einen gnädigen Gott?“ Bis ihm über dem Studium des Römerbriefes die befreiende Erkenntnis geschenkt wurde, daß der lebendige Gott uns durch die Hingabe seines Sohnes selbst rechtfertigt.
Ja, wir müßten alle Angst haben vor dem unbestechlichen Urteil Gottes, vor dem Richter über unser Leben. Aber wenn wir uns an Jesus hängen und ihm vertrauen, können wir zuversichtlich und erhobenen Hauptes dem Tag des letzten Gerichtes entgegensehen.

Klaus J. Diehl

Dienstag

10.

Markus 12,13-17
Heuchler werden entlarvt

Bis heute gibt es Versuche, Jesus „schachmatt" zu setzen. Damals versuchten sie es mit raffinierten Fragen. Zu wem stellt sich Jesus, zum Kaiser in Rom oder zu den jüdischen Befreiungskämpfern? Damit wollen sie seinen Messiasanspruch hinterfragen. Eine einseitige Stellungnahme würde ihn verurteilen. Doch Jesus durchschaut die heuchlerischen Motive. Seine Antwort ist überraschend und weise. „Gebt dem Kaiser, was ihm gehört!" Jeder Christ lebt mit staatsbürgerlichen Rechten und Pflichten. Wir sind eingebunden in eine Gesellschaft, der wir uns nicht entziehen dürfen. Der Hauptsatz Jesu aber lautet: „Gebt Gott, was ihm gehört!" Eine Alternative – Kaiser oder Gott – gibt es eigentlich nicht: Dem lebendigen Gott gehört alles. Er setzt Könige ein und stürzt sie wieder vom Thron. In dieser Antwort Jesu steckt ein deutlicher Ruf zur Umkehr. Wir sind herausgefordert, unser ganzes Leben für Gottes Reich zur Verfügung zu stellen. Johannes 18,36.37

Mittwoch

11.

Markus 12,18-27
Auferstehung ist keine Fata Morgana

Gibt es ein Leben nach dem Sterben? Das ist die Existenzfrage, die in jedem Menschen steckt. Mit einem eigenartig konstruierten Beispiel stellen die Sadduzäer (eine Gruppe aus dem Priesteradel, die nicht an Totenauferstehung glaubt) Jesus diese Frage nach der Auferstehung der Toten. Seine Antwort ist eindeutig. Wer Klarheit zu dieser Frage haben will, muß in der Bibel forschen und um die Kraft Gottes wissen. Später setzt sich Paulus in 1. Korinther 15 intensiv mit Fragen zur Auferstehungshoffnung auseinander. Jesus Christus hat den Tod überwunden, deshalb ist die Predigt von der Auferstehung der Toten kein leeres Geschwätz. Ewiges Leben wird eine unvorstellbar neue Lebensqualität bringen. Besonders in unserer modernen Zeit, in der immer mehr Todeskräfte nach Menschen greifen, sind Christen aufgefordert, Hoffnungsdemonstranten zu sein. Wer Gottes Zukunftsperspektive ignoriert, der „irrt sehr" – zu seinem eigenen Schaden. 1. Petrus 1,3

Donnerstag

12.

Markus 12,28-34
Eine entscheidende Frage

Es war eine harte Diskussion. Viele wollten Jesus nicht verstehen. Ein Bibel-Fachmann stellt dann die entscheidende Frage: „Jesus, was ist das wichtigste Gebot?" Zuerst antwortet Jesus mit dem Glaubensbekenntnis Israels (= „Sch'ma Israel"), das fromme Juden täglich beten. Anschließend nennt er die doppelte Herausforderung zur Liebe. Natürlich kennen wir dieses Doppelgebot der Liebe. Wie stark ist unsere Lebenspraxis dadurch geprägt? Gott will die Liebe unserer ganzen Person. Nicht Selbstverwirklichung soll uns bestimmen, sondern mit allen Fähigkeiten und Kräften sollen wir Gott ehren. Bei Gott zählt die Aufrichtigkeit unseres Herzens. Gottesliebe wird sichtbar in konkreter Nächstenliebe. Nächstenliebe heißt, daß wir den anderen Menschen sehen, ihn mit seiner Art ernstnehmen, einander helfen und andere in Notsituationen begleiten. Jesus fragt uns: Ist dein Leben von Gottes Liebe bestimmt? Wer ist heute dein Nächster? 1. Korinther 13,4-7

Freitag

13.

Markus 12,35-37a
Jesus ist der König aller Könige

Jesus ist im Tempel in Jerusalem zu Hause. Nach jüdischer Art diskutiert er mit den Schriftgelehrten über biblische Texte. Es geht wieder um das Messiasgeheimnis. Ist Jesus der verheißene neue König David? Auch wenn seine menschlichen Wurzeln bis David zurückgehen, ist er viel mehr als dieser große König Israels. In ihm kommt der lebendige Gott selbst. In der Taufe Jesu sagt Gott es öffentlich: „Dies ist mein lieber Sohn!" Auch wenn er der Weltenrichter ist, tritt Jesus nicht in äußerlichem Glanz und Machtgehabe auf. Vor dem römischen Tribunal fragt Pilatus: „Bist du ein König?" Jesus bekennt sich dazu und wird am Kreuz umgebracht. „Wahrlich, ein wunderlicher König, andere sind im Leben stark, dieser im Tod" (Martin Luther). Wir sind heute eingeladen, diesen „Herrn aller Herren" anzuerkennen und ihm zu vertrauen. Philipper 2,11

Samstag

14.

Markus 12,37b-44
Kein religiöser Anstrich

Jesus geht es um Ganzhingabe. Er will echten Glauben. Wer Frömmigkeit nur äußerlich demonstriert, disqualifiziert sich selbst. Raub und Gebet passen nie zusammen. Scharf verurteilt Jesus diese Glaubenspraxis der Schriftgelehrten. Bei Jesus zählt die innere Haltung. Am Beispiel des Geldopfers zeigt er, was Ganzhingabe ist. Echtes Christsein ist nicht nur die oberflächlich religiöse Garnierung des Lebens. Weil alle Zeit, alle Kraft, alles Geld, alles, was wir besitzen, Gottes Geschenke sind, deshalb ist eine Abgabe vom Überfluß zu wenig. Jesus will, daß wir mit unserem ganzen Leben Gott dienen und ihm dankbar sind. Wie echt ist unsere Frömmigkeit und wie tief ist unsere Gottesbeziehung im alltäglichen Leben verankert? Die Witwe (Witwen gehörten damals zu der ärmsten Bevölkerungsschicht) hat uns ein gutes Beispiel gegeben. Matthäus 6,24

Gott erweist seine Liebe zu uns darin, daß Christus für uns gestorben ist, als wir noch Sünder waren.
Römer 5,8

Sonntag

15.

Römer 5,1-11
Mit Gott im reinen

Paulus ist fest davon überzeugt, daß er mit Gott im reinen ist. Und das liegt daran, daß Gott unsere Beziehung zu ihm ins reine gebracht hat durch Jesus. Christus ist für uns gestorben, als wir noch Sünder (V. 8) und Gottlose waren. Jetzt haben wir „Frieden mit Gott durch unseren Herrn Jesus Christus" (V. 1). Jetzt kommt es darauf an, von diesem großen Geschenk Gottes zu leben. In Leid und Bedrängnis brauchen wir nicht mutlos zu werden, vielmehr lernen wir Geduld. Geduld läßt uns standhaft werden, standhaft, die Hoffnung auf die Herrlichkeit des Reiches Gottes nicht aufzugeben (V. 2). In Christus hat Gott uns die Tür geöffnet. Glauben heißt: durch diese Türe zu gehen und trotz allem, was dagegen zu sprechen scheint, die Hoffnung auf das kommende Reich Gottes festzuhalten. Römer 5,5

Montag

16.

Markus 14,1-11
Die verschwenderische Frau

Mutig zeigt diese Frau, was Jesus ihr wert ist (V. 3). Ihr Handeln ruft Protest hervor. Was sie tut, um ihre Liebe zu Jesus auszudrükken, halten die Männer für pure Verschwendung (V. 4). Soziale Überlegungen stellen sie an, mit denen sie eher an Jesus als an der Frau Kritik üben. Warum läßt Jesus sich diese Verschwendung gefallen? Hätte er, der große Rabbi, die Frau nicht belehren müssen über den rechten Umgang mit Geld? Doch Jesus gibt ihrer Liebestat recht. Sie hat auf ihre Weise zu den Vorbereitungen für die bevorstehenden Tage beigetragen (V. 8). Alle anderen treffen gegenteilige Vorbereitungen: Jesus soll ausgeschaltet werden (V. 1). Gegen Geld erklärt sich Judas bereit, seinen Herrn zu verraten (V. 11). Welch krasser Gegensatz zum Verhalten der verschwenderischen Frau: Ihr ist nichts zu teuer für Jesus, und Judas verdient Geld mit dem Verrat! Was ist Jesus mir wert? Markus 14,3

Dienstag

17.

Markus 14,12-16
Alles ist vorbereitet

Es muß auch die Jünger erstaunt haben: Jesus ist vorbereitet auf die kommenden Tage. Nach jüdischer Sitte steht die Feier des Passamahles an, und auch Jesus will es mit seinen Jüngern feiern. Das Passamahl feiern die Juden alljährlich in Erinnerung an den Auszug aus Ägypten (2. Mose 12). Dazu mußte man nach Jerusalem reisen, weil nur im Tempel das Lamm geschlachtet werden durfte, das man nachher bei der Mahlzeit zusammen verzehrte. Es war üblich, daß die Bewohner von Jerusalem den Pilgern für das Passamahl Räume in ihren Häusern anboten. So tut es auch der Herr des Knechts, der einen Krug mit Wasser trägt (V. 13). Jesus schickt seine Jünger zu ihm. „Und sie fanden's, wie er ihnen gesagt hatte" (V. 16). Jesus hat alles vorbereitet für die kommenden Tage, alles läuft nach seinem Plan. Er läßt sich das Heft nicht aus der Hand nehmen. Er geht seinen Weg für uns im Gehorsam gegen den Vater.

Markus 14,16

Mittwoch

18.

Markus 14,17-25
Verrat und Vergebung

Es beeindruckt mich: Jesus hat den, von dem er wußte, daß er ihn verraten und ausliefern würde, nicht aus der Tischgemeinschaft ausgeschlossen. Durch die Ankündigung des Verrats macht er Judas und den anderen deutlich: Ich weiß um dich und dein Vorhaben! Und trotzdem gehörst du zu mir! Trotzdem bist du eingeladen zum Abendmahl. Nach der Sitte des Passamahles spricht Jesus ein Dankgebet und sagt einen Lobspruch, während er das Brot herumreicht. Und ebenso tut er es am Ende der Mahlzeit mit dem Becher voll Wein. Aber Jesus gibt dem Brot und dem Wein einen neuen Sinn: Als seinen Leib und sein Blut gibt er Brot und Wein und damit sich selbst in die Gemeinschaft der Jünger. Aus dem Passamahl wird das Herrenmahl. Jesus gibt sich selbst für uns! Das Abendmahl will uns stärken im Glauben an ihn. Es ist im wahrsten Sinn des Wortes ein Lebensmittel: ein Mittel zum Leben! Markus 14,22-24

Die Abschiedsreden Jesu

Der Evangelist **Johannes** berichtet ausführlich über die Ereignisse, die sich in der letzten Woche bis zur Kreuzigung und Auferstehung zugetragen haben (12,1-20,33). Besonders hat er dabei die Reden überliefert, mit denen Jesus sich von seinen Jüngern verabschiedet hat.
Jesus hat seinen letzten Gang nach Jerusalem bewußt im Hinblick auf den Tod angetreten, der ihn dort erwartete (13,1). Darauf wurden auch seine Jünger – durch diese Abschiedsreden – unmißverständlich vorbereitet. Das geschah nicht in der Öffentlichkeit, sondern in dem Saal, in dem sie das Passalamm aßen und Jesus das Abendmahl einsetzte (vgl. Luk. 22,7-14 mit Joh. 13,2 und 18,1).

Die **Themen** der letzten Reden Jesu an seine Jünger sind
- das neue Gebot (13,31-35)
- die Ankündigung der Verleugnung (13,36-38)
- der Weg zum Vater (14,1-14)
- die Verheißung des heiligen Geistes (14,15-26)
- die Verheißung des Friedens (14,27-31)
- das Bild vom Weinstock und der Frucht (15,1-17)
- der Haß der Welt (15,18-16,4a)
- das Wirken des heiligen Geistes (16,4b-15)
- Jesu Weggang bis zum Wiedersehen (16,16-23)
- das Gebet in Jesu Namen (16,23-33)

Zusammenfassend kann man sagen: Es geht Jesus in diesen Reden um die Zukunft seiner Gemeinde auf der Grundlage des Neuen Bundes. Dieses Anliegen wird noch einmal in eindrücklicher Weise deutlich in dem Gebet, das er abschließend vor den Ohren der Jünger zu seinem himmlischen Vater spricht (17,1-26). Weil er darin vor allem für seine Jünger und für alle, die künftig an ihn glauben werden, bittet, wird es das „hohepriesterliche Gebet" genannt.

Flügelaltarbild aus Rothenburg, „Christus am Ölberg",
im Ausschnitt: Johannes und Jakobus.

Donnerstag

19.

Johannes 14,1-7
Jesus – nur ein Weg?

Nach so langer Jüngerschule durfte Jesus erwarten, daß seine Leute informiert sind über seinen Weg. Doch Thomas macht sich zum Sprecher des Unglaubens: Herr, wir wissen nichts. Bist du wirklich der Sohn Gottes? Oder kann man dich einreihen in die Riege der Religionsstifter? Thomas erhält eine Antwort, die zu den wichtigsten und zugleich zu den ärgerlichsten Aussagen Jesu gehört. Jesus behauptet, der einzige Weg zum Vater zu sein. Zugleich verkörpert er die Wahrheit Gottes in Person. Im Vorgriff auf seine Auferstehung kann er versichern, daß er das Leben in zeitlicher und ewiger Dimension ist. Es geht um die Einzigartigkeit Jesu. Einer, der die Hochreligionen Asiens genau unter die Lupe genommen hat, sagte: „Die Religionen sind die ausgestreckten Arme des Menschen zu Gott. Jesus ist der *eine* ausgestreckte Arm Gottes zu den Menschen." Nur, wer sich diesem Jesus hingibt, wird seine Einzigartigkeit erkennen. Apostelgeschichte 4,12

Freitag

20.

Johannes 14,8-14
In Jesu Namen Großes wirken

Jesus ist nicht ein zweiter Gott, wie uns strenge Verfechter des Monotheismus vorwerfen möchten. In ihm, dem Sohn, haben wir eine andere Seinsweise des einen Gottes. Durch ihn handelt und redet Gott der Vater. So läßt uns Jesus das liebende Vaterherz Gottes erkennen. In seiner Einzigartigkeit macht Jesus auch einzigartige Versprechungen. Wie sollen wir das verstehen? Können die Jünger von damals und wir heute mehr erreichen als er? Jesus selbst sah die Grenzen seines Wirkens im Bereich des Volkes Israel. Seine Auferstehung aber setzte neue Maßstäbe. Von daher können die Jünger „größere Werke" tun als er selbst in seiner irdischen Gestalt. Gerade weil er zum Vater ging, konnte er den Geist senden, mit dessen Antrieb die Jünger die damalig bekannte Welt in Bewegung setzten. Wenn sie in seinem Namen und in Übereinstimmung mit seinem Willen um etwas baten, war ihnen die Erhörung gewiß. Diese Zusicherung gilt auch heute. Matthäus 7,7

Samstag

21.

Johannes 14,15-26
Gottes Geist, ein Geist der Kraft

Wenn Jesus von Liebe redet, denkt er nicht an irgendeine Gefühlsduselei, sondern vielmehr an konsequenten Gehorsam. Was nutzen unsere frommen Lippenbekenntnisse, wenn wir nicht das tun, was Jesus von uns will. Liebe, die Jesus meint, ist oft schwer in die Tat umzusetzen. Dazu brauchen wir eine Kraftquelle, die weit über unser Vermögen hinausgeht. Ein Oberleitungsbus kann notfalls auch ein Stück rollen, ohne an den Strom angeschlossen zu sein. Wenn er aber richtig fahren und die Leute ans Ziel bringen will, braucht er den Strom, der durch die Oberleitung fließt. Ohne den heiligen Geist können wir bestenfalls Vollmacht im Dienst vortäuschen. Der Geist Gottes tröstet uns nicht etwa nur, sondern er ermutigt und gibt Kraft zum Einsatz für die Sache Jesu. Hier liegt ein göttliches Geheimnis, das sich nur denen erschließt, die mit dem Vater und dem Sohn in Liebe und Gehorsam verbunden sind.

1. Johannes 4,16

Wer seine Hand an den Pflug legt und sieht zurück, der ist nicht geschickt für das Reich Gottes.

Lukas 9,62

Sonntag

22.

Epheser 5,1-8a
Wird hier zuviel verlangt?

Was wäre bei uns eigentlich anders, wenn wir keine Christen wären? Wir leben oft furchtbar angepaßt. Wir lassen uns häufig die Gesetze des Handelns von der Umwelt diktieren. „Nur nicht auffallen!" Die anderen sollen merken, daß wir als Christen auch nur Menschen sind. Paulus aber meint: Wir sollten uns echt entscheiden! Man muß uns anmerken, daß wir zu Gott gehören. Damit verlangt er nichts Unbilliges. Bevor wir auch nur einen Schritt tun, hat Jesus bereits alle Schritte für uns getan. Ein Spötter hat das Kreuz Jesu als das „Seelensuchgerät Gottes" bezeichnet. Damit hat er ungewollt etwas Großartiges ausgesagt. Erst wenn uns Gott mit seinem „Suchgerät" gefunden hat, und wir mit der Kraft des heiligen Geistes ausgestattet sind, kann erwartet werden, daß wir „standesgemäß" leben. Wir können es – durch ihn! 1. Johannes 2,17

Montag

23.

Johannes 14,27-31
Ein Abschied, der Freude macht

Wie können wir uns freuen, wenn unser Favorit im Sport gewinnt! Sollten wir uns nicht noch viel mehr freuen darüber, daß Jesus den Tod überwunden und seinen angestammten Platz beim Vater wieder eingenommen hat? Sein Abschiednehmen von den Jüngern zeigt an, daß er „zur Rechten Gottes sitzt". So kann der sterbende Stephanus, der in einer Vision den erhöhten Herrn sieht, unter den Steinwürfen seiner Gegner rufen: „Herr Jesus, nimm meinen Geist auf!" (Apg. 7,59). Damit hat er im Sterben die höchste Lebenserwartung, die ein Mensch haben kann. Er stirbt in den Frieden Gottes hinein, den Jesus seinen Jüngern hinterlassen hat. – Es wird die Zeit kommen, in der auch die ungläubige Menschheit erkennt, daß der grausame Tod Jesu nicht etwa ein Scheitern ist, sondern Ausdruck des absoluten Gehorsams des Sohnes.

Apg. 1,10.11

Dienstag

24.

Johannes 15,1-8
Bleiben bringt Frucht

Wie gut, daß das Leben mit Jesus durch ein Bild aus der Natur veranschaulicht wird. Weinstock – Rebe – Frucht: das ist ein organischer Lebenszusammenhang. So sieht uns Jesus in enger Beziehung mit sich. Alles, was lebt, braucht Nahrung und richtige Pflege. Wer auf Gottes Wort hört und ihm im Gebet antwortet, zeigt dadurch, daß er diese Beziehung will. Jesus nimmt uns in seine Pflege und läßt nicht zu, daß seine Kraft durch Wildwuchs vergeudet wird. Gott, der Vater, schneidet als Weingärtner weg, was die Frucht beim Wachsen hindert. So will er uns durch sein Wort korrigieren, ermutigen und trösten. Damit gibt er die Voraussetzungen, daß echte Frucht entsteht. Unsere Aufgabe ist es, an der Kraftquelle zu bleiben. So sind wir gehalten. Unser Beten hat Verheißung, und wir können als seine Jünger leben, die Gott in ihrem Leben verherrlichen. Philipper 1,11

Mittwoch

25. Johannes 15,9-17

Befähigt zur Liebe

Gottes Liebe hat es fertiggebracht, seinen Sohn für unsere Rettung zu geben. Nicht die Angst, der Zwang oder der blinde Gehorsam sollen unser Verhältnis zu ihm bestimmen, sondern eine enge Freundschaftsbeziehung, die vom Vertrauen und von der Liebe geprägt ist. Das soll uns mit großer Freude erfüllen. Jesus traut uns zu, seine Mitarbeiter zu sein. Er nimmt uns mit hinein in seinen Auftrag, den er vom Vater bekommen hat. Jesus hat solche Liebe zu uns, daß er uns erwählt und befähigt, seinen Auftrag auszuführen. Er hat uns die Gedanken des Vaters mitgeteilt. Dadurch wissen wir auch, daß wir den Vater bitten dürfen, indem wir uns auf Jesus berufen, und daß er darauf eingehen wird. Sein Vertrauen und seine Liebe zu uns sind die Kraftquellen, die nie versiegen. Was wir aus uns heraus nie fertigbringen würden, das wirkt Jesus durch uns. Dadurch können wir bleibende Frucht bringen. 5. Mose 7,6

Donnerstag

26. Johannes 15,18-21

Um seinetwillen abgelehnt

Frucht bringen wollen wir alle – oder nicht? Aber daß diese Frucht nicht in Harmonie und Frieden entsteht wie in einer Treibhaus-Atmosphäre, muß uns auch klar sein. Jesus zeigt seinen Leuten, wie die Realitäten dieser Welt sind: Wo er seine Liebe, aber auch seinen Herrschaftsanspruch deutlich gemacht hat, entstand Widerspruch und Haß bis hin zur Ablehnung. „Er kam in sein Eigentum, und die Seinen nahmen ihn nicht auf" (Joh. 1,11). Auch wo wir heute im Auftrag Jesu seine Liebe und seinen Herrschaftsanspruch weitergeben, wird das mißverstanden. Unsere Verkündigung und unser Leben soll „die Welt" zum Nachdenken bringen und herausfordern. Wo der Mensch sich zum Mittelpunkt und Maßstab macht, ist Welt. Wo Jesus nicht ernst- und angenommen wird, ist Welt. Wo wir unsere Frömmigkeitsstile pflegen, ohne hinzugehen und Frucht zu bringen, ist auch Welt. Das alles findet nicht nur außerhalb der Gemeinde statt, sondern geht mitten hindurch. Johannes 16,33

Freitag

27. Johannes 15,22-16,4a

Gesandt und getröstet

Wo Jesus durch seine Leute hineinkommt, entsteht Unruhe. Sein Geist zeigt die Entfremdung von Gott und deckt Schuld und Sünde auf. Sein Geist wird auch in einer religiösen Atmosphäre als störend empfunden, weil er selbstgemachte Frömmigkeit entlarvt. Wer will das schon hören? Man versucht, diese Störer zu beseitigen. Das haben die Apostel erlebt. Ablehnung und Haß richteten sich nicht nur gegen sie, sondern gegen Jesus und den Vater. Aber Jesus hatte sie darauf vorbereitet und sie nicht im unklaren gelassen. Bis heute können wir erleben, daß konsequentes Christsein abgelehnt wird und Christen verfolgt, mundtot gemacht und ausgeschaltet werden. Trotzdem haben und behalten wir den Auftrag, als seine Zeugen in dieser Welt deutlich zu machen: Jesus ist der Herr über das Leben, über die ganze Welt und über den Tod – und das zum Heil aller Menschen. Es bleibt die Zusage Jesu, daß er keinen in den Auseinandersetzungen allein läßt. Er schenkt seinen Leuten den Geist der Wahrheit, mit dem er sie tröstet. Jesaja 43,2

Samstag

28. **Johannes 16,4b-15**
Wir werden nicht alleingelassen
■ In diesem Kapitel spricht Jesus seinen irdischen Abschied an. Die Jünger ahnen nur, was gemeint sein könnte, aber sie verstehen nichts. Deshalb sind sie traurig und fragen sich: Wie soll es weitergehen? Jesus spürt, daß sie hilflos sind und tröstet sie mit dem Hinweis auf den Tröster. Er vertröstet sie also nicht auf unbestimmte Zeit, sondern sagt ihnen zu: der heilige Geist wird kommen und unter euch sein. Er wird euch beistehen und helfen. Er wird euch und der Welt die Augen öffnen für Leid und Unrecht. Da werden Sünde als Sünde und Gerechtigkeit als Gerechtigkeit sichtbar. Er will nicht in die Irre führen, sondern hinweisen auf Gott. Deshalb möchte ich bitten: „O, komm, du Geist der Wahrheit und kehre bei uns ein. Verbreite Licht und Klarheit, verbanne Trug und Schein."
Johannes 14,26

Wenn das Weizenkorn nicht in die Erde fällt und erstirbt, bleibt es allein; wenn es aber stirbt, bringt es viel Frucht. Johannes 12,24

Sonntag

29. **2. Korinther 1,3-7**
Ein Wort, das trösten will
■ Die junge Gemeinde in Korinth nahm eine tragische Entwicklung. Rechthaberei und Mißtrauen bestimmten das Klima. Auch der Apostel Paulus wurde von Verleumdungen nicht verschont. Doch er ging mit diesem Brief wieder auf die Gemeinde zu, obwohl er angegriffen wurde. Er gab also die Brüder und Schwestern nicht auf. Er litt mit ihnen um der Gemeinschaft willen. Diese Leiden nennt er Leiden um Christi willen. Dann führt er weiter, indem er Gott, den Vater unseres Herrn Jesus Christus, in die Mitte rückt. Denn – er ist ein Gott, der aufrichten kann und er ist ein Gott, der Erbarmen hat mit denen, die sich elend und gekränkt fühlen. Er will und kann trösten. Nur wer den wunderbaren Trost Gottes selbst in schwerer Not erlebt, kann andere in ihrer Not trösten. So wird die Not zur Schule Gottes. Wer dies erfährt, kann wie Paulus sagen: Gelobt sei Gott.
Psalm 68,20

Montag

30. **Johannes 16,16-24**
Dem Abschied folgt ein Wiedersehen
■ Die Jünger verstehen vieles nicht auf Anhieb. Sie sind befangen und fragen: Was heißt schon eine kleine Weile? Jesus geht auf ihre Fragen ein. Das macht mir Mut, meine Fragen auch zu stellen und auf eine Antwort zu warten (vgl. V. 23 und 24). Was meint Jesus nun, wenn er sagt: „... dann werdet ihr mich nicht mehr sehen." Hier ist zuerst die Zeit zwischen Tod und Auferstehung gemeint, darüberhinaus auch die Zeit nach seiner Himmelfahrt. Er ist nicht mehr leiblich sichtbar präsent. „... dann werdet ihr mich wiedersehen." Hier deutet Jesus sein Erscheinen als Auferstandener an (vgl. Joh. 20 und Luk. 24), auch seine Wiederkunft. Wir werden ihn wiedersehen. Dann werden Rätsel sich lösen. Dann wird Freude sein, die durch nichts und niemanden mehr eingeschränkt werden kann.
Johannes 16,22

Dienstag

31.

Johannes 16,25-28

Gott, der Vater, hat uns lieb

Das ist eine gute Nachricht für diesen Tag, ganz gleich, wie unsere familiären und beruflichen Beziehungen sein mögen. Ganz gleich, ob wir uns von Menschen geliebt wissen oder getäuscht fühlen: Gott hat uns lieb. Seine Liebe kam zu den Jüngern in Jesus. Sie kommt zu uns in der Gegenwart des heiligen Geistes. In seiner Liebe ist uns Gott nahe, ob wir glauben oder zweifeln.

Da lösen sich Rätsel in unserer Lebensgeschichte oder wir wissen sie einzuordnen in die Geschichte Gottes, auch wenn sie schmerzhaft waren oder sind (vgl. V. 25). Da werden wir nicht egoistisch bitten, sondern vertrauensvoll sprechen: Vater, danke, daß du uns liebst. Gib uns, was wir brauchen für diesen Tag und für diese Welt. Vertiefe du unseren Glauben an dich und deinen Sohn Jesus Christus. Hab' auch Dank für den heiligen Geist, der uns beisteht. Johannes 17,5

Jesus spricht:
Nicht ihr habt mich erwählt,
sondern ich habe euch erwählt
und bestimmt, daß ihr hingeht
und Frucht bringt
und eure Frucht bleibt,
damit, wenn ihr den Vater bittet
in meinem Namen,
er's euch gebe.

Johannes 15,16

Monatsspruch April:

Jesus Christus spricht: Ich habe ihnen die Herrlichkeit gegeben, die du mir gegeben hast, damit sie eins seien, wie wir eins sind. Johannes 17,22

Mittwoch

1. Johannes 16,29-33

Jetzt wird's konkret

Es gibt Stunden, da brauchen wir keine Erklärungen mehr. Da wissen wir, wenn wir die Bibel lesen oder angesprochen werden: Wir sind gemeint, und das ist Gottes Weg mit uns. Sternstunden nennen wir diese Zeiten. Doch wir merken bald, daß wir nicht vom Glanz der vergangenen Sternstunden leben können. Wir sind in der heutigen Situation gefragt, wie die Jünger im Hofe des Hohenpriesters (vgl. V. 32 und Joh. 18,12-27). Wie wir uns wohl verhalten hätten? Jeder muß sich die Antwort selbst geben. Vermutlich hätten wir Angst bekommen. Angst kenne ich auch, wenn ich Jesus bekennen soll, wenn ich gefragt bin. Deshalb ist mir das „letzte Wort Jesu" in den Abschiedsreden (V. 33), zum Lebenswort geworden. Jesus verspricht nicht, daß wir in seiner Nachfolge keine Angst mehr haben werden. Aber wir werden in keiner Angstsituation ohne ihn, den Sieger, leben müssen. Johannes 16,33

Donnerstag

2. Johannes 17,1-5

Die Stunde ist da

Über Jahre hinweg geht alles so seinen Gang. Da waren zwar Andeutungen. Die Anschuldigungen und Verdächtigungen ließen Schlimmes befürchten. Doch keiner nahm sie ganz ernst. Schon gar nicht seine Jünger, die mit ihm unterwegs waren. Dann ist plötzlich die Stunde da. Jesus am Ende – am Ende seines Lebenswerkes. Grenzsituationen nennen wir solche Stunden. Es sind die Stunden, wo scheinbar nichts mehr geht, wo alles „aus" scheint: Kraft, Glaube, Hoffnung, Leben. Für Jesus kommt Karfreitag. In der Art eines Hohenpriesters tritt er für seine Gemeinde ein. Aber der Vergleich hinkt. Er macht sich selbst zum „Sündenbock", damit wir die entscheidende Stunde überstehen. Und er betet (für uns). Damit wir durchhalten, begreifen und erkennen, daß der gekreuzigte Jesus und der Vater zusammengehören, der allein wahre Gott. Johannes 17,1

Freitag

3. Johannes 17,6-8

Alles von dir

Wenn ich den Namen und die Adresse kenne, kann ich Kontakt aufnehmen. Noch einfacher wird es, wenn ich auch noch weiß, was der andere zu bieten hat, wenn mir sein Programm vorliegt, die Bedingungen, die Richtlinien. Kommen glaubwürdige Vertreter dazu, nehme ich ab, was mir geboten wird. Jesus ist so ein „Vertreter". Seither ist der Zugang zum Himmel menschen-möglich. Trotzdem bleibt es ein Wunder, ein Geschenk Gottes, daß Menschen „aus der Welt" glauben. Ich bin so ein Mensch, der glaubt und zweifelt und glaubt ... Jesus legt solche Menschen wie mich Gott ans Herz. Nur so kann ich daran festhalten, daß alles von ihm ausgeht – daß man seinem Wort trauen kann – daß Gott & Co. keine Schwindelfirma ist. Johannes 17,8

Samstag

4.

Johannes 17,9-13
Was dein ist, ist mein

■ Fromm, abgehoben oder weltfremd hören sich manchmal Reden und Gebet von Christen an. Nüchtern und klar wirkt dieser Abschnitt aus dem großen Gebet Jesu. „Ich bin nicht mehr in der Welt – sie aber sind in der Welt" (Vers 11). Jesus sieht mit den Augen des Retters, der nun die Herausgerissenen schutzlos zurücklassen muß. Wir sind seine Nachfolger, und wir sind gleichzeitig Menschen in der Welt. Daß wir das zusammenbringen und in dieser Spannung nicht zerbrechen, ist die Sorge Jesu. Deshalb bringt er uns mit Gott zusammen. Im Gebet schließt er uns in die Verbindung mit dem Vater ein. Wir sind eine gute Gabe Gottes. Jesus kämpft für uns. Es geht um viel. Wir gehören ihm. Mit seiner Unterstützung halten wir seinen Namen fest. Deshalb bittet er für uns und nicht für die Welt. Weil nur so Freude (frohe Botschaft) in die Welt kommen kann. Johannes 17,10

Des Menschen Sohn ist nicht gekommen, daß er sich dienen lasse, sondern daß er diene und gebe sein Leben zu einer Erlösung für viele. Matthäus 20,28

Sonntag

5.

Hebräer 5,7-9
Wie wir heil werden

■ Es waren die Priester, die Opfertiere und die feierlichen Gottesdienste in Israel und letztlich der Hohepriester, die dafür sorgten, daß zwischen dem Volk und Gott die Hindernisse weggeräumt wurden. Die Bibel sieht Jesus in dieser Tradition, als „Priester des höchsten Gottes" (nach der Ordnung Melchisedeks). Aber in Jesus endet diese lange Geschichte. Er bringt sich als Opfer und vollendet damit seine Sendung. Sein Opfergang zum Kreuz ist alles andere als ein Spazierweg. Jesus ist kein religiöser Fanatiker, der mit großer Begeisterung in den Tod geht. Von ihm weiß ich, daß der lebendige Gott mein Bitten und mein Schreien hört, meine Tränen und meine Wut wahrnimmt, meine Todesangst und meine Leiden kennt. Und weil Jesus gerade im Gehorsam bis zum Kreuz an Gott festhielt, erhält er das Urheberrecht für die Rettung des Menschen.
Hebräer 4,14

Montag

6.

Johannes 17,14-19
Kein Rückzug

■ Achtmal ist in dem kurzen Abschnitt von der Welt, dem Kosmos die Rede. Es ist dabei in erster Linie an Menschen zu denken, die mit Jesus, seinem Wort und seinen Nachfolgern (noch) nichts anfangen können. Die ersten Hörer/Leser dieses Gebets waren wohl anders als wir angesprochen, weil sie durch Verfolgung und als Minderheit den Haß und Widerstand der Umwelt zu spüren bekamen. Daß Christen Schwierigkeiten bekommen, wird hier als normal vorausgesetzt. So ist es, wenn einer für sein Wort die Wahrheit beansprucht, wie es Jesus tut. Wie gehen wir damit um? Rückzug aus der Welt (V. 15) in eine fromme heile Welt oder Anpassung an das, was man heute denkt und tut, sind unsere größten Gefährdungen. Das Wort der Wahrheit gehört als Licht in die Welt. Wir sind gesandt in die Welt, obwohl wir in ihr fremd sind. So will es Jesus. Johannes 17,18

Dienstag

7. **Johannes 17,20-23**
Was eint und was trennt

■ Einigkeit macht stark. Diese Aussage drückt eine Grunderfahrung von Gruppen und Gemeinschaften aus. Wenn sich Menschen „im Grundsatz" einig sind, kann sich eine ganze Bandbreite von Meinungen unter einem Dach vereinigen. Originale gedeihen und werden gefördert. Freie Entfaltung bringt Leben und Lebendigkeit. Aus Kenia kommt ein anderes Sprichwort: „Wenn zwei Elefanten streiten, leidet das Gras." Unschwer lassen sich mit den Elefanten unsere christlichen Kirchen, Gruppen, Vereine und Gemeinschaften vergleichen. Ich leide unter der Uneinigkeit, weil uns das viel Kraft kostet und vor allem Glaubwürdigkeit. Christen sollen und müssen streiten. Daran zerbricht die Einigkeit nicht, wenn wir zu unterscheiden wissen, ob es um den „Grundsatz" geht. Für mich heißt der „Grundsatz": Ich glaube an den *allein* wahren Gott (V. 3) – ich bin Glied am *einen* Leib (1. Kor. 12) – niemand kann zwei Herren dienen (Matth. 6,24). Einigkeit ist von Gott geschenkte Gabe und Aufgabe.

Johannes 17,21

Mittwoch

8. **Johannes 17,24-26**
Vater, ich will

■ Jesus betet so, als ob schon alles überstanden wäre. „Vater, willst du, so nimm diesen Kelch von mir – doch nicht mein, sondern dein Wille geschehe" (Luk. 22,42). So überliefert uns Lukas das Gebet Jesu am Ölberg. Im Johannesevangelium beschließt Jesus sein betendes Ringen im „Hohepriesterlichen Gebet" mit der Anrede: „Vater, ich will ..." Innerlich ist Jesus eingestellt. Er hat ein Ja zu seinem Weg. Deshalb kann er vor Gott betend ausbreiten, was er zurücklassen muß: die Sorge um die Einheit, Menschen, die ihm glauben, und um solche, die ihn nicht kennen. Jesus nennt Gott gegenüber seinen letzten Willen. Das klingt nach Vermächtnis. Letzte Worte wiegen schwer. Nebensächlichkeiten entfallen. Spätestens jetzt wird klar, worauf es letztlich ankommt: „Vater, ich will, daß da, wo ich bin, auch die sind, die du mir gegeben hast" (V. 24). Deshalb bete ich: „Vater, ich danke, daß nichts und niemand mich von dir trennen kann. Von Jesus weiß ich, daß du mich liebst."

Johannes 3,16

Donnerstag

9. **Markus 14,26-31**
Den Mund zu voll genommen

■ Das passiert schon mal, daß wir uns überschätzen. Wir trauen uns zu viel zu. Und dann gibt es die große Blamage. Weil ich das kenne, deshalb denke ich gar nicht überheblich über Petrus. Er hat es ja gut gemeint und steckte voll Begeisterung für seinen Herrn. Aber Jesus sagte ihm auf den Kopf zu, daß solch kämpferisches Heldentum danebengeht. Jesus weiß viel besser, wie es um uns bestellt ist, wie groß unsere Glaubenskraft ist und was hinter unseren gewaltigen Worten steht. Ihm können wir nicht imponieren. Ihm können, ja ihm brauchen wir nichts vorzumachen. Jesus will nicht große Worte und angekündigte Heldentaten, sondern er möchte, daß wir echt sind. Ihm dürfen wir unsere Ziele nennen, aber auch unsere Ängste, ja unsere Feigheiten eingestehen. Ihm können wir sagen, daß wir mit unseren Schwächen oft nicht zurechtkommen. So wird er uns auch Kraft geben, unsere Ängste einzugestehen, sie abzugeben und unsere Vorhaben realistisch anzugehen.

Joh. 16,33

Freitag

10.

Markus 14,32-42
Mahnwache ausgefallen

Mahnwachen kommen in Mode. Die verschiedensten Weltprobleme werden so von besonders betroffenen Menschen ins Bewußtsein der Öffentlichkeit gebracht. Und das ist gut so. – Als Jesus seine Mitarbeiter um unterstützendes Wachen bittet, funktioniert nichts. Zu müde, zu gestreßt; sie haben diese wichtige Nacht verschlafen. Die Aufforderung Jesu zum Wachen geht heute an uns weiter. Also noch mehr Mahnwachen? Ich denke nicht. Jesus geht es an dieser Stelle um unseren Glauben. Wir können für alles eintreten, und doch verkümmert unser geistliches Leben. Das Beten und die Abhängigkeit von Gott ist die Orientierung in diesem vielgestaltigen Leben. Jeder braucht solche Zeiten, wo er kritisch über sich selbst nachdenkt. Die Texte der Bibel sind die wichtigsten Aufwecker. Regelmäßig brauchen wir solche Mahnwachen der Stille für uns selbst. Markus 14,38

Samstag

11.

Markus 14,43-52
Zuschauer in Gefahr!

Die Geschichte mit dem jungen Mann geschieht mehr am Rande, und es wird ihr auch wenig Bedeutung gegeben. Dennoch, mich bewegt sie. Da ist einer, der nicht unbeteiligt ist. Er will bei Jesus bleiben, als die „hauptamtlichen" Jünger bereits geflohen sind. Vielleicht wollte er den Jüngern später berichten? Vielleicht wollte er so seine Verehrung für Jesus ausdrücken? Jedenfalls wird er geschnappt. Er windet sich geschickt aus dem Gewand und türmt in peinlicher Aufmachung. – War er nur überrascht? Oder war er clever genug, den durchtrainierten Soldaten zu entwischen? Hatte er etwa gedacht, daß man bei Jesus Sensationen erlebt? Er merkt, daß man bei Jesus nicht Zuschauer bleiben kann. Man wird irgendwann in das Geschehen hineingezogen – auch in Schwierigkeiten und Gefahren. Ob es heute eine solche Situation gibt?

2. Timotheus 2,5

Der Menschensohn muß erhöht werden, damit alle, die an ihn glauben, das ewige Leben haben.

Johannes 3,14b.15

Sonntag

12.

Philipper 2,5-11
Ein heißer Song

Stimmt! Das Lied wird in der frühen Gemeinde oft zu hören gewesen sein. Es wird auf die Zuhörer und Spitzel in den Versammlungen seine Wirkung gehabt haben. Es ist aber auch für alle Gesellschaftsepochen eine Herausforderung. Die einen ärgern sich an der Verherrlichung Jesu, vor dem alle Kritiker und Machthaber in die Knie gehen. Dieses Dokument der ersten Christen erinnert uns gerade jetzt in der Passionszeit, daß die furchtbaren Leidenstage Jesu ein Teil eines grandiosen Planes Gottes sind. Also kein Grund, in hämisches Lächeln zu verfallen. Der Sieg Jesu, der hier beschrieben wird, ist mit Leiden und Ohnmacht errungen worden. Und wer dieses Lied als Lebensmaßstab nimmt, wird bei allem Bemühen um Jesu Gesinnung wenig Zeit haben, von der Bestrafung der Nichtchristen zu träumen. Philipper 2,5

Geborgen inmitten der Angst

Manche meinen immer noch, das Gegenteil von Angst sei Forschheit und Draufgängertum. Ein Mann wie der Bergsteiger und Antarktis-Durchquerer Reinhold Messner gilt vielen als Prototyp des alles wagenden Draufgängers, der keine Angst mehr kennt. Um so erstaunlicher vernimmt man dann aus dem Munde dieses tollkühnen Abenteurers, daß er nicht nur bei seinen waghalsigen Unternehmungen von Angst gepackt werde und sich damit auseinandersetzen müsse.

Ich glaube nicht, daß wir unsere Ängste besiegen, indem wir uns draufgängerisch und mutig geben. Das kommt mir so vor, als wenn mir jemand empfiehlt, ich solle im dunklen Keller laut pfeifen, um so meine Angst zu vertreiben. Manches Schrille und Hektische im Leben vieler Zeitgenossen erscheint mir wie ein Pfeifen im dunklen Keller, um die Lebensangst zu besiegen. In Wirklichkeit aber wird durch Zudröhnen bzw. Aufreizen unserer Sinne nicht die Angst vertrieben, sondern nur notdürftig übertönt. Ja, schlimmer noch: Mancher, der nach außen den lebenslustigen Draufgänger mimt, bleibt dann erst recht in seiner Angst und Einsamkeit allein. Er wagt es nicht mehr, anderen Einblick in seine Ängste und Verzweiflung zu geben.

Gegen die Bedrohlichkeit unserer Ängste kenne ich persönlich nur ein Mittel: die Erfahrung der Geborgenheit. Das war schon als kleines Kind so. Der dunkle Keller verlor seine Bedrohlichkeit, wenn Vater mich an die Hand nahm und gemeinsam mit mir in den Keller ging. Die Nähe meines Vaters schenkte mir Geborgenheit.

In den Ängsten, die mich heute bedrohen und heimsuchen, weiß ich im Grunde auch nur dieses Heilmittel: mich unter die bergenden Hände des lebendigen Gottes zu flüchten und mich von ihm wie ein Kind vertrauensvoll an die Hand nehmen zu lassen, um dann die nächsten Schritte zu wagen. Auch wenn die Angst sich nicht immer gleich verflüchtigt, so bin ich doch nicht alleingelassen damit.

Wie gut, daß wir nicht gegen unsere Angst laut anpfeifen müssen, sondern uns nach den Händen dessen ausstrecken dürfen, der uns auch durchs finstere Tal nach Hause bringt.

Klaus J. Diehl

Montag

13.

Markus 14,53-65
Gotteslästerung

Gotteslästerung heißt doch: lästerlich, falsch und gemein über Gott reden oder denken. Was sich in dieser Geschichte ereignet, ist ein Spiel mit falschen Karten. Jesus wirft man Gotteslästerung vor, doch die sogenannten Zeugen und der Hohe Rat reden falsch und verlogen daher. Sie lästern Gott, indem sie Jesu Weg nicht akzeptieren. Die direkte Frage bringt die Antwort: Jesus ist der Sohn Gottes. Gott hat diesen Weg über Jesus gewählt, um unter uns lebensnah und begreifbar zu sein. Weil der Hohe Rat andere Vorstellungen vom Sohn Gottes hatte, lehnten sie Gottes Handeln ab. Doch Gott geht den grauenvollen Weg bis ans Kreuz. Der Hinweis auf die Zukunft (V. 62) läßt die Mächtigen nicht umdenken, aber uns sollte er nachdenklich machen. Der ohnmächtige Jesus wird mit seinem Sterben zum Herrn der Zukunft. Auch wenn er jetzt wehrlos in den Händen der Fanatiker ist, so wird er einmal das Gericht über Leben und Tod leiten. Wer mit diesem Jesus lebt, der hat schon heute eine lohnende Zukunft. Philipper 2,9

Dienstag

14.

Markus 14,66-72
Bittere Enttäuschung

Nicht Jesus ist enttäuscht. Er wußte ja, wie sich sein Freund in dieser Situation verhalten würde. Petrus ist es, der sich bittere Vorwürfe über sein jämmerliches Versagen macht. Später wird Jesus auf ihn zugehen und ihm einen neuen Anfang als Mitarbeiter anbieten (Joh. 21,15-17). Mancher unter den Christen kommt über Enttäuschungen nicht hinweg. Manchmal sind andere Menschen die Ursache. Aber oft sind es auch nur die falschen Erwartungen an die anderen gewesen, die nicht in Erfüllung gegangen sind, und das ist bitter. Welche Gründe es auch immer sind: unsere Enttäuschungen brauchen die Nähe Jesu. Er kann Wunden heilen und ein neues Verhältnis zu den betroffenen Menschen geben. Egal, ob dies nun der Freund, der Ehepartner oder der Mitarbeiter ist. Gott gibt Kraft, auch dann, wenn wir über uns selbst enttäuscht sind. Wir dürfen Gottes Zuwendung und Vergebung in Anspruch nehmen. Tränen sind da längst nicht alles. 1. Timotheus 2,4

Mittwoch

15.

Markus 15,1-15
Gelitten unter Pontius Pilatus

Eine kurze Begegnung mit Jesus genügt, um den Namen des römischen Statthalters für alle Zeiten in den Geschichtsbüchern dieser Welt zu verewigen. Aber auf welche Weise! „Gelitten unter Pontius Pilatus" – das ist wie ein Fluch, millionenfach immer wieder in vielen Sprachen genannt. Festgeschrieben, unabänderlich. War Pilatus nicht klug genug, daß er die Beweggründe der jüdischen Führer durchschaute? Ahnte er nicht etwas von der Größe und Wahrhaftigkeit Jesu, der ihm gegenüber stand? Was lag näher, als nach dieser Erkenntnis auch zu handeln! Die Angst um die Macht läßt Pilatus taktieren. Er schiebt die Entscheidung ab, um sie nicht selbst treffen zu müssen. Er ahnt nicht, daß ihn seine Vergangenheit einholen wird. Daran hat sich bis heute nichts geändert: Wer Jesus begegnet, muß sich entscheiden! Die Frage gilt für jeden: Was soll ich mit ihm tun – dem König der Juden? Johannes 6,69

Donnerstag

16.

Markus 15,16-23
Menschen unter dem Kreuz

Jesus bricht unter Spott, Verachtung, Gleichgültigkeit und selbstsüchtiger Frömmigkeit zusammen. Wer sind die Leute, die ihm so begegnen? Es sind typische Vertreter einer Menschheit, zu der wir alle gehören. Und wie sie begegnen wir Jesus mit Zweifel und Gleichgültigkeit, Versagen und Unglauben. Mit all dem vergrößern wir die Last, die er trägt. Ein trostloses Menschenbild! Doch mitten in diesem Unrechtsgeschehen begegnen wir einem, der mit Jesus leidet. Simon von Kyrene, von den Kriegsknechten gezwungen, das Kreuz zu tragen, beugt sich unter die Last des Marterholzes. Er geht den Weg Jesu mit, er trägt die Last Jesu mit. Was Simon von Kyrene tut, wird zum Sinnbild und Kennzeichen für Nachfolge: Weil Jesus mich trägt und mit meiner Schuld und meinem Versagen erträgt, kann ich mittragen an dem, woran er leidet. Auch heute wird mir davon etwas zugemutet. Philipper 1,29

Karfreitag

17.

Markus 15,24-41
Der Weg zu Gott ist frei!

Jesus stirbt am Kreuz, doch der Spott hat kein Ende. Als er Kranke heilte und Tote erweckte, da haben sie ihm nicht geglaubt. Man wollte noch größere Zeichen sehen und verlangt sie nun auch in dieser Stunde. Erinnert sich wohl einer, daß Jesus gesagt hat: Es gibt kein anderes Zeichen als das des Propheten Jona (Matth. 12,39)? Dem Menschen Jesus bleibt nichts erspart. Zum Spott kommt die unvorstellbare Qual, kommt der Todeskampf. Ein bitteres Ende! Doch mitten in dieser dunkelsten Stunde bricht dennoch das erste Licht hervor: Gott läßt Zeichen geschehen, die die Priester voll Hohn gefordert hatten. Der Vorhang im Tempel, der den Zugang zum Allerheiligsten verwehrte, reißt entzwei. Jetzt wird es deutlich: Der Weg zu Gott ist frei! Während die Spötter verstockt und blind bleiben, wird der Hauptmann, der die Hinrichtung leitet, sehend: Wahrlich, dieser Mensch ist Gottes Sohn gewesen!

Hebräer 10,19.20

Samstag

18.

Markus 15,42-47
Ein Bekenntnis zu Jesus

Die Bitte um Jesu Leichnam ist ein mutiges Bekenntnis zu ihm. Dieses Bekenntnis und der letzte Liebesdienst an Jesus machen Josef von Arimathäa unvergessen. Er hatte Jesus geliebt und als einer der Stillen im Lande auf den Anbruch der Gottesherrschaft gewartet. Nun tritt er in Aktion und tut, was man für einen Toten noch tun kann. Er handelt und versteckt sich nicht wie alle anderen. Wo waren die Jünger, wo waren die Menschen, denen Jesus Trost, Gesundheit und Leben geschenkt hatte? Keiner will noch etwas mit dem Gekreuzigten zu tun haben. Die eigene Sicherheit geht vor. Doch Gott findet seine Leute, wenn er sie braucht. So auch hier. Ein Ratsherr wird Gottes Werkzeug. Mit dem Mut der Verzweiflung und des Schmerzes stellt er sich sichtbar auf Jesu Seite. Nur Hoffnung und Gewißheit können einen Menschen noch stärker motivieren. Seit Ostern gründet sich unser Bekenntnis zu Jesus auf den Sieg über den Tod. Daraus wächst Hoffnungskraft. Matthäus 10,32

Der erste Petrusbrief

Empfänger
Der Brief gehört zu den sogenannten „katholischen" Briefen, die an die christliche Gemeinde als ganze gerichtet sind, ohne auf rein lokale Fragen einzugehen. Die Anschrift zählt die Namen von fünf römischen Provinzen auf. Die Empfänger waren früher Heiden:
1,14 – „die Zeit der Unwissenheit";
1,18 – „nichtiger (götzendienerischer) Wandel";
2,9.10 – „ihr gehörtet nicht zu Gottes Volk, jetzt aber seid ihr Gottes Volk";
4,3.4 – „ihr tatet den Willen der Heiden".

Situation der Leser
Zwar erwähnt der Brief nirgends vom Staat inszenierte Verfolgungen, aber viele Hinweise zeigen, daß die Christen verleumdet wurden und der Haß sich gegen sie richtet, weil sie nicht mehr wie die Heiden lebten. Christliche Sklaven wurden wohl auch von ihren heidnischen Herren grundlos geschlagen (2,12.15 u.a.).

Ziel und Charakter des Briefes
Der Apostel bezeichnet sein Schreiben als ein Wort des Zuspruchs (5,12). Er will die Leser ermutigen, den Glauben daran festzuhalten, daß Gott den Plan seiner Gnade zum Ziel führen wird. Damit erfüllt Petrus jenen Auftrag, den ihm Jesus gab (Luk. 22,32). Es ist im Blick auf die Erneuerung seiner Sendung (siehe Joh. 21) nicht verwunderlich, daß das Zeugnis des Petrus von der Heilsmacht des Todes Jesu in seinem Brief so reich und tief ist (1,18-21; 2,21-25; 3,18; 4,1) und er so Großes von der Auferstehung Jesu sagen kann (1,3).
Der Brief ist, wenn „Babylon" (5,13) Deckname für Rom ist, vor der Verfolgung durch Nero in Rom geschrieben, wobei Petrus in Silvanus einen Sekretär hatte (5,12).

Seid allezeit bereit zur Verantwortung vor jedermann, der von euch Rechenschaft fordert über die Hoffnung, die in euch ist.
1. Petrus 3,15

Christus spricht: Ich war tot, und siehe, ich bin lebendig von Ewigkeit zu Ewigkeit und habe die Schlüssel des Todes und der Hölle. Offenbarung 1,18

Ostersonntag

19. **Markus 16,1-8**
Total überrascht
Was Ostern passierte, kann man nicht so einfach begreifen. Es stellt alle menschliche Erkenntnis und Lebenserfahrung ins Abseits. Bis dahin war nichts sicherer als der Tod. Nun soll das auf einmal nicht mehr so gelten? Wie unglaublich auch für die Frauen am Grab die Auferstehung war, zeigt ihre Reaktion. Sie kommen, um den Toten zu ehren, weil ihnen angesichts des Todes sonst nichts zu tun bleibt. Die neue Situation können sie nicht fassen. Deshalb ergreift sie Entsetzen und Zittern. So ist das mit uns Menschen. Wir wollen nur das Mögliche glauben, das Glaubwürdige. Dabei stecken wir die Grenzen selbst ab. Wenn Gott sie durchbricht und uns seine Macht zeigt, dann wollen wir davonlaufen. Uns bleibt das Verwundern vor dem Unbegreiflichen. Aber Gott kann schenken, daß es ein staunendes und nicht nur zitterndes Erschrecken ist. Markus 16,6

Ostermontag

20. **Markus 16,9-20**
Der Auferstandene handelt
Ostern hat Auswirkungen! Doch es ist nicht nur eine Idee, die sich von nun an durchsetzt, kein religiöses Programm, das jetzt gut geplant abläuft. Niemand hätte sich davon wirklich in Bewegung setzen lassen. Nein – der Glaube an den Auferstandenen, die Beauftragung, Bevollmächtigung und Zurüstung der Jünger müssen von Jesus selbst bewirkt werden. Ohne ihn beginnt nichts! Wenn Menschen losgehen, Jesus dienen, in seinem Namen reden und handeln, wenn Gemeinde entsteht und lebt, so sind das immer Zeichen seiner Gegenwart. Wirklich – der Tod hat Jesus nicht festhalten können! Jeder Mensch, der durch ihn erneuert und verändert wird, ist ein Beleg dafür. Auch mein eigenes Leben will Jesus zum Erkennungszeichen seiner Auferstehung machen, damit andere es erfahren. Markus 16,15

Dienstag

21. **1. Petrus 1,1-12**
Wiedergeboren zu lebendiger Hoffnung
Der 1. Petrusbrief richtet sich an Christen, die als Minderheit unter Heiden leben und zwar im Gebiet der heutigen Türkei. Die bestimmenden Themen des Briefes werden bereits in den ersten zwölf Versen behandelt: Hoffnung durch die Auferweckung Jesu Christi (V. 3-5); gegenwärtiges Leiden (V. 6-7); Warten auf die Herrlichkeit (V. 7-9). Lob Gottes, die Freude über Jesus Christus und andererseits Traurigkeit und Anfechtung– wie paßt das zusammen? Die Adressaten des Briefes hatten erlebt, daß Lebensperspektiven entscheidend verrückt worden sind. Sie sind nicht mehr fixiert auf das Hier und Heute, sondern orientiert an der Zukunft des Reiches Gottes. Der Blickwinkel der Ewigkeit rückt Prioritäten zurecht. Wir brauchen Durchblick, was wirklich wesentlich und was unwesentlich ist. Das Lob Gottes soll das Leben bestimmen.
Psalm 103,2

Mittwoch

22.

1. Petrus 1,13-16
Leben mit Perspektive

Die Christen, an die sich der 1. Petrusbrief richtete, lebten in der Erwartung ihres Herrn. Sind wir gewiß: Jesus kommt wieder? Wie prägt diese Haltung unseren Alltag? Jesus hat ein Ziel gegeben – seine Wiederkunft. Ein unverkürztes Leben als Christ führt der, der auf die Wiederkunft Jesu ausgerichtet ist. Auf dem Weg zu diesem Ziel kommt es darauf an, in der Gnade zu bleiben. Die Aufforderung: „Umgürtet die Lenden eures Gemüts" war damals verständlich. Jeder verstand das Bild auf Anhieb. Das lange Gewand war für das Laufen und die tägliche Arbeit hinderlich. Darum schlug man es hoch und band es mit einem Gürtel fest. So konnte man arbeiten. Ohne Bild gesagt: Christen sollen bereit sein für den täglichen Weg der Nachfolge, zum Einsatz für Jesus und für die Ausbreitung seines Reiches. Es kommt darauf an, ohne Behinderungen und Aufenthalt auf dem Weg der Nachfolge zu gehen. Was blockiert uns auf dem Weg? Wo müßten wir etwas aufgeben, um frei für Jesus zu sein?

Lukas 9,62

Donnerstag

23.

1. Petrus 1,17-21
Was wissen wir?

„Ihr wißt." Was in den Versen als Wissen der Gemeinde vorausgesetzt ist, ist eine kurze, knappe Darstellung der Erlösungstat Christi. Wissen wir, was Grundlage des christlichen Glaubens ist? Könnten wir es einem anderen Menschen in knappen, verständlichen Worten erklären? Mit „Wissen" meint die Bibel nicht nur Kopfwissen, sondern ganzheitliches Erkennen, das auch in die Füße und Hände geht. Was gilt es zu wissen? Daß alles, unser ganzes Leben und Sterben, unser Glauben und unsere Hoffnung (V. 21) an diesem Jesus Christus hängen, der unseretwillen am Kreuz gestorben ist (V. 20). Christen sind nicht mit vergänglichem Gold und Silber erlöst worden (V. 18). Das war damals das Kostbarste, was man sich denken konnte. Gott hat den einzigen Gerechten, dessen Leben nicht leer und sinnlos war, zum Opfer gegeben. So kostbar sind wir für ihn. Wie sieht unsere Reaktion aus? Staunen und danken wir für sein Opfer?

Philipper 2,6-11

Freitag

24.

1. Petrus 1,22-2,3
Konsequenzen der Wiedergeburt

Wiedergeboren zu sein hat Konsequenzen. Wiedergeburt bedeutet: Gott schafft durch seinen Sohn den neuen Menschen in uns. Die entscheidende Grundlage für diese Neuschöpfung liegt im Leiden, Sterben und Auferstehen Jesu Christi, d.h. wir können nur neue Menschen werden in enger persönlicher Verbindung zu Jesus, indem wir ja sagen zu seinem Handeln für uns. Was zeichnet Wiedergeborene aus? Die Verse 1-3 verdeutlichen das sehr schön. Es geht ums Ablegen von zerstörerischem Verhalten (V. 1). Außerdem braucht der Glaube Nahrung. Ebenso wie Neugeborene wachsen müssen, so braucht auch der Glaube Wachstum. Vernünftige, lautere „Milch" umschreibt die Botschaft von Jesus Christus, also das Evangelium. Das gilt es zu studieren und zu begreifen. Wo hat es in den letzten Wochen in unserem Glauben Wachstum gegeben? Können wir uns an Ereignisse erinnern, die uns näher zu Jesus Christus hingebracht haben?

Epheser 4,15

Samstag

25. **1. Petrus 2,4-10**
Auferbaut als lebendige Steine

Wer den Bibeltext verstehen will, muß es lernen, mit Bildern umzugehen. Ein Bild reiht sich an das andere. V. 4-5a: „lebendige Steine". Der Sinn des Bildes: So schwer es ist, einen Stein zum Leben zu erwekken, so schwer ist es, Nichtchristen zum Glauben an Christus zu führen. Menschlich unmöglich. Nur Gott kann es tun. V. 5b: Geistliches Haus – zur Zeit des Alten Testamentes war das der Tempel. Für die neutestamentliche Gemeinde gilt Matth. 18,20: Königreich von Priestern, heiliges Volk. Um den Hintergrund zu verstehen, empfiehlt es sich, 2. Mose 19,6 zu lesen. Für die neutestamentliche Gemeinde ist zu sagen: Menschen, die Jesus nachfolgen, gehören zu seinem heiligen Volk. Ihr Priesterdienst besteht im Weitersagen der Wohltaten Gottes. Dazu ist jeder Christ berufen. Christsein bedeutet immer, Nachfolger zu sein. Apg. 18,9b-10

Gelobt sei Gott, der Vater unseres Herrn Jesus Christus, der uns nach seiner großen Barmherzigkeit wiedergeboren hat zu einer lebendigen Hoffnung durch die Auferstehung Jesu Christi von den Toten.

1. Petrus 1,3

Sonntag

26. **Psalm 134**
Von Gottes Tun gezeichnet

Loben bedeutet in der Bibel: „Öffentlich Gutes von Gott reden." Lob Gottes gehört also nicht nur in den Gottesdienst, den Bibelkreis oder verschämt hinter die vorgehaltene Hand, sondern vor allen Dingen in den Alltag der Christen. Dort muß sich das Lob bewähren. Die Öffentlichkeit gehört dazu. Lob Gottes darf nicht zum frommen Zusatzprogramm verkommen. Lob umfaßt den ganzen Menschen. Manche loben Gott, solange sie seine schenkende Güte erfahren. Treten Schwierigkeiten auf, kommt die Klage: Warum läßt Gott zu, daß gerade mir das passiert? Loben wir Gott um seiner selbst willen? Ist er Ziel unseres Lobs? Gott hat versprochen zu segnen. Das Wort kommt aus dem Lateinischen. Signare bedeutet: bezeichnen, kennzeichnen. Gesegnete Menschen sind von Gottes Tun gezeichnet, von seiner Gegenwart bestimmt.

4. Mose 6,24-26

Montag

27. **1. Petrus 2,11-17**
Lebe so, daß man dich fragt

„Was ist erlaubt, was ist verboten?" Meist wird rasch geantwortet: „Das tut ein Christ und jenes eben nicht." Petrus fragt anders: „Leben wir so, daß wir andere überzeugen? Werden andere an Jesus glauben, wenn sie uns beobachten?" Dabei geht es nicht darum, daß wir uns anpassen und dann anerkannt werden. Nein, wir können nicht bedenkenlos alles mitmachen. Wenn wir jeden Menschen ehren, die Schwestern und Brüder in der Gemeinde lieben, Gott fürchten, aber den Staat „nur" ehren (Reihenfolge!), dann werden wir auffallen. Dieses eindeutige und auch einseitige Verhalten ist die beste Öffentlichkeitsarbeit der Kirche. Petrus fragt: „Wie können wir Menschen für Christus gewinnen?"

1. Petrus 2,12

Dienstag

28.

1. Petrus 2,18-25
Weder Duckmäuser noch Revoluzzer

■ Nein, Christen müssen sich nicht alles gefallen lassen. Wer schlecht bezahlt wird, muß sich wehren; wenn Kinder mißhandelt werden, müssen wir aufschreien; wenn Schwarze benachteiligt werden, müssen wir protestieren; wenn sinnlos aufgerüstet wird, müssen wir demonstrieren. Dabei ist Gewalt kein Mittel, um Konflikte zu lösen – weder für Arbeitgeber noch für Arbeitnehmer; weder für Professoren noch für Studenten. Christen sind weder Duckmäuser noch Revoluzzer – was aber dann? Sie lernen Konflikte zu erkennen und zu benennen, sie haben den Mut, sie auszutragen, und auch die Kraft, Konflikte auszuhalten. Denn es geht nicht darum, ob wir Recht haben, sondern daß wir einander gerecht werden. Wer bekehrt ist, hat eine Revolution in seinem Herzen erlebt. Wer durch Jesu Wunden geheilt ist, schlägt keine neuen Wunden. Petrus trägt hier keine unerprobte Theorie vor, sondern eine erlittene Wirklichkeit. Jesus ist diesen Weg gegangen. 1. Petrus 2,24

Mittwoch

29.

1. Petrus 3,1-7
Reizende Frauen – gereizte Männer?

■ Aus diesem Abschnitt darf keine Gesellschaftsordnung abgeleitet werden, die die Frau benachteiligt oder gar verachtet. Petrus läuft auch nicht Sturm gegen Mode und Make up. Diese Worte müssen gedeutet werden auf dem Hintergrund einer Mischehe: Christliche Frauen leben mit heidnischen Männern zusammen. Solche Frauen sollen ihre Männer nicht belehren, um sie zu bekehren, sondern die Männer sollen durch das Verhalten ihrer Frauen ohne Worte gewonnen werden. Petrus verbietet den Hochmut der Glaubenden gegenüber denen, die nicht, noch nicht oder nicht mehr glauben können. Solche Frauen sollen aber auch nicht versuchen, Männer um jeden Preis durch Ausspielen ihrer Reize zu gewinnen, sondern durch überzeugende Lebensweise. Petrus macht aus der Not der Ehe eine Aufgabe für beide Ehepartner. Den richtigen Stil finden Mann und Frau, wenn sie miteinander beten. Beide sollen dafür sorgen, daß dies möglich ist. 1. Petrus 3,7b

Donnerstag

30.

1. Petrus 3,8-12
Wie Er mir – so ich dir

■ Wir sind auf den Gegenschlag immer gut vorbereitet – mit Waffen, mit Worten, mit Blicken. Das ist üblich, aber für Christen nicht mehr möglich. Sie können sich nicht mehr verhalten nach dem Gesetz des Echos: Wie du mir – so ich dir. Sie orientieren sich an einem neuen Verhalten. Wer Barmherzigkeit erlebt hat, läßt dies andere spüren. Das soll und kann in der Gemeinde eingeübt werden. Dann werden auch unterschiedliche Meinungen nicht zu unüberbrückbaren Gegensätzen. Dann ist Mitleid nicht nur eine beleidigende Formel: „Das tut mir aber leid“, sondern dann tragen wir mit, leiden mit, hoffen mit. Dann ist Gemeinschaft mehr als die Clique der Gleichgesinnten. Bruderschaft und Geschwisterlichkeit sind begründet, indem wir miteinander „Vater unser“ sagen. Sympathie ist dann nicht abhängig von meinen Gefühlen, sondern ein echtes Mitleiden: Was den anderen belastet, belastet mich auch. Und wer gesegnet ist, wird andere segnen, d.h. ihm ein gutes Wort zusagen. 1. Petrus 3,9

Monatsspruch Mai:

Wißt ihr nicht, daß euer Leib ein Tempel des heiligen Geistes ist? 1. Korinther 6,19

Freitag

1.

1. Petrus 3,13-17
Kennwort „Hoffnung"

Die Empfänger dieses Briefes mußten darauf gefaßt sein, vorgeladen zu werden und vor Gericht zu bekennen, ob sie ihre Hoffnung auf den römischen Kaiser oder auf Jesus Christus setzten. Auch wenn wir heute nicht von einer Behörde *ver*hört werden, sind wir trotzdem in den Zeugenstand gerufen und sollen *ge*hört werden. Wir sind gefragt, mit wem wir es halten. Es gibt keinen Menschen, der nicht auf etwas angewiesen wäre, was größer ist als er selbst. Wer wir selbst sind, machen wir deutlich an stilbewußter Kleidung, an einem bestimmten Wagentyp, an Personen, mit denen wir per „du" sind, an Gruppen, zu denen wir gehören. Christen aber nennen den Namen Jesu. Hier liegt ihr Selbstbewußtsein und ihre Gewißheit begründet. Deshalb sind Christen an ihrer Hoffnung zu erkennen – Hoffnung für sich selbst, für andere, für die Kirche, für diese Welt. 1. Petrus 3,15

Samstag

2.

1. Petrus 3,18-22
Jesus: einmalig und einzigartig

Unsere Neugier wird nicht befriedigt, wenn wir spitzfindig über Jesus alles wissen wollen. Aber zwei Fragen sind eindeutig beantwortet: Jesus ist nicht nur für einige wenige gestorben, sondern für alle zu allen Zeiten und an allen Orten. Durch den Tod Jesu sind wir mit Gott versöhnt, von ihm begnadet, gerettet und unseres Heils gewiß. Dies kann beantwortet werden, wenn wir uns auf Jesus einlassen, zu ihm gehören und ihm vertrauen. Eine andere Frage ist aber auch geklärt: Es gibt keine Macht, die uns von ihm trennen könnte – nicht unsere Schuld, nicht unsere Angst und auch nicht unser Tod. Ihm ist alle Macht gegeben. Daran brauchen wir nie zu zweifeln. Darum müssen wir auch nicht verzweifeln. Deshalb sind wir dazu befreit, an ihn zu glauben, ihm zu vertrauen, alles von ihm zu erwarten und ihn zu erwarten. 1. Petrus 3,22

Sonntag

3.

Psalm 136
Danke, Herr!

Dieser Psalm gehört in einen Gottesdienst. Der Chor singt von den großen Taten Gottes, und die Gemeinde antwortet: „Danket dem Herrn ..." Dichter noch wird der Text, wenn wir immer nur die ersten Hälften der Verse aneinanderfügen und am Schluß jeder Strophe den Kehrvers anstimmen. Dann merken wir: In der ersten Strophe (V. 5-9) wird Gott gelobt als der, der die Welt erschaffen hat. Die zweite Strophe besingt die Befreiung des Volkes durch Gott (V. 10-15). Dann ist in der dritten Strophe die Rede davon, daß Gott seinem Volk den Sieg über die Feinde geschenkt hat (V. 16-22). Schließlich singt die vierte Strophe vom Erbarmen Gottes über alles Fleisch (V. 23-26). Diese großen Taten Gottes erfahren ihre Erfüllung im Evangelium von Jesus: neues Leben, Freiheit, Sieg, Barmherzigkeit. Das Echo darauf ist unser Danklied.

Apostelgeschichte 2,11b

Montag

4.

1. Petrus 4,1-11
Vorsicht, Falle!

■ Jesus hat am Kreuz mit Leib und Leben für unsere Sünde bezahlt. Jeder, der davon lebt, ist frei und für die Sünde tot. Sie hat kein Recht mehr an unserem Leben. Aber sie kämpft um uns. „Bewaffnet euch mit dem Sinn Christi!" ruft Petrus die Christen auf. Der Sinn Christi ist, den Willen Gottes zu tun. Die Sünde versucht, uns immer wieder an den Schwachstellen unseres Lebens zu überrumpeln: üppiges Leben, Sexualität, Konsumgier, Geiz (Götzendienst) – das sind solche Stellen. Aber genau das sind auch die Stellen, an denen wir der Sünde im Vertrauen auf Jesu Kraft eine Absage erteilen können. Oft hilft nur ein klares Nein den Versuchungen gegenüber. Christenleben wird auch im Nichttun deutlich. Gott segnet auch unser Lassen, nicht nur unser Tun. Die Gemeinschaft der Christen untereinander ist auch eine Schutzgemeinschaft. Wer seine Gaben zum Wohl anderer um Jesu willen einsetzt, wirkt der Sünde entgegen.
Römer 6,3.4

Dienstag

5.

1. Petrus 4,12-19
Leidensscheu?

■ Wir hören nicht gern, wir seien leidensscheue Gesellen. Überhaupt: wer von uns leidet schon um seines Glaubens willen? Der Spott in der Schule, am Arbeitsplatz, beim Bund oder sonstwo ist wohl ein kleiner Vorgeschmack. Die „Hitze" des Leidens ist mehr. Da geht es um Sein oder Nichtsein der Persönlichkeit, der Ehre, des Lebens – und das, weil ich an Jesus glaube. Gott läßt seine Leute, die um des Glaubens willen leiden, nicht im Stich. Es gibt aber auch ein selbstverschuldetes Leiden, auf das wir keineswegs stolz sein sollen: V. 15. Im zweiten Teil des Verses warnt Petrus die Christen, nicht „Hans Dampf in allen Gassen" zu sein. Wir sollen uns nicht einmischen in Dinge, die Christen fremd sind: Intrigen, Machenschaften, andere übervorteilen. Das schafft ein Leiden, das eher dem Gericht Gottes verfällt als seiner Zuwendung. Aber wir dürfen ihm unser Leben anbefehlen zum Schutz vor Abwegen und im Leiden.
Apostelgeschichte 7,55.56

Mittwoch

6.

1. Petrus 5,1-7
Wirf die Sorgen weg!

■ Die Herde Gottes lebt nicht im Tierpark, sondern in „freier Wildbahn". Das ist gefahrvoll. Überall lauern Ideologien, Irrlehren, gottloses Wesen, Lüge und Betrug. Hirten sind gefragt. Hirte sein bedeutet harte Arbeit. Der Hirte ist der Herde überlegen. Alle seine Überlegenheit und Stärke kommt der Herde zugute. Er weiß den Weg, kennt die Gefahren, schützt vor Feinden. Der gute Hirte (Joh. 10) Jesus Christus hat seine Mitarbeiter als Hirten eingesetzt, seine Herde zu weiden. Der einzige Gewinn, den sie machen sollen: Menschen für Jesus gewinnen und im Glauben begleiten. Menschen gewinnen ist aber etwas anderes, als Menschen zu beherrschen. Demut, unter der Hand Gottes bleiben, ist die Herzenshaltung gewinnender Mitarbeiter. Unter der Hand Gottes bleiben wird auch darin sichtbar, daß wir nicht mit allem selbst fertig werden wollen. Die Fürsorge Gottes befreit. Es ehrt den Vater, ihm das Sorgen zu überlassen.
Johannes 10,27.28

Das erste Brief an die Korinther

Die Gemeinde in Korinth
Korinth war eine der bedeutendsten Hafenstädte der damaligen Zeit. Der 1. Korintherbrief gibt uns Einblick in die sozialen Verhältnisse der christlichen Gemeinde (1,26-31). Sie bestand überwiegend aus „kleinen Leuten". Korinth hatte einen schlechten Ruf. „Korinthisch leben" bedeutete „Unzucht treiben".
Paulus war im Jahre 51 n.Chr. auf seiner zweiten Missionsreise nach Korinth gekommen und hatte in 1½ Jahren eine Gemeinde gegründet, von der uns die beiden im Neuen Testament überlieferten Briefe ein buntes Bild merkwürdiger Gegensätze bieten: Einerseits ist die Gemeinde mit vielen geistlichen Gaben (Charismen) beschenkt, andererseits gibt es tiefe sittliche Schäden, es mangelt an Einmütigkeit und Bruderliebe.

Die Korrespondenz des Apostels mit Korinth
Paulus war nicht nur dreimal persönlich in Korinth, sondern hat auch mindestens vier Briefe an die dortige Gemeinde geschrieben, von denen uns aber nur zwei erhalten sind. *Vor* dem 1. Korintherbrief hatte er bereits einen Brief nach Korinth geschrieben (1. Kor. 5,9), und *zwischen* dem 1. und 2. Korintherbrief schrieb er einen „Tränenbrief" (2. Kor. 2,4), der uns ebenfalls nicht erhalten ist.

Eigenart des 1. Korintherbriefes
Das Idealbild, das sich viele Bibelleser von den ältesten Christengemeinden machen, wird durch die Paulusbriefe korrigiert, ohne daß dadurch aber das Zeugnis von Jesus Christus und dem Wirken seines Geistes verdunkelt wird. Der Apostel erweist sich in der Art, wie er gegen die verschiedenen Nöte vorgeht, als ein begnadeter Seelsorger und geistlicher „Steuermann". In acht Problemkreise leuchtet Paulus mit dem Evangelium:

1. Die Gemeinde ist von Spaltungen bedroht, weil sie sich an die Boten des Evangeliums hängt, statt an die Botschaft (Kap. 1-4).
2. Die laxe Haltung gegenüber der Unzucht breitet sich wie ein Geschwür aus (Kap. 5; 6,12-20).
3. Man schämt sich nicht, vor heidnischen Richtern Rechtsstreitigkeiten mit Brüdern auszutragen (Kap. 6,1-8).
4. Die Frage, ob ein Christ das den Göttern geweihte Fleisch essen darf, führt zur Überlegung, was christliche Freiheit ist (Kap. 8-10).
5. Wie sieht der Apostel die Ordnung des gottesdienstlichen Lebens (Kap. 11,1-16)?
6. Im Hinblick auf Mißstände bei der Feier von Liebesmahl und Abendmahl zeigt Paulus, was die Feier des „Herrenmahls" wirklich bedeutet (Kap. 11,17-34).
7. Wie sind die Gaben des Geistes (Charismen) zu bewerten und zu gebrauchen (Kap. 12-14)?
8. Die Leugnung der Auferstehung von den Toten untergräbt das Fundament des christlichen Glaubens (Kap. 15).

Gott ist treu, der euch nicht versuchen läßt über eure Kraft, sondern macht, daß die Versuchung so ein Ende nimmt, daß ihr's ertragen könnt. 1. Korinther 10,13

Donnerstag

7.

1. Petrus 5,8-14
Hoffnung für alle

Es geht durch Mark und Bein, wenn der Löwe brüllt. Er ist auf Raub aus. Die Angst geht um. Flucht ist angesagt. Die Herde zerstreut sich. Die Schwachen sind hilflos und preisgegeben. Der Löwe hat reiche Beute. Das ist ein Bild, dessen Wirklichkeit die Gemeinde Jesu heute an vielen Orten erfährt. Verwirrung und Zerstreuung sind an der Tagesordnung. Wiedersteht! sagt der Apostel, aber tut das nicht auf eigene Faust, sondern im festen Vertrauen auf Gott. Laßt euch nicht irritieren und in die Flucht jagen. Gott will aufrichten, was zerstört wurde, stärken, wo die Schwachheit in den Knochen sitzt. Wo das Feuer des Glaubens zu erlöschen droht, will sein Geist neu anblasen. Neuen Grund unter unser Lebenshaus verheißt sein Wort. Er ist der Grund der Glaubensgewißheit. Kein noch so laut brüllender Zeitgeist kann Gottes Macht erschüttern. Und darum: Friede sei mit euch allen, die ihr Jesus gehört.

Römer 8,37-39

Freitag

8.

1. Korinther 1,1-9
Die Predigt Jesu – unser Kapital

Paulus hat konkreten Anlaß, der Gemeinde in Korinth zu schreiben. Es geht ihm weniger um theologische Lehren, sondern vielmehr um die Frage des Gemeindelebens. Ihm sind die Mißstände in Korinth zu Ohren gekommen, und er reagiert unverzüglich. Einleitend verweist er auf den eigentlichen Reichtum der Gemeinde – die Predigt von Jesus Christus. Er ist dankbar dafür, daß Gott in der Vergangenheit, Gegenwart und Zukunft sich der Gemeinde über diesen Weg zuwendet. Von daher ist die Gemeinde in Korinth eine reiche Gemeinde. Auf diesem Grund kann sie nun aufgebaut und geordnet werden. Die Treue Gottes und die Berufung der ersten Christen zur Gemeinschaft mit Jesus Christus gibt die Gewißheit, daß das wieder in Ordnung kommen kann, was der Apostel in seinem Brief rügt und beklagt. Das ist auch unsere Chance: Von der Botschaft Jesu her können auch wir unsere Gemeindestreitigkeiten überwinden. Seine Botschaft ist unser Kapital.

Psalm 73,23

Samstag

9.

1. Korinther 1,10-17
Krach in der Gemeinde

Krach in einer Gemeinde ist nichts Neues. Geht es doch auch dort allzu menschlich zu. Auch in den ersten frühchristlichen Gemeinden gab es Streit, so auch in Korinth. Die Gemeinde ist von der Botschaft Jesu Christi reichlich beschenkt worden, aber dennoch in eine Situation der verhängnisvollen Bedrohung hineingeraten: Bedrohung durch Personenkult, der zur Auseinandersetzung und Spaltung führt. Die Motive mögen menschlich verständlich sein. Schlimm ist, daß der Christus-Name als Parteiname mißbraucht wird. Es geht doch nicht um die eine oder andere Richtung, sondern es geht letzten Endes darum, daß alle nur allein zu Christus gehören. Die Auseinandersetzungen entlarvt Paulus als ungeistlich. Der Kreuzestod Jesu Christi darf nicht mit klugen Worten und Richtungskämpfen zunichte gemacht werden – damals wie heute. Oft entdecke ich, daß über Personenkult und Richtungsstreitigkeiten die Botschaft Jesu Christi auf der Strecke bleibt.

Römer 12,2

Ist jemand in Christus, so ist er eine neue Kreatur; das Alte ist vergangen, siehe, Neues ist geworden.

2. Korinther 5,17

Sonntag

10.

1. Johannes 5,1-4
Auf der Seite Gottes siegen

Siege in dieser Welt werden durch Wort- und Redeschlachten und auch durch militärische Gewalt, Bombenhagel und Umweltterror errungen. Es fällt schwer einzusehen, daß der Glaube an Jesus Christus der Sieg sein soll, der die Welt überwunden hat. Manch einer mag wohl antworten: „Die Botschaft hör ich wohl, allein mir fehlt der Glaube.“ Und dennoch gibt es an der Tatsache nichts zu rütteln, daß der Glaube an Jesus Christus – das Bekenntnis zu ihm –, den Menschen aus dem Machtbereich der Welt hinein in den Machtbereich Christi führt. In unserer Zeit entdecken wir vielfach, daß die Gebote nichts gelten, daß sich die Menschen dem Anspruch Christi widersetzen, indem sie den Verlockungen der Welt folgen und sich verwirren lassen. Doch Gott hält zu denen, die ihn lieben und seine Gebote halten. Mit unserer Macht ist nichts getan – oder?

Johannes 16,33

Montag

11.

1. Korinther 1,18-25
Scheitert Jesus am Kreuz?

Viele Zeitgenossen sehen im Kreuzestod Jesu sein Scheitern und erklären alle Anhänger des Gekreuzigten für dumm, halten sich selbst für gebildet, realistisch und verkennen dabei, daß sie auf der Seite der Verlorenen stehen. Wenn Christen um ihre Rettung wissen, dann steht und fällt ihr Glaube mit dem Kreuz und der Auferstehung Jesu. In der Biografie Jesu geht Gottes Willenserklärung in Erfüllung. Mancher mag die Kreuzesbotschaft belächeln. Aber Gott denkt und handelt anders. Die Niedrigkeit Jesu ist seine Hoheit. Sein Dienen ist seine Macht, und sein Kreuz ist nicht Zeichen des Scheiterns, sondern das Rettungszeichen für die Menschen. Wir können Gottes Handeln nicht ergründen. Wir sind eingeladen zum Glauben. Im Vertrauen auf Jesus erkennen wir, daß die Botschaft vom Gekreuzigten Wahrheit und Kraft ist.

Jesaja 29,14

Dienstag

12.

1. Korinther 1,26-31
Gott hat andere Maßstäbe

Das verstehe, wer will. Was töricht, schwach und verachtet ist, erwählt Gott, so auch in der Gemeinde in Korinth. Man fragt sich, warum Gottes erwählende und schöpferische Kraft gerade denen gilt, die nach den Maßstäben der Welt ohne Wert und Einfluß sind. Die Antwort ist sehr einfach auf den Punkt zu bringen: Christen, die früher „nichts waren“, sind etwas durch Gott. Ihr Wert wächst ihnen zu in der Beziehung zu Jesus Christus. Somit hat aus der Begegnung mit Jesus Christus heraus der Intelligente, Gewaltige, Einflußreiche und der Edle ebenso seine Chancen wie der Verachtete, der Schwache oder der Unedle. Unser Leben hängt nicht an unseren persönlichen Möglichkeiten, auf die wir uns vielleicht auch noch etwas einbilden, sondern es wird lebenswert von Jesus her. Das gilt es weiterzusagen.

Jeremia 9,22.23

Mittwoch

13.

1. Korinther 2,1-5
Wie sich das Evangelium vermittelt

Der Apostel sagt es ganz schlicht: Das Evangelium ist das Wort vom Kreuz. Christus, der Gekreuzigte, ist das Heil der Welt. Dieses Evangelium will bekannt werden, es sucht Formen und Gestalten, in denen es sichtbar, hörbar, spürbar wird. Auffallend ist, wie oft Paulus hier nein bzw. nicht sagt. Nicht mit hohen Worten kam er (V. 1). Nichts wußte er in seiner Verkündigung als allein den Gekreuzigten (V. 2). Das Evangelium läßt sich offenbar nicht wie Coca Cola vermitteln (V. 4). Genausowenig läßt es sich abhängig machen von weltlicher Macht und philosophischer Weisheit. Es braucht keine Starprediger, keine raffinierten Werbestrategen. Durch Menschen, die mit Furcht und Zittern auftreten, kommt Gottes Kraft zum Tragen. In dem Gekreuzigten kam Gottes Liebe gewaltlos, einladend, bittend in unsere Welt. Die Art dieser Liebe hat sich nicht verändert. Sie kommt auch heute bittend, nicht überrumpelnd, einladend, nicht manipulierend. 2. Korinther 5,20

Donnerstag

14.

1. Korinther 2,6-9
Wie ernst nehmen wir Gottes Verborgenheit?

Es gibt Geheimnisse, die aufgelöst werden können wie Kreuzworträtsel. Man braucht eine gewisse Zeit, um hinter die geforderten Lösungsworte zu kommen; hat man sie gefunden, verliert das Rätsel jeden Reiz. Es ist eben aufgelöst. Nicht so ist es mit dem Geheimnis Gottes. Wer Gott in Christus erkannt hat, für den ist das Geheimnis nicht vergangen. Im Glauben an Jesus Christus werden wir nicht zu Alleswissern, nicht zu Eingeweihten, die Gott so besitzen, daß sie auf ihn nicht mehr warten müßten. Der Glaube an das Geheimnis Gottes in Christus macht nicht stolz, sondern dankbar und bescheiden. Gott gibt uns teil am Geheimnis seiner Herrlichkeit (V. 7). Er zeigt uns sein Herz, stellt sich uns vor, macht sich uns bekannt – und doch ist sein Geheimnis damit nicht aufgelöst. Einmal werden wir ihn erkennen, gleichwie wir erkannt sind.
1. Korinther 13,12

Freitag

15.

1. Korinther 2,10-16
Wie wir Gott erkennen können

Der Weg nach innen wird heute empfohlen. In den Tiefenschichten unserer Seele sei Gott zu finden und zu fassen, so sagt man. Andere empfehlen den Weg in die Weite des Kosmos und meinen, in der Schönheit der Natur, in der Ekstase, in den Höhenflügen des menschlichen Geistes, in den Geheimnissen des Universums sei Gott zu finden. Paulus hält nüchtern dagegen: Der natürliche Mensch vernimmt nichts vom Geist Gottes. Wir erreichen nicht Gott, sondern immer nur uns selbst. Wir liegen nicht auf Gottes Wellenlänge. Gotteserkenntnis gehört nicht zu den angeborenen Fähigkeiten und Möglichkeiten, die wir haben. In uns müßte Gottes Geist selbst sein, wenn es zur Erkenntnis Gottes und zur wirklichen Kommunikation mit ihm kommen sollte. Das genau ist das Wunder des Christseins: von Gottes Geist ergriffen zu werden und sich ergreifen zu lassen. Was bewirkt dieser Geist? Daß wir wissen können, was uns von Gott geschenkt ist (V. 12). Matthäus 7,7

Samstag

16.

1. Korinther 3,1-4
Gegen Abhängigkeit von Menschen
Natürlich hat Gott viele Wege, um Menschen anzurühren und sie in die Nachfolge zu rufen. In der Regel sind es aber andere Menschen, durch die das Evangelium zu uns kommt. Für sie laßt uns dankbar sein. An ihnen sollten wir aber nicht hängen bleiben. Unsere Bindung bezieht sich auf Christus, nicht auf Menschen. Deshalb ist es ein wichtiger Lernprozeß, im Glauben mündig zu werden, eigenständig, unabhängig im Urteil und dabei zugleich abhängig von Gottes Weisung. Gottes Geist will uns nicht geistliche Babys bleiben lassen, die nur mit Milch ernährt werden können (V. 1.2). Eifersucht, Streit, das Denken in Schwarzweiß-Kategorien, das Pochen auf bestimmte Frömmigkeitsstile, ein konfessionelles Überlegenheitsbewußtsein ..., das sind Zeichen geistlicher Unreife. Sie behindern das Wachsen im Glauben, in der Liebe und in der Hoffnung. Sie zerstören die Einheit des Leibes Christi. Epheser 4,15

Singet dem Herrn ein neues Lied, denn er tut Wunder. Psalm 98,1

Sonntag

17.

Kolosser 3,12-17
Gottesdienst im Alltag der Welt
Gottesdienst, das ist zunächst die Versammlung, in der Christus das Wort hat (V. 16) und wir in Liedern, Lobgesängen, Psalmen und Gebeten ihm die Ehre geben. Gottesdienst, das ist die Feier der gnädigen und heilvollen Nähe Gottes. Der Gottesdienst hat aber noch eine andere Seite. In den Aufgaben des Alltags, im Streit mit Kolleginnen und Kollegen, in der Ungeduld mit mir selbst, in der Verschlossenheit gegenüber anderen geht es um den „Lebensgottesdienst". Gott will hinein in unseren Alltag. Er will die Beziehungen und Verhältnisse, in denen wir leben, heiligen. Gott ist aus auf Menschen und auf eine Welt, die ihn nicht nur sonntags zwischen zehn und elf Uhr, sondern mitten in den sogenannten weltlichen Geschäften des Alltags lobt und die Ehre gibt. In der Gegenwart Jesu wird unser ganzes Leben geheiligt. Römer 12,1

Montag

18.

1. Korinther 3,5-8
Wer baut Gemeinde?
Pfarrer Meier und Pfarrerin Müller, hinzu kommen weitere kirchliche Mitarbeiter: Gemeindeschwester, Diakonin, Jugendreferent, Kantor. Alle anderen sind Statisten? So sieht es manchmal aus. Hoffentlich nicht! Das größte Berufsärgernis aller im Gemeindedienst: Sie können oft nicht machen, wofür sie angestellt sind, für ehrenamtliche Mitarbeiter und Mitarbeiterinnen gilt das nicht minder. Denn Gott selbst ist es, der durch seinen Geist der Baumeister der Gemeinde ist. Natürlich ist es wichtig, die Andacht gut und sorgfältig vorzubereiten. Natürlich sind Arbeitsorganisation, eine präzise Situationsanalyse, gute Zusammenarbeit erforderlich. Aber Menschen bauen nicht Gemeinde. Gott muß das Gedeihen geben. Gemeindeaufbau ist Gottes eigene Aktion, und doch sind wir nicht nur Werkzeuge oder Marionetten, sondern Mitarbeiterinnen und Mitarbeiter. Epheser 2,19.20

Von der Angst, sich selbst zu verlieren

Wenn ich gelegentlich nach dem wichtigsten Ziel in meiner Arbeit mit jungen Menschen gefragt werde, dann antworte ich ohne Zögern: „Ich möchte junge Menschen zu einem Leben in der Nachfolge Jesu Christi ermutigen."
Je länger ich in der Verantwortung für junge Menschen stehe, um so mehr gewinnt dieses Wort „ermutigen" für mich an Bedeutung. Ich erfahre, wie junge Menschen Mut brauchen, um sich an einen andern hinzugeben und sich von ihm als dem Herrn ihres Lebens lenken und leiten zu lassen.
Da ist zunächst die durchaus verständliche Angst, sie könnten sich im Wagnis des Glaubens an Jesus selbst verlieren, d.h. ihr eigenes Ich könnte mit seinen Wünschen und Sehnsüchten auf der Strecke bleiben und fortan fremdbestimmt werden. Ein Jesus, auf den man in Notfällen als Ratgeber und Freund zurückgreifen kann, erscheint noch als willkommene Unterstützung bei der Bewältigung des eigenen Lebens. Ein Glaube dagegen, bei dem ich mich selbst aus der Hand gebe und die Regie über mein Leben einem andern überlasse, ist ein riskantes Unternehmen. Schon Sören Kierkegaard sprach vom Wagnis dieses Glaubens als einem „qualitativen Sprung" in eine neue Existenz. Da möchten junge Menschen, die wir zu einem solchen Sprung einladen, schon gerne wissen, ob sie dabei auch wirklich aufgefangen werden – oder schließlich doch nur eine Bruchlandung erleben.
Und die andere Angst, die mit dem Sprung in den Glauben verbunden ist: Ich muß Menschen loslassen, die mir bisher nahestanden: Freunde aus der Clique z.B., vielleicht sogar die eigenen Eltern. Wir sollten nicht unterschätzen, wie sehr gerade junge Menschen auf Anerkennung und Bestätigung durch ihre Umgebung angewiesen sind. Wir können ihnen den Verlust solcher Anerkennung nur zumuten, wenn wir ihnen zugleich eine Gemeinschaft anbieten können, in der sie liebevoll an- und aufgenommen werden.
Der Ruf in die Nachfolge Jesu ist immer zugleich ein Aufruf zur Änderung unseres Lebens. Solche Änderung macht angst, denn sie ist mit Trennung und Abschied verbunden. Aber erst im Loslassen können Menschen erfahren, wie Jesus sie auffängt, trägt und ihnen Brüder und Schwestern zur Seite stellt. Klaus J. Diehl

Dienstag

19. **1. Korinther 3,9-17**

Gemeinde als Baustelle unter Aufsicht

Es sind zwei Bilder, die Paulus hier verwendet: einmal das Bild vom Bau, an dem gearbeitet wird – an anderer Stelle heißt es Tempel Gottes – und dann das Bild von der Gemeinde als Pflanzung, als Ackerfeld. Beide Bilder beinhalten, daß Gemeinde noch im Werden ist. Sie ist ein unabgeschlossener Bau. Sie ist eine noch im Wachsen begriffene Pflanzung. Fest steht freilich das Fundament. Christus ist Ursprung und Ziel der Gemeinde. Das Bauwerk Gemeinde kommt von ihm her und formt und ordnet sich zielstrebig auf ihn. An ihm orientiert sich das Zusammenleben der Gemeinde. Alle Arbeit, die an der Gemeinde getan wird, steht unter der Leitfrage, ob sie Christus und seiner Herrschaft gemäß ist. Gemeindeaufbau ist eine hochverantwortliche Sache. Christus, der wiederkommende Weltenrichter, entscheidet darüber, was Bestand haben wird. Er bringt ans Licht, was durch den Nebel und Schatten unserer Selbstsucht verdeckt blieb und im Feuer vergehen muß.

2. Korinther 5,10

Mittwoch

20. **1. Korinther 3,18-23**

Alles ist euer

Von der christlichen Freiheit versteht der Apostel etwas. Er läßt es gelten, was die korinthischen Freiheitsfanatiker sagen: „Es ist alles erlaubt.“ Ein Christenmensch ist ein freier Herr über alle Dinge und niemandem untertan. Christlicher Glaube ist etwas anderes als ein Katalog moralischer Anweisungen. „Was sich gehört“, ist nach dem Neuen Testament nicht die entscheidende Frage unseres Lebens. Entscheidend allein ist die Frage: „Wem gehöre ich?“ Gehöre ich Christus? Deshalb meint Freiheit nicht Bindungslosigkeit und schon gar nicht Selbstverwirklichung auf Kosten anderer. Vielmehr ist Freiheit ein stets zu bewährendes Geschenk. Wir haben sie nicht mühevoll erarbeitet, sondern empfangen. Wir sollen sie nicht egoistisch genießen, sondern so einsetzen, daß andere mit teilhaben können an ihr. Sie ist Freiheit zum Sehen und Lieben des anderen, zum Dienst und zur Mission, eine Freiheit, die aus der Bindung an Christus erwächst.

Galater 5,1

Donnerstag

21. **1. Korinther 4,1-8**

Auf das Urteil Gottes kommt es an

Treue ist das, was Jesus von seinen Leuten verlangt. Wenn wir das Geheimnis Gottes erkannt haben, nämlich Jesus Christus, in dem alle Schätze der Weisheit und der Erkenntnis liegen, dann sind wir Geheimnisträger Gottes. Gott verlangt, daß wir mit seinen Geheimnissen gut haushalten, nichts verlieren von dem, was uns anvertraut ist, nichts unbenutzt lassen. Als seine Diener sind wir ihm allein verantwortlich. Es kommt letztlich darauf an, ob der Herr uns für treu erachtet, ob sein Urteil über uns lautet: „Recht so, du treuer und tüchtiger Knecht.“ Paulus ist völlig unabhängig von dem Urteil anderer. Es ist ihm gleich, ob sie seine Arbeit anerkennen und achten, oder ob sie sein Tun ablehnen und geringschätzen. Seine Treue zu Jesus ist seine Gerechtigkeit – auf dessen Urteil kommt es an.

Epheser 6,6

Freitag

22.

1. Korinther 4,9-16
In guten und bösen Tagen?

■ Paulus will die Korinther aus ihren Träumen wecken. Es geht ihnen gut, sie haben Macht, Reichtum und Einfluß. Das Verhängnisvolle daran ist allerdings, daß ihre glückliche Lage ihnen vorgaukelt, sie hätten ein Anrecht darauf. Sie sind stolz geworden. Sie waren auf dem besten Wege, sich von Paulus zu distanzieren, denn seine ärmliche Lage war ihnen unbequem und peinlich. Paulus hält ihnen seine Leiden und Armut vor. Er will sie davor bewahren, daß sie unfähig werden zum Leiden. Auch wir müssen darauf achten, daß wir dem Herrn nicht nur dann folgen und gehorsam sind, wenn alles leicht und bequem ist. Jesus verspricht uns nirgends ein geruhsames, müheloses Leben – aber erfülltes Leben verspricht er uns, und das ist unvergleichlich mehr. Was lassen wir uns das Leben mit Jesus kosten? 2. Korinther 9,8

Samstag

23.

1. Korinther 4,17-21
Veränderung geschieht nicht durch viele Worte

■ Die Gemeinde in Korinth ist wirklich in Gefahr. Es treten Lehrer auf, die um die Gemeinde werben, die mit eigenen Erkenntnissen die Botschaft von Jesus übertreffen wollen. Sie rücken menschliche Erkenntnisse, Theorien und eigene Erfahrungen in den Mittelpunkt ihres Glaubens. Niemandem wird dadurch geholfen, daß man viele Worte macht. Kein Mensch wird dadurch gerettet und erlöst, daß er mit dem Verstand Gott zu erklären versucht. Paulus hatte selbst erfahren, wie das Evangelium von Jesus Kraft Gottes ist, wie Erlösung und Heil geschehen. Sein ganzes Leben wurde an einem einzigen Tag völlig verändert. Auch wir können in unserem Alltag die Kraft Gottes erleben, wie sie uns verändert, wie sie uns heilt und froh macht. Römer 1,16

Gelobt sei Gott, der mein Gebet nicht verwirft noch seine Güte von mir wendet. Psalm 66,20

Sonntag

24.

1. Timotheus 2,1-6a
Viele Beter braucht das Land

■ Es ist Gottes erklärtes Ziel, daß allen Menschen geholfen wird und sie zur Erkenntnis der Wahrheit kommen. Jeder soll die angebotene Erlösung annehmen – dafür ist Jesus geboren worden und für unsere Sünden und die aller Menschen gestorben. Weil dies Gottes Ziel ist, hat Beten Priorität, damit wir im Denken, Reden und Tun mit Gottes Ziel übereinstimmen. Paulus sagt: Tut es als erstes von allem, bitten, fürbittend beten und danken für alle Menschen – Gott will alle! Besonders genannt werden die Menschen, die politische Verantwortung tragen. Wenn es politisch ruhig ist, sind die Möglichkeiten für uns zum Weitersagen der guten Nachricht besser. Beten ersetzt nicht die Arbeit, aber Beten ist eine Arbeit, die durch nichts ersetzt werden kann. 1. Timotheus 2,4

Montag

25. **1. Korinther 5,1-8**
Kompromisse sind nicht gefragt
Paulus will die Korinther aufrufen zur Eindeutigkeit. Das Leben mit Gott hat immer etwas mit einer eindeutigen Entscheidung zu tun. Ich bin beständig gefragt, ob ich dem Herrn gehorchen will, oder ob ich mich von ihm abwende. Ein Mensch kann nicht zwei Herren dienen. Entweder er dient Gott, dem Herrn, oder er dient der Sünde, dem Vater der Sünde. Es geht in meinem persönlichen Leben darum, daß ich mich von der Sünde, in welcher Gestalt sie mir auch immer bewußt wird, distanziere. Die Gemeinde, als der Leib Jesu, muß sich ebenfalls mit aller Härte und Entschiedenheit von der Sünde distanzieren. Sünde darf nicht verharmlost, versteckt oder geduldet werden. Nichts darf übrigbleiben als Erbe vom alten Leben, vom Leben ohne Gott, wie ein Rest vom alten Sauerteig. Wie der Sauerteig nicht ohne Wirkung für den übrigen Teig bleibt, so bleibt die Sünde nie ohne Wirkung für die Gemeinde. Galater 5,9

Dienstag

26. **1. Korinther 5,9-13**
Die Sünde ist todernst
Hier wird uns noch einmal sehr deutlich vor Augen gemalt, daß wir Christen uns nicht von den Sündern grundsätzlich trennen sollen. Im Gegenteil, wir sollen ja gerade ihnen die frohmachende Botschaft von der Erlösung bringen, wir sollen um sie werben, ihnen von der Liebe Gottes sagen. Aber da, wo jemand Bruder genannt wird, wo jemand wiedergeboren ist und Kind Gottes geworden ist, sind die Voraussetzungen ganz anders. Ein Christ hat die Möglichkeit, die Sünde zu lassen. Als Erlöster steht er nicht mehr unter dem Zwang zu sündigen. Er lebt von der Gnade und Vergebung Jesu. Wenn er aber trotz deutlicher Ermahnung ganz bewußt auf seiner Sünde beharrt und nicht umkehren will, sein Leben nicht ändern will, so soll er nicht länger in der Gemeinde leben dürfen. Hier wird deutlich, wie ernst die Sünde ist – sie hat unserem Herrn das Leben gekostet. Johannes 5,14

Mittwoch

27. **1. Korinther 6,1-8**
Konfliktfähige Schlichter gesucht
Beschämend! Christen gelingt es nicht, ihre Rechtsstreitigkeiten im Raum der Gemeinde auszutragen. Man führt seine Prozesse vor weltlichen Gerichten. Dabei hat Jesus seine Jünger dazu berufen, im Weltgericht mit ihm gemeinsam als Richter zu fungieren. Und nun schaffen sie es noch nicht einmal, Bagatellsachen und alltägliche Zwistigkeiten untereinander zu klären. Wo sind in der Gemeinde ein paar Leute, die durch den Glauben so an Jesus gebunden sind, daß sie als gereifte Persönlichkeiten unabhängig genug sind, hinzustehen und zu sagen: Das ist o.k. und das nicht? Gemeinde muß eine Atmosphäre ermöglichen, in der Konflikte ausgetragen und konfliktfähige Personen heranwachsen können. – Daß überhaupt Prozesse geführt werden, sieht Paulus bereits als einen Defekt in der Kreuzesnachfolge Jesu. Nicht aus Schwächlichkeit, sondern aus Überzeugung auf sein Recht zu verzichten, damit nicht das „Auge um Auge“ wieder das Miteinander bestimmt, daran erinnert er in V. 7.8. Matthäus 5,39.40

Donnerstag (Christi Himmelfahrt)

28.

Philipper 2,6-11
Der von ganz oben ist ganz unten

■ Wenn Gott Gott ist, dann muß er groß, mächtig, imponierend, gewaltig, faszinierend, überwältigend sein. So denken wir – und so denken wir, sei es richtig für Gott und für uns Menschen. Aber es ist genau umgekehrt: In Jesus begegnet uns Gott ganz anders. Seine Größe besteht nicht darin, daß er dauernd seine Großartigkeit und Macht demonstrieren muß, sondern daß er auf dieses (Imponier-)Gehabe der Mächtigen verzichtet! Er vergibt sich nichts, wenn er sich klein macht, wenn er dient, wenn er seine ganze Machtfülle ablegt, „sich entäußert", mit einfachen Leuten und fragwürdigen Typen an einem Tisch sitzt, wie ein Sklave seinen Jüngern die Füße wäscht, mit Terroristen am Kreuz hängt. Denn so, nur so, ganz unten, ist er uns nahe. Und da will er sein. Ganz bei uns, ganz für uns. Deshalb gebührt ihm die ganze Bewunderung und Anbetung. „Himmelfahrt" ist die Freude über Jesus, der zur Rechten Gottes sitzt, und den sein Aufstieg nicht korrumpiert hat; er ist Diener geblieben. Philipper 2,11

Freitag

29.

1. Korinther 6,9-11
Einlaßbedingungen

■ Wir kennen das: „Ihre Eintrittskarte bitte!" Wer hat Zutritt zum Reich Gottes? Zu Beginn der Bergpredigt nennt Jesus mit den „Seligpreisungen" die Einlaßbedingungen positiv (Matth. 5,3-12); hier listet Paulus mit dem Lasterkatalog die negativen Markierungen auf. Keiner von uns kann so, wie er ist, ins Reich hineinstolpern. Dazu bedarf es einer Grunderneuerung, einer Umkehr um 180 Grad, der Wiedergeburt. Darauf nimmt V. 11 Bezug: „Ihr seid rein gewaschen, geheiligt, gerecht geworden!" Von Gott her ist eine neue Plattform gesetzt, auf der ihr euch jetzt anders bewegen und verhalten könnt. Eine neue Ethik, ein neuer Lebensstil ist (mit-)geboren. Aber verspielt das Neue jetzt nicht wieder. „Laßt euch nicht irreführen!" (V. 9). Man gerät schnell in eine religiöse Selbstsicherheit und sittliche Laxheit, die Gottes kostbare Gnade in eine „billige Gnade" ummünzt. 1. Korinther 6,20

Samstag

30.

1. Korinther 6,12-20
Von höchstem Wert

■ Wer wissen will, was er wert ist, muß auf das Kreuz Jesu sehen. Dort ist das höchste bezahlt worden für unser Leben. Da ist unser Kurswert abzulesen. Wir sind Gott unendlich kostbar (V. 20). Und das gleiche gilt für unseren Leib. Der Geschlechtstrieb und der knurrende Magen, unsere Arbeitskraft und unsere Erkältung – alles das gehört zu uns und gehört damit zu unserem Schöpfer und Erlöser. „Der Leib ist für den Herrn, und der Herr für den Leib." Wie wichtig Gott der Leib ist, wird daran sichtbar, daß er Jesus „leibhaft" auferweckt hat. Wir glauben deshalb an die Auferstehung des Leibes. Dieser so oft geschundene und geschlagene, kranke und mißbrauchte Leib soll den höchsten Ehrentitel tragen: Tempel Gottes, Wirkungsstätte des heiligen Geistes (V. 19). Durch diesen unseren Leib will Gott segnend in diese Welt hineinwirken.

1. Korinther 6,19

Christus spricht: Wenn ich erhöht werde von der Erde, so will ich alle zu mir ziehen. Johannes 12,32

Sonntag

31.

Epheser 3,14-21
Betend Ziele für die Gemeinde haben

Wenn Paulus für die Gemeinde betet, dann hat er vor allem den Wunsch, „daß sie stark werde am inwendigen Menschen". Damit sind nicht starke Nerven gemeint, auch nicht ein starkes Durchsetzungsvermögen, sondern innerlich starke Menschen, die Christus fest im Herzen tragen, die in ihrer Personmitte an Christus orientiert und von ihm motiviert sind. Das ist seine Zielperspektive von Gemeinde: stark im Glauben, weil sie von Christus her lebt und denkt, und stark in der Liebe, weil sie das Leben austeilt, das sie von Christus her hat. Und er bittet um eine Gemeinde, in der man sofort merkt, daß Christus hier zu Hause ist, beim Vater. Und dieser „wirkliche Vater", an dem sich alle Väter orientieren sollten, will seinen Reichtum der Liebe mit uns teilen. Deshalb beginnen Gebete mit der Bitte und enden im Lobpreis. Epheser 3,17

Ostern

Vom Tode zum Leben
vom Dunkel zum Licht
von Trauer zur Freude
von Verzweiflung zur Hoffnung
von Einsamkeit zur Gemeinschaft
von Kälte zur Wärme
vom Verlorensein zur Geborgenheit
vom Kreuz zur Auferstehung

Vom Tode zum Leben

Claudia Kadisch

Monatsspruch Juni:

Gott ist treu; er wird nicht zulassen, daß ihr über eure Kraft hinaus versucht werdet. 1. Korinther 10,13

Montag

1.

1. Korinther 7,1-16
Verschiedene Geschenke Gottes

■ Paulus unterscheidet deutlich zwischen dem Gebot des Herrn (Ehescheidung ist gegen Gottes Gebot; Matth. 19,3-9) und seinen eigenen Empfehlungen, die er mit guten Gründen gibt, für die er aber keine absolute Gültigkeit beansprucht. Warum er Ehelosigkeit empfiehlt, wird er später (V. 25ff.) begründen. Er entfaltet hier keine allgemeine Lehre von der Ehe, sondern beantwortet schriftlich gestellte Fragen der Korinther (V. 1). Dabei aber leuchtet ein wichtiger Grundsatz auf: Ehe und Ehelosigkeit sind Gnadengaben (Charismen) Gottes, die er jeweils unterschiedlich gibt (V. 7). Ein Geschenk wird nicht gegenüber dem anderen abgewertet. – Mutmachend ist die Beschreibung der Ausstrahlung, die die Zugehörigkeit eines Menschen zu Jesus auf den Ehepartner und die Kinder hat. Auch wenn diese noch nicht an Jesus glauben, sind sie doch unter seinem besonderen Einfluß. 1. Korinther 7,7b

Dienstag

2.

1. Korinther 7,17-24
Gottes Berufung entsprechend leben

■ Nicht was ein Mensch von Natur aus ist, bestimmt sein Leben, sondern daß Gott ihn in besondere Lebensverhältnisse beruft. Neunmal kommen in acht Versen die Worte Berufung und berufen vor! Wir bekommen durch diese Berufung eine Unmittelbarkeit zu Gott, die uns königliche Freiheit gibt. Wir können Möglichkeiten zur Verbesserung der äußeren Lebenslage nutzen, wir müssen es aber nicht. Für unser soziales Empfinden hört sich provozierend an, was Paulus schreibt: Selbst der Sklave lebt als der Freigelassene Jesu. Der Freie ist ein Sklave Christi. Das ganze Leben ist von dem gültig vollzogenen Freikauf durch Jesus bestimmt. Er hat bar bezahlt (Luther: „teuer erkauft"). Es ist also kein Rechtsanspruch des früheren Besitzers geblieben. Wir müssen uns nicht mehr ängstlich an Menschen und ihrem Urteil orientieren, wir dürfen selbstbewußt Gottes Berufung entsprechend leben. 1. Korinther 7,23

Mittwoch

3.

1. Korinther 7,25-40
Haben, als hätten wir nicht

■ Paulus unterscheidet wieder deutlich zwischen dem Gebot Jesu und seiner Meinung als Seelsorger. Persönlich empfiehlt er die Ehelosigkeit. Er hat vor Augen, in welche schmerzhaften Zerreißproben Eheleute in Verfolgungszeiten kommen. Solche Zeiten sieht er bevorstehen. Er hat sich darin nicht getäuscht. Er fordert uns heraus, mit ungeteiltem Herzen Jesus zur Verfügung zu stehen. Der Dienst für Jesus braucht immer wieder Menschen, die die Gnadengabe und Berufung der Ehelosigkeit mit Freuden leben. Drückendes Gesetz und Krampf darf es nicht sein. Für alle Christen aber gilt, daß sie mit einem gewissen Vorbehalt Bindungen an Personen und Dinge eingehen sollen. Die Gestalt (wörtlich: das Schema) dieser Welt vergeht. Wer sich vorbehaltlos an sie verliert, ist verloren. Unsere Vorliebe soll Jesus, der ewige König, sein. 1. Kor. 7,31

Donnerstag

4. **1. Korinther 8,1-6**
Alles durch Jesus

■ Es geht um ein Alltagsproblem, um die Speisekarte. Damals hatte alles Schlachten von Tieren mit Opfern für irgendwelche Gottheiten zu tun. Selbst das Stück Fleisch auf dem Teller schien in den Machtbereich dieser Götter zu ziehen. Anstatt ängstlich zum Rückzug aus dieser Welt zu raten, bläst Paulus zum Angriff. Er zeigt uns die Welt von ihrem Mittelpunkt, von Jesus her. Der ist Gott selbst und darum nicht nur der Erlöser, sondern auch der Schöpfer, „durch den alle Dinge sind". Es gibt nichts in der Welt, das nicht unter Jesus steht. Er ist Anfang und Ende. Er ist die Schlüsselfigur. Wenn es um die Machtfrage geht, dann ist Gelassenheit angesagt. Jesus ist der eine Herr, auf den allein wir zu hören haben. Ihn zu kennen heißt, vor allem von seiner Liebe bestimmt zu werden. Nicht die Ängstlichkeit, sondern diese souveräne Liebe soll unser Verhalten bestimmen. Erkenntnis allein ist hohl, bläst nur auf. Liebe baut langsam, aber solide. 1. Korinther 8,6

Freitag

5. **1. Korinther 8,7-13**
Der Mensch, für den Christus starb

■ Paulus hat uns die Welt unter der Herrschaft Jesu Christi gezeigt. Wir freuen uns über die Entthronung der vermeintlichen Machthaber (V. 1-6). Wie wirkt sich diese neue Sicht auf das Verhältnis zu den Mitmenschen aus? Durchmarsch ohne Rücksicht auf Verluste – das ist typisch für Wahrheitsfanatiker. Aber Fanatismus und die Liebe des Gekreuzigten sind wie Feuer und Wasser. Die überlegene Gewißheit des Paulus beweist sich in liebevoller, behutsamer Rücksicht gegenüber den Schwachen. Durch rücksichtsloses Umsetzen an sich richtiger Erkenntnisse könnte die Schwester oder der Bruder zugrundegehen, für die doch Christus gestorben ist. Das ist die neue Sicht des Menschen: egal, was er tut oder läßt, er ist einer, für den Jesus aus Liebe das Leben gelassen hat. Er ist in Gottes Augen kostbar – trotz oder wegen seiner Schwächen. Diese Sicht hilft, in wichtigen oder auch in unbedeutenden Angelegenheiten unser Verhalten gegenüber den Menschen zu sortieren.
1. Korinther 8,9

Samstag

6. **1. Korinther 9,1-12**
Verzicht aus Freiheit

■ Paulus ist wütend. Nicht weniger als 16 Fragen schleudert er seinen Kritikern entgegen. Sein Lebensstil steht zur Debatte und damit seine Einkommensverhältnisse. Man wirft ihm vor, er lasse sich die Predigt des Evangeliums gut bezahlen. So muß Paulus um das Ansehen seines Apostelamtes kämpfen. Leidenschaftlich vertritt er das Recht aller Apostel, von der Gemeinde versorgt zu werden. Aber er verzichtet, „damit wir nicht dem Evangelium von Christus ein Hindernis bereiten" (V. 12). Er weiß sich im Recht. Doch er verzichtet, damit andere leichter zu Jesus finden. Evangelium und Lebensstil: Ist unsere Art zu leben anderen eine Einladung zu Jesus? Habe ich durch Jesus Freiheit zum Verzicht auf Dinge, die mir zustehen? Die Frage wird drängender im sich verschärfenden Nord-Süd-Konflikt. Es geht nicht mehr bloß um soziale Gerechtigkeit, es geht um die Glaubwürdigkeit unseres Christuszeugnisses.
Galater 5,1

Es soll nicht durch Heer oder Kraft, sondern durch meinen Geist geschehen, spricht der Herr Zebaoth.
Sacharja 4,6

Pfingstsonntag

7.

Apostelgeschichte 2,1-18
Der heilige Geist macht Mut

▪ Pfingsten: Ausgießung des heiligen Geistes – Geburtstag der Kirche – Pfingstpredigt des Petrus – Taufe der 3000 – Entstehung der Jerusalemer Urgemeinde. Die Geschichte ist uns vertraut. Doch wir müssen sie hineinbuchstabieren in unser heutiges Leben. Da beeindruckt mich besonders, was der Geist aus den Jüngern gemacht hat. Verschreckte, geängstigte Leute waren sie, hinter verschlossenen Türen anzutreffen. Doch nun hat der heilige Geist sie gepackt, treibt sie in die Öffentlichkeit, nimmt ihnen die Angst, lehrt sie, vor Tausenden Jesus zu bekennen. Und er schenkt das Wunder der Verständigung: Sprachbarrieren fallen, die Sprachenverwirrung (1. Mose 11) kommt an ihr Ende. Das möchte ich auch erleben, jeden Tag neu, daß der heilige Geist mir Mut macht, Jesus zu bekennen. Apostelgeschichte 1,8

Pfingstmontag

8.

Psalm 144
Gott greift ein

▪ Der Psalm gibt uns Einblick in das Glaubens- und Gebetsleben des Königs. Er weiß sich in Gott geborgen (V. 2), und zugleich erlebt er sich als hilfloser und ohnmächtiger Mensch vor Gott (V. 3.4; vgl. Ps. 8,5). Er fleht um Gottes Eingreifen vom Himmel her (V. 5; vgl. Jes. 63,19b) und um Rettung vor den Feinden. Ein Dankgelübde schließt sich an (V. 9.10) und die Bitte um Wohlstand des Volkes (V. 12-15). Spätere Beter haben sich dieses Königsgebet zu eigen gemacht. Sie haben gewagt, in ihrer eigenen Not ein unmittelbares Eingreifen Gottes vom Himmel her zu erflehen. Und sie haben erlebt: Gott läßt sich bitten. Sonst wäre uns dieser Psalm nicht überliefert worden. Pfingsten ist Gottes großes Eingreifen vom Himmel her: Sein Geist erweist sich als machtvoll unter den Menschen. Römer 8,26

Dienstag

9.

1. Korinther 9,13-18
Das Predigen – für Paulus ein „Muß"

▪ Paulus versichert, daß er sich seinen Aposteldienst nicht bezahlen lassen will (V. 15). Denn die Predigt des Evangeliums ist für ihn ein „Muß". Damals, vor Damaskus, ist dieses Muß über ihn gekommen (Apg. 9), als Jesus ihn in seinen Dienst berief. So hat er das Evangelium als Gottesmacht begriffen, als Entscheidung über Leben und Tod („wehe" V. 16), als „Kraft Gottes, die selig macht" (Röm. 1,18). Wie oft verkennen wir das Evangelium als beschauliche Geschichte und richten uns ein in Gottesgemütlichkeit! Doch es offenbart Gottes heiligen Willen, seine Beschlagnahmung unseres Lebens. Nicht jeder ist Apostel, nicht alle müssen Verkündiger sein, doch das Evangelium als Gottesmacht nimmt auch mich in Beschlag, ruft mich zum Dienst in der Gemeinde und in der Welt. Römer 1,18

Nicht nur Angstträume

Wir alle kennen jene Nächte, in denen wir nach einem Angsttraum schweißgebadet aufwachen – in letzter Sekunde noch einmal davongekommen. Natürlich wissen wir alle längst, auch ohne psychologisch geschult und in der Traumdeutung versiert zu sein, daß solche Angstträume ein Ausdruck seelisch bisher unverarbeiteter Erfahrungen und Konflikte sind. Was wir womöglich mit Hilfe unseres Verstandes verdrängt oder ins Unterbewußtsein verbannt hatten, das macht sich nun mit einem Male gewaltsam Luft und bringt an den Tag, welche ungelösten Konflikte unser Leben überschatten und wo wir uns zutiefst in unserer Existenz infragegestellt oder bedroht sehen. So unangenehm diese Träume auch sein mögen, so enthalten sie doch eine lebenswichtige Botschaft. Wir tun gut daran, auf diese Botschaft zu hören, d.h. im Vertrauen auf Gottes Hilfe und vielleicht auch durch die Inanspruchnahme eines erfahrenen Therapeuten an der Lösung unserer unbewältigten Lebensgeschichte zu arbeiten.

Neulich erzählte mir ein Freund von einem ganz anderen Traum. „Stell dir vor", so begann er, „ich habe letzte Nacht vom himmlischen Jerusalem geträumt. Es waren phantastische Bilder und ein unbeschreiblicher Jubel. Ich war ganz in der Nähe der großen Patriarchen und Apostel. Es war ein erhebendes Gefühl, ihnen zu Füßen zu sitzen."

Ich muß gestehen, daß ich in diesem Moment meinen Freund beneidet habe. Ich bin überzeugt davon, daß sein Traum etwas mit der Verheißung aus dem Joel-Buch zu tun hat, wonach wir durch den heiligen Geist heilsame Träume und Visionen haben dürfen. Es ist ja erstaunlich, daß uns gerade in der Bibel viele solcher positiven, von der himmlischen Welt Gottes bestimmte Träume überliefert werden.

Wo wir in Frieden mit Gott, uns selbst und unserer Umgebung leben; wo sich unsere Seele sättigt an den biblischen Bildern von der ewigen Welt Gottes, da werden uns dann auch Träume geschenkt werden, die uns aufatmen und jubeln lassen. Nein, es gibt – Gott sei Dank – nicht nur Angstträume.

Klaus J. Diehl

Mittwoch

10. **1. Korinther 9,19-23**
Zeuge oder Chamäleon?
Das Chamäleon ist ein Tier, das sich nahezu vollkommen seiner Umgebung angleichen kann. Ein Meister der Anpassung! – „Ich bin allen alles geworden", beschreibt Paulus seine Missionspraxis (V. 22). Lebt der Apostel eine „Chamäleonexistenz"? – Ein wenig schon: Paulus versucht seinen Gesprächspartnern, ihrem Denken und ihren Lebensbedingungen möglichst nahe zu kommen, um sie für das Evangelium zu gewinnen. Dabei setzt er sich mancherlei Kritik aus – wie auch schon Jesus, dem man den Umgang mit Zöllnern und Sündern übelnahm. Weil Paulus sich an Jesus gebunden weiß, ist er „frei von jedermann", und zugleich kann er sich „jedermann zum Knecht" machen (V. 19). Paulus wußte, und wir beginnen es allmählich wieder zu begreifen: Ohne das Wagnis menschlicher Nähe werden wir nicht rechte Zeugen des Evangeliums sein. 1. Korinther 9,22

Donnerstag

11. **1. Korinther 9,24-29**
Das Ziel vor Augen
Das „Sportlergleichnis" des Paulus ist mir unheimlich, wenn ich an heutigen Spitzensport denke, der ja oft auf Grund seiner Einseitigkeit Menschen schädigt. So möchte ich nicht leben, solche dauernde Anspannung kann ich nicht ertragen! Doch eins fasziniert am Sport: der effektive Einsatz aller Energie, um Höchstleistungen zu erreichen. Hat man das Ziel vor Augen, lassen sich ungeahnte Kräfte mobilisieren. – Das meint Paulus: Haben wir das rechte Ziel vor Augen, ewiges Leben in der Gemeinschaft mit Christus, so werden wir alles daransetzen, unser Leben auf dieses Ziel hin auszurichten. Dann wird uns klar, was dem Ziel dient und was nicht. Daß dies nicht immer nur Anspannung bedeutet, sondern daß auch Stille und Gebet dazugehören, dürfen wir dankbar erfahren. Paulus ist auch der Verzicht auf mancherlei Annehmlichkeit wichtig (V. 25); das mag uns kräftige Anfrage an unseren weithin komfortablen Lebensstil sein. 1. Korinther 9,25

Freitag

12. **1. Korinther 10,1-13**
Keine falschen Sicherheiten
Man kann sich durch „fromme Gewohnheiten" über die eigene Standsicherheit im Glauben hinwegtäuschen. Glaubensgewißheit ist keine „Mir-kann-nichts-mehr-passieren"-Haltung. Nach dem Motto: Es ist ja alles „kirchenamtlich" geregelt – getauft, konfirmiert, am Abendmahl (gelegentlich) teilgenommen, bekehrt ... Paulus warnt: Schon beim Auszug Israels waren viele dabei, die z.B. Manna gegessen hatten, und trotzdem nicht ans Ziel kamen. Oder falsch verstandene Freiheit: „Mein Platz im Himmel ist mir sicher, was interessiert noch das Leben hier!" Achtung! Geistliche Erfahrungen entbinden nicht von verantwortungsvollem Lebenswandel! Und für die „echt Standfesten" steht die Mahnung: Solange ihr nicht am Ziel seid, ist die Gefahr des Abfalls vom Glauben nicht vorüber. Damit wir Gottes Geschenk – ewiges Leben – nicht verderben, wenn wir es schon nicht verdienen können, ist Vers 13 wichtig: Gott hilft dem Ernsthaften! Geistlicher Bodybuilding-Streß ist unnötig. 1. Korinther 10,13

Samstag

13. **1. Korinther 10,14-22**
Eindeutig für Jesus
Ausgerechnet an Christen geht die Warnung vor Götzendienst. Paulus wirbt um Einsicht (V. 16.17). Der springende Punkt: Jedes äußere Verhalten bringt eine innere Haltung zum Ausdruck. Wer z.B. Abendmahl feiert, nimmt Platz an Gottes Tisch. Wer beim Götzenopfer „mitfeiert", macht gemeinsame Sache mit Gottes Konkurrenz. Nicht erst die äußere Hinwendung zu einer zweifelhaften Sache (z.B. Pendeln), sondern die damit verbundene innere Abwendung von Gott ist das Problem. Manche behaupten vielleicht, dies mache doch nichts, es wäre gar nicht so gemeint. Das zeugt aber nur von einer Oberflächlichkeit solchen Lebens (und Glaubens). Wer an Gottes Festmahl teilnimmt, kann nicht die Orgien des Teufels mitfeiern! Ein geistlicher Wettkampf mit dem Teufel ist ebensowenig zu empfehlen wie mit Gott (V. 22). Deswegen: eindeutig für Jesus. 1. Korinther 10,21

Heilig, heilig, heilig ist der Herr Zebaoth, alle Lande sind seiner Ehre voll. Jesaja 6,3

Sonntag

14. **Römer 11,32-36**
Erkenntnis und Erfahrung führen zur Anbetung
Wer bis zu V. 35 gelesen hat, wird die Fragen nur mit „niemand" beantworten können. Es ist ein „himmelweiter" Unterschied zwischen Gott und Mensch. Aber dieser Gott macht sich unheimlich viel Mühe mit uns. Er, von dem es heißt (V. 36), er sei Ursprung, Sinn und Ziel, müht sich um eine gottlose Menschheit. Einen Hauch seiner Macht, die schon Paulus beeindruckte, spürten wir beim plötzlichen Zusammenbruch des alten Machtsystems in Ostdeutschland. Aus dieser Erfahrung und Erkenntnis kann Anbetung werden. Nicht nur ab und zu ein kleines Dankgebet, auch keine Anweisung, gefälligst mal zu „lobpreisen". Anbetung passiert, wenn jemand innerlich und äußerlich überwältigt ist von Gottes Größe. Wenn einem vor Staunen der Mund von einem vollen Herzen übergeht: Mit so einem Herrn haben wir es zu tun. Ihm sei Ehre in Ewigkeit. Amen. Römer 11,36

Montag

15. **1. Korinther 10,23-11,1**
Keine Freiheit ohne Rücksicht
Auf einem Zeltplatz erzählten sich Jugendliche einer missionarischen Gruppe in einer „Mußestunde" Witze. Sie fühlten sich unter sich. Keiner dachte daran, daß sie als Christen bei diesem Einsatz beobachtet werden könnten. Es wurden auch Stotterer-„Witze" erzählt. Niemand dachte daran, daß vielleicht ein Betroffener zuhören könnte. Oder nur jemand, der mit Stotterern mitfühlen kann. Wie soll dann ihre spätere Einladung zu einem evangelistischen Abend aufgefaßt werden? – Paulus erinnert: Christen sind nie aus dem Missionsauftrag Jesu entlassen. Deswegen ist unsere persönliche Freiheit des Glaubens nicht der letzte Maßstab. Rücksicht ist nötig, um andere gewinnen zu können. Unzweideutig die Rettung von Menschen im Blick haben, ganz gleich, ob ihre Schwäche natürlich oder geistlich ist. 1. Korinther 10,23.24

Dienstag

16.

1. Korinther 11,2-16
Glaubwürdiges Leben

Weder Frauenfeindlichkeit des Paulus noch Vorrang der Männer über die Frauen darf von diesen Worten abgeleitet werden. Wohl wird die junge Gemeinde ermahnt, die geschenkte Christusfreiheit nicht zu mißbrauchen, bisher bewährte Sitten schnell abzuschaffen (V. 13). Zank darüber (V. 16) vergeudet Kraft, die das glaubwürdige Zeugnis für Jesus schmälert. Judenchristliche, verheiratete Frauen trugen im Gottesdienst der Christen eine Kopfbedeckung, Heidenchristinnen kannten diese Sitte nicht. Paulus unterstützt die jüdische Sitte. Zunächst begründet er sie mit einer im Judentum üblichen Deutung des Schöpfungsberichtes (V. 7-9). Dann aber korrigiert er sich selbst in V. 11.12 (s. auch 1. Kor. 3,23; Gal. 3,28): „In dem Herrn" sind sie nichts ohne den anderen. In Christus haben Männer und Frauen einander nichts bzw. alles voraus. Die Gabe des Gebetes und des Wortes (Weissagung) erhalten beide „alles von Gott". Die Würde der Frau (damals war Kopfbedeckung Zeichen der Ehewürde) dient dem Mann. Die Würde des Mannes dient der Frau. In gegenseitiger Liebe und Zuordnung zu Christus bewähren sich auch heute zeitgemäße Sitten und Umgangsformen, die die Würde des anderen achten. Sie sollen auch heute glaubwürdigem Leben dienen, das auf Jesus hinweist. Galater 5,13

Mittwoch

17.

1. Korinther 11,17-22
Verwandelter Lebensstil

Evangelium und alltägliches Leben von Christen klaffen oft weit auseinander, so auch in Korinth. Unterschiedliche soziale Gruppen tun sich schwer, sich anzunehmen. Eigensüchtiges Handeln belastet die Gemeinschaft, besonders beim Gemeindemahl. In Privathäusern trifft man sich zu Abendessen und Abendmahl, wie Jesus es mit seinen Jüngern tat. Während die Wohlhabenderen ihre mitgebrachte Speise rücksichtslos genießen, müssen die Armen zusehen. Anstatt zu teilen, behalten sie alles für sich. Anstatt zu warten (V. 33), bis alle versorgt werden können, handeln sie allein nach ihrem persönlichen Bedürfnis. Soziale Nöte können egoistisch machen oder zueinander führen. Doch Jesus will die liebende Gemeinschaft. 1. Johannes 1,7a

Donnerstag

18.

1. Korinther 11,23-27
Sinnenhafte Zeichen

Das von Jesus gegebene Mahl, mit dem er sich mit uns verbindet, bleibt Geheimnis und ist real zugleich. Er gibt uns darin Anschauung seiner Geschichte, seines Heils, der Bedeutung seines Sterbens. Was meine Augen sehen: Kelch und Brot. Was meine Zunge schmecken und fühlen kann: Getränk des Kelches, Brot – leibhafte, sinnenhafte Erfahrung. So gewiß, wie ich sehe, fühle und schmecke, so gewiß ist Jesus Christus mein Löser von allem Schuldhaften. Er spricht mich frei. In der Reihe der Mitschwestern und -brüder bekennen wir, daß Jesus Christus der Erlöser aller ist. Sein heilwirkendes Sterben umspannt den Erdkreis (2. Kor. 5,19). Alle sollen errettet werden. Gemeinde Jesu tritt im Abendmahl in den Zeugenstand: Jesu Tod – unser Leben. Indem wir uns einladen, zum Tisch des Herrn zu gehen, bezeugen wir einander, wie unterschiedlich wir auch sind: Du – wir gehören in den „Neuen Bund".

Psalm 34,9

Freitag

19.

1. Korinther 11,28-34
... bis er kommt

Allen wird Vergebung angeboten. Wer aber in unwürdiger Weise (V. 27), wie in Korinth, dieses Christusangebot verachtet oder lächerlich macht, hat sich selbst das Urteil gesprochen (V. 29). Er schließt sich selbst von der Gabe der Vergebung aus. Die einen gehen mit Freude und neuer Kraft nach Hause, die anderen bleiben im Streit mit sich selbst und anderen. Wo wir den Frieden Christi hindern, zu uns zu kommen, bleiben wir im Unfrieden mit Gott, mit uns selbst und anderen. Unfriede kann krank machen. Darum die Ermahnung, ehrlich mit uns selbst zu sein. Dann werden wir erkennen, wie angstvoll und egoistisch wir unsere Beziehungen leben. Dann wird der Hunger nach Jesu Vergebung und seinem Frieden uns zu ihm treiben. Weil Jesus unser Wesen kennt, bleibt sein Angebot des Heils „... bis daß er kommt". 1. Korinther 11,26b

Samstag

20.

1. Korinther 12,1-11
Gott gibt Einheit im Geist

Menschlicher Geist zeigt sich in Verstand, Klugheit, Erinnerungsvermögen und Planungskraft. Das brauchen wir alle im Alltag. Dazu benötigen wir ebenso dringend für unser Leben als Jünger und Nachfolger Jesu im Zusammenleben mit anderen Christenmenschen Gottes heiligen Geist. Dieses Wirken des allmächtigen Gottes in unserem Denken, Fühlen, Wollen und Handeln schafft erst die Grundlagen für all unser Tun mit anderen Christen, sei es beim Beten, Verkündigen, Missionieren, Helfen, Heilen oder Lobsingen – alles sind verschiedene geistliche Gaben, die allein Gott gibt: für Aufbau und Gestaltung christlicher Existenz in Kirche, Gemeinde, Gemeinschaft oder CVJM. Keine dieser Gaben darf und kann überbewertet werden – kommen sie doch alle aus der Fülle Gottes und sollen zur Auferbauung der Gemeinde dienen. 1. Korinther 12,6

Christus spricht: Wer euch hört, der hört mich; und wer euch verachtet, der verachtet mich. Lukas 10,16

Sonntag

21.

1. Johannes 4,16b-21
Gottes Liebe macht getrost und hingabebereit

Daß Gott *die* Liebe ist, unendlich groß und immer wieder wunderbar, das ist die Mitte christlichen Glaubens, der weiß, daß eben diese Liebe, Güte, Barmherzigkeit und Gnade in Jesus Christus real und wirksam für alle Welt wurde. Von dieser Liebe zu leben, eben Jesus total zu vertrauen und ihm auch die Zukunft anzuvertrauen, schließt ein, auch keine Angst mehr vor dem Endgericht zu haben, also getrost und zuversichtlich dem eigenen Tod und damit dem Bestehenmüssen vor dem heiligen Gott entgegenzugehen. Denn in und aus der Liebe Jesu zu leben und gleichsam von ihr eingehüllt zu sein, vertreibt alle Furcht vor der Zukunft. Der letzte Richter ist ja der auferstandene Heiland, der für uns am Kreuz starb und für uns eintreten wird. Sollten wir aus übergroßem Dank dafür nicht nun auch unsere Mitmenschen lieben und tragen? Er sei unser Vorbild! Johannes 14,27

Montag

22. 1. Korinther 12,12-26

Einmütigkeit im Einsatz für Christus

■ Weil wir Menschen auch als Christen und Jünger Jesu verschieden sind und bleiben, kommt für das Zusammenleben und Zusammenarbeiten in der Gemeinde alles darauf an, daß wir zwar die Unterschiede sehen, aber nicht überbewerten und als Trennung verstehen. Der Apostel Paulus kennt sich und uns Menschen. Darum warnt er in den Versen 14-17 vor völlig unangebrachten Minderwertigkeitskomplexen und in den Versen 21-24 vor ebenso verkehrtem Hochmut auf diese oder jene Gabe – alles am eindrücklichen Bild von dem komplizierten Organismus unseres Körpers, dessen Glieder und Organe auch verschieden sind, aber wunderbar zusammenwirken. Nur so bleiben wir gesund. Ebenso das Zusammensein der Christen: Weil Gott verschiedene Gaben schenkte, sollen sie zusammenspielen und füreinander da sein, sich ergänzen, sich aneinander freuen und miteinander wirken – für die Sache des *einen* Herrn Jesus Christus. Römer 12,10

Dienstag

23. 1. Korinther 12,27-31a

Gott gibt verschiedene Gaben

■ Wir alle stehen immer wieder in der Gefahr, uns auf bestimmte Möglichkeiten, die wir haben, etwas einzubilden und zu vergessen, daß alles, was wir sind und haben, allein Gaben Gottes sind, die er uns anvertraut hat, und zwar zum Gebrauch in der Christenheit und zum Besten anderer Menschen. Und weil es sehr verschiedene Aufgaben sind, schenkt Gott auch verschiedene Gaben und Fähigkeiten. So war es auch in der Urgemeinde. So ist es bis heute geblieben: Der eine kann packend predigen, der andere zuhören und trösten, wieder ein anderer organisieren oder einprägsam lehren oder sogar die Heilungskräfte Gottes weitergeben. Gott hat immer alle Gaben in der Christenheit gegeben! Wenn nur nicht leider immer wieder einzelne Gaben überbewertet würden! Hüten wir uns davor! Jeder ist Glied an einem Leib, eben der Gemeinde Jesu, und hat sich einzubringen mit dem, was Gott ihm gab, ohne Hochmut und ohne Selbstlob. Römer 12,3

Mittwoch

24. 1. Korinther 12,31b-13,7

Quelle und Vorbild der Liebe

■ Zweifellos ist dieser Hinweis auf die sich verschenkende Liebe eines der schönsten Juwele in der Weltliteratur, gleichzeitig eine der wunderbarsten Stellen in den Briefen des Paulus. Wir können diese Verse nicht häufig genug lesen – sind sie doch die treffendste Beschreibung des Tuns Jesu Christi und ebenso Anleitung für unser Leben in Jesu Nachfolge. Jesus sagte immer wieder: Folgt mir nach! Also: Handelt, redet, schweigt und vergebt liebend, tragend und ertragend, wie ich es beispielhaft vormachte. Denken wir deshalb beim langsamen Lesen dieser Verse an Jesus und stellen uns vor, wo und wie er langmütig, freundlich und demütig war; wie er nur unser Bestes suchte, sich selbst opferte am Kreuz und selbst seinen Feinden vergab, auch uns. Warum? Nur aus Liebe, Fürsorge und überwindender Hingabe, sozusagen mit den Worten: Das tat ich für dich – was tust du für mich? Also: Lernen wir von Jesus und dieser Liebe! Johannes 13,15

Donnerstag

25. **1. Korinther 13,8-13**
Jesu Christi Liebe bleibt ewig

■ Alles, was wir Menschen leisten und gestalten, hat ein Ende, auch unsere Liebe zu Ehegatten, Kindern und Glaubensgeschwistern. Denn unser Leben und Lieben schließt mit dem Tod. Nicht so die Liebe des Gottessohnes Jesus. Seine hingebende und zurechtbringende Liebe wird in der Ewigkeit zur Vollendung kommen. Daß Jesus Christus uns sündige Menschen vor dem heiligen Gott vertritt, für uns eintritt und darauf hinweist, daß er am Kreuz genug für den an ihn Glaubenden getan hat, das ist die Krönung seines liebenden Tuns. Diese Jesusliebe wird ohne Aufhören das Merkmal der Ewigkeit sein. Dann kommt der Glaube zum Schauen, das Hoffen wird erfüllt. Die Liebe Christi aber bleibt. Und diese Liebe, eben sein Wirken in und an uns, wird auch unser begrenztes irdisches Wissen zur göttlichen Vollendung kommen lassen. Dann, in der Ewigkeit, werden wir Gott schauen dürfen und aller diesseitigen Kümmerlichkeiten enthoben sein. Jesus sei schon jetzt dafür gelobt!

Römer 8,38.39

Freitag

26. **1. Korinther 14,1-12**
Gott, rede du durch mich

■ Im Gebet, bei der Predigt und bei der Seelsorge bleibt es nicht bei menschlichen Möglichkeiten, weil Christen sich dem heiligen Geist öffnen. Jedes Reden mit oder über Gott bleibt hohl und kraftlos ohne den heiligen Geist, der allen Christen geschenkt ist. Ich bete um ihn, damit seine Gaben reichlich zum Zuge kommen (V. 12). Laßt uns keine falsche Zurückhaltung davor haben, daß der heilige Geist uns mehr Einblick in Gottes Willen (Erkenntnis) schickt und geistlichen Durchblick für heute (Prophetie). Manchem ist ein geistgelenktes Gebet geschenkt (Zungenrede). Maßstab bleibt, daß alle – auch der Anfänger im Glauben – angesprochen und gestärkt werden. Heiliger Geist, schenke mir, daß ich alle deine Gaben liebevoll (V. 1) für den anderen einsetze. Befreie mich, so daß ich mich über den Reichtum anderer immer mehr freuen kann.

1. Korinther 14,26

Samstag

27. **1. Korinther 14,13-25**
Ein klares Wort für Außenstehende

■ Bei der „Zungenrede" geht dem Dankenden und Lobenden das Gebet in einer Sprache über die Lippen, die er vom Verstand her nicht beherrscht (Sprachengebet). Auch Paulus kennt diese „be-Geist-erte" Anbetung (V. 18). Doch er wertet sie nicht als eine besondere Gottesnähe. Keine christliche Gemeinschaft darf die Zungenrede als Eintrittsvoraussetzung überbewerten. Es besteht aber auch kein Anlaß, sie als unbiblisch zu verdächtigen. Paulus hat ein besonderes Interesse an den Außenstehenden: Sie brauchen ein klares Wort. Unsere Gebete, unsere Gemeinschaft und unser Zeugnis sprechen – hoffentlich – von Gott. Leben und Reden brauchen darum als Ganzes die Leitung des heiligen Geistes. Sonst kommen nur Schmeichelreden oder beredte Manipulation heraus, die Gottes überführende und verwandelnde Kraft nur hindern (V. 24.25). Die Gegensätze sind Glaube und Unglaube, nicht Geist und Verstand. Denn der ganze Mensch gehört unter die Herrschaft Jesu.

2. Korinther 3,3

Christus spricht: Kommet her zu mir alle, die ihr mühselig und beladen seid; ich will euch erquicken.

Matthäus 11,28

Sonntag

28. **Epheser 2,17-22**
Mehr als Asyl
■ Gott bietet mehr als nur Asyl. Die Problematik der Asylsuchenden ist uns bekannt. Sie sind nicht zu übersehen, die Ausländer, die zu uns kommen. Wie oft erfahren sie aber, daß ihnen das Gastrecht, geschweige denn das Bürgerrecht, versagt bleibt. Sie fühlen sich als Menschen 2. Klasse behandelt und abgestempelt. Im Reich Gottes sieht die Sache ganz anders aus. Bei Gott gibt es keine Unterschiede, keine Einteilung nach Klassen. Nur eine Voraussetzung ist nötig: Der Glaube an Jesus Christus. Durch Jesus hat jeder, ob Heide oder Jude, ob Ausländer oder Einheimischer, Zugang zu Gott. Und jeder, der sich auf Jesus einläßt, findet nicht nur ein Asyl, sondern ein Zuhause. Er lernt Gott als einen Vater kennen, der sich all seinen Kindern liebevoll zuwendet. 1. Petrus 2,9

Montag

29. **1. Korinther 14,26-33a**
Demut und Mut zum Dienst
■ Paulus, bei uns ist das alles ganz anders. Heute muß der Pfarrer oder Gruppenleiter lange bitten, um Mitarbeiter zu finden. Allerdings sind wir genausoweit von den Entfaltungsmöglichkeiten einer christlichen Gemeinschaft entfernt, in der man sich im Mit- und Füreinander stärkt (V. 26). Bemerkenswert: Als Gegensatz von Unordnung steht in V. 33 nicht Ordnung (die ist nur Mittel zum Zweck). Wo Gott sein Reich aufrichtet, zieht Frieden ein. Rivalität hat keinen Platz mehr. Aber auch Minderwertigkeitsgefühle und fehlende Einsatzfreude können überwunden werden. Die besonders Begabten lernen, sich einzuordnen (V. 31). Die Stilleren müssen sich nicht fraglos ergeben (V. 29). In der Gemeinschaft dürfen Zweifel geäußert und geistliche Autorität geprüft werden. Wo können wir Demut lernen und wo mehr Mut zum Dienen?

1. Korinther 12,7

Dienstag

30. **1. Korinther 14,33b-40**
Ordnungen geben der Freiheit Raum
■ Korinther waren feiernde und experimentierfreudige Christen. Was ihnen das neue Leben in Christus bot, nutzten sie in vollen Zügen. Paulus freut sich mit ihnen über die Freiheit, achtet aber darauf, daß sie nicht mißbraucht wird (1. Kor. 10,23). Auch in Korinth beteten und predigten Frauen (1. Kor. 11,5). Es muß aber hier zu Schwierigkeiten gekommen sein, die Paulus zu dieser energischen Zurechtweisung veranlaßt haben. Frauen und Männer (V. 30.31) konnten nicht schweigen und anderen zuhören. Paulus gebietet, Ordnung zu halten. Die in seiner Zeit üblichen und in anderen Gemeinden bewährten Sitten und Gebräuche sollten auch für Korinth gelten. Die Geschlechter in Kirche und Gesellschaft sind gleichberechtigt (wo nicht, sollten wir es fördern). Doch auch wir brauchen Ordnungen, die der Freiheit Raum geben. Damit keiner für sich die Freiheit ausnutzt und andere sprachlos zurückläßt.

1. Korinther 10,23

Monatsspruch Juli:

Ihr wißt, daß eure Arbeit nicht vergeblich ist in dem Herrn. 1. Korinther 15,58

Mittwoch

1.

1. Korinther 15,1-11
Über das Sichtbare hinaus glauben

▪ Sechs Tage wird uns dieses Kapitel beschäftigen, in dem es um die allgegenwärtige Polarität unseres Lebens geht: um Zeit und Ewigkeit, Hier und Dort, Sterben und Auferstehen. Daß wir dabei ständig an die Grenzen unseres Begreifens stoßen, macht den Text so schwer verdaulich, denn wir kennen aus eigener Anschauung eben immer nur die eine Seite: das Diesseits und den Tod. Nach Paulus gibt es keinen christlichen Glauben, der sich allein auf diese, uns bekannte Seite der Wirklichkeit reduzieren läßt. Glaube ist immer auch Grenzüberschreitung, die in jedem Falle unser irdisches Denk- und Vorstellungsvermögen übersteigt. Daran scheitern dann auch alle immer wieder verlangten und zweifelsfreien Glaubensbeweise. Der erste Schritt, sich dem Unvorstellbaren zu nähern, besteht darin, sich Jesus zu nähern und denen zu glauben, die ihm begegnet sind. Matthäus 10,7

Donnerstag

2.

1. Korinther 15,12-19
Was glaube ich denn?

▪ Es gibt Menschen, die halten das alles für unmöglich: sowohl die Berichte neutestamentlicher Zeugen als auch eine Welt, die jenseits unserer Wahrnehmung liegt. Der Glaube lebt aber nun einmal von beidem – sowie von der Erfahrung, daß Jesus mit einem Bein auf dem Boden dieser und mit dem anderen auf dem Boden jener Welt stand. Nur so sind die Berichte der Jünger verständlich, nur so läßt sich der Glaube konsequent leben. Paulus sagt sogar, ohne dies wäre unser Glaube inhaltslos und leer. Weder Weltbild noch Weltgefühl von Christen lassen sich auf das Diesseits eingrenzen. Aber nicht nur der Christ, auch Jesus würde zu einer beklagenswerten Gestalt, wenn sein Leben und Sterben nur unter diesseitigen Gesichtspunkten sinnvoll gewesen wäre. Daß er in seiner Auferstehung jene andere Welt berührte und uns dies wissen ließ, ist eine Glaubensgrundlage. Philipper 3,10

Freitag

3.

1. Korinther 15,20-28
Zwischen Tod und Leben

▪ Auch wenn unser diesseitiges Gehirn Jenseitiges nicht fassen kann, haben wir „Vor-Bildliches“, so daß das Unmögliche zumindest vorstellbar wird. Derartig Gleichnishaftes finden wir in Gottes Wort, aber auch in seiner Schöpfung. Dementsprechend erinnert Paulus an Adam, in dessen Spur wir alle leben müssen. Nach dem Verständnis des Urtextes ist Adam keineswegs nur der Vorname eines Mannes, sondern die elementare Wesensbeschreibung des Menschen als eines „Erdlings“. Vom ersten Menschen bis heute gilt, daß wir von Erde genommen sind und wieder zu Erde werden. Doch diese *fleischliche* Spur wird überlagert von der in Jesus angelegten *geistlichen* eines neuen Menschen. Dort werden Todeserfahrungen gemacht, hier Lebenserfahrungen. Eine solche Spannung muß ausgehalten werden, bis die große Ruhe eintritt, und Gott alles in allem sein wird. Offenbarung 21,4

Samstag

4. **1. Korinther 15,29-34**
Wofür setzen wir uns eigentlich ein?
■ Wenn man Tod und Sterben aus dem Leben verdrängt, muß man auch Angst mitverdrängen; auch die vor dem „Zu-kurz-Kommen". weil alles Verdrängte sich aber auf raffinierte Weise immer wieder zu Wort meldet, wird Angst unsere Handlungen mitbestimmen. Sinnvoll erscheint dann alles, was den Hunger der Sinne mit endlosen Wiederholungen stillt: möglichst viel sehen, schmecken und fühlen. Unangenehmes und Schwieriges wird als wenig sinnvoll gemieden. Jede Art von Leiden – oder gar Martyrium – scheidet aus, und was Paulus hier von sich sagt, scheinen Worte eines verbohrten Fanatikers zu sein. Warum, fragt der Apostel, setzen wir unser Leben ein (V. 30), wenn jedes Leben dieser Erde sich am Ende als vergeblich erweist? Meine Handlungen werden viel stärker, als mir bewußt ist, davon bestimmt, ob ich über meinen individuellen Tod hinausdenke oder nicht. 2. Korinther 1,5

Der Menschensohn ist gekommen, zu suchen und selig zu machen, was verloren ist. Lukas 19,10

Sonntag

5. **1. Timotheus 1,12-17**
Kein hoffnungsloser Fall
■ Es versetzt einen schon in Erstaunen, mit welcher Offenheit Paulus seinem jungen Mitarbeiter Timotheus über seine Vergangenheit berichtet. Man merkt zum einen, daß Paulus die dunkle Epoche seines Lebens als Christenverfolger nicht aus seinem Gedächtnis gestrichen hat; und zum anderen, daß er aus einer tiefen Gewißheit der Vergebung heraus lebt. „Mir ist Barmherzigkeit widerfahren." Am Beispiel seines Lebens macht Paulus deutlich, daß es bei Gott keinen hoffnungslosen Fall gibt. Wenn ich jetzt an Menschen denke, die Gott verleugnen, fluchen und lästern, dann will ich konkret für diese Menschen beten und glauben, daß die göttliche Barmherzigkeit gerade ihnen gilt. Ich will Gott zutrauen, daß er heute dieselbe Kraft und Liebe hat, aus einem Christusverfolger einen Christusnachfolger zu machen. Johannes 3,16

Montag

6. **1. Korinther 15,35-49**
Ohne Sterben kein neues Leben
■ Es wird immer Menschen geben, die auch das Unbegreifliche ganz genau begreifen wollen, so auch dies: wie denn nun die Auferstehung praktisch vonstatten gehen soll. Der Apostel deutet an, daß er derartige Fragen zwar zu den menschlichen Torheiten zählt, geht aber darauf ein. Dabei muß er zunächst auf ein natürlich unzureichendes Bild aus unserer eigenen Lebenserfahrung zurückgreifen, ehe er erneut auf den „Erdling" Adam und den „himmlischen" Jesus zu sprechen kommt. Ein jedes Samenkorn, sagt er, lehrt uns, daß das Leben mitten aus dem Sterben heraus entsteht. Es gibt kein Leben ohne Tod. So ist es mit allem und jedem und der gesamten Schöpfung. Unser gegenwärtiger Äon wird sterben müssen, wenn es einen neuen geben soll. Um eine Wiederholung des Gewesenen kann es sich da allerdings nicht handeln, wenn das Neue wirklich neu sein soll. Markus 12,27

Dienstag

7.

1. Korinther 15,50-58
Der wahre Grund des Glaubens

■ Wir wissen es aus eigener Anschauung, daß ein Weizenkorn unwiderruflich „sterben" muß, wenn neue Körner wachsen sollen. Nun wissen wir aber auch, daß die neuen Körner – trotz aller Originalität – immer nur eine Neuauflage der alten sein können. Wenn etwas durchgreifend Neues entstehen soll, muß die simple Fortsetzung des Alten durch eine Art qualitativen Sprung ins Neue durchbrochen werden: Und genau das ist es, was sich unserer Vorstellungskraft entzieht. Ruckartig, in einem Nu, wie ein urplötzlich ausgestoßener Posaunenton, muß es geschehen, sagt Paulus; also nicht durch Fortschritt und langsame Verbesserung. In diesen Sprung wird alle irdische Geschichte – inklusive Tod und alle Toten – mit hineingerissen. Das ist der wahre Sieg Gottes. Denn hier wird nicht nur – wie Jesus sagt – meine eigene Lebensangst überwunden, sondern auf radikale Weise die gesamte Welt. Das sind die Dimensionen, in denen das Denken und Glauben eines Christen sich bewegt. Johannes 16,33

Mittwoch

8.

1. Korinther 16,1-12
Liebe – ganz praktisch

■ „Beim Geld hört die Freundschaft auf", heißt ein Sprichwort. Doch Paulus redet eine andere Sprache. Er fordert die Gemeinde auf: Öffnet neben euren Herzen und Türen auch euer Portemonnaie. Dabei bleibt er nicht im Allgemeinen stecken, sondern wird ganz konkret. Am Beispiel der Geldsammlung entwickelt er eine nachahmenswerte Strategie. Das ist gut so. Wenn Liebe zum Ziel kommen will, muß sie praktisch sein. Gottes Liebe fordert uns heraus zum direkten Handeln; zum Öffnen unserer Wohnungen, unserer Terminkalender und unserer Portemonnaies. Denn die Liebe hört nicht beim Geld auf. Oft aber ist unser Umgang mit dem Geld der Echtheitstest für unsere Liebe. Gott will unser Herz, nicht nur unser Portemonnaie. Nicht selten aber befindet sich unser Herz im Portemonnaie. „Geldgier ist eine Wurzel alles Übels", schreibt Paulus (1. Tim. 6,10). Und Jesus geht mit seiner Behandlung immer an die Wurzel. 2. Korinther 9,6.7

Donnerstag

9.

1. Korinther 16,13-24
Guter Rat ist teuer

■ Paulus setzt an das Ende seines Briefes viele gute Ratschläge: Wachet! Stehet im Glauben! Seid mutig und stark! Ordnet euch unter! Erkennt an! Er weiß, wovon er spricht. Auf seinen Reisen hat er erlebt, daß das Zusammenleben von Menschen, auch von Christen, eine spannungsvolle Sache ist. Die Spannungen können das Miteinander sprengen. Da bleibt die Frage, wie es weitergehen soll. Dann ist guter Rat teuer, doch „teuer" nicht im finanziellen Sinne, sondern in der Bedeutung von kostbar und wertvoll. Wir brauchen solche Worte, die zurechtrücken, klären und aufbauen. Der beste Rat aber, den Paulus gibt, lautet: „Alle eure Dinge laßt in der Liebe geschehen." Und das ist wohl das wahre Schlußwort des Briefes. Hebräer 10,25

Freitag

10.

Markus 3,7-12
Vollmächtige Predigt und vollmächtige Tat

Die Nachrichten über die Taten Jesu lösen geradezu eine Massenbewegung aus. In gespannter Erwartung sammeln sich so viele Leute aus allen Teilen des Landes, daß die Jünger als Ordnungskräfte eingesetzt werden müssen. Der Zulauf steht in deutlichem Kontrast zu dem Beschluß, Jesus umzubringen (V. 6). Vor allem die Kranken strömen zu Jesus. In der Tiefe ihrer Not erkennen die Geschlagenen und Bedrängten seine Vollmacht. Sie wollten seinen Leib anrühren, in dem sie zu recht göttliche Heilkraft vermuten, um dann von Jesus selbst berührt und errettet zu werden. Warum verbietet er die spontanen Äußerungen seiner Anhänger? Will Jesus sein Wirken nicht vorzeitig gefährden? Gewiß, Jesus ist das Licht, das jetzt in der finsteren Welt scheint (Joh. 1,5). Noch aber ist die Zeit der Enthüllung Jesu nicht da. Weiterhin will er frei reden und wirken können. Matthäus 11,28

Samstag

11.

Markus 3,13-19
Sammlung zur Sendung

Es scheint, als organisiere sich Jesus eine Art Leibwache. Aber dieser „harte Kern“ ist keine politische Aufruhrtruppe. Der Zwölferkreis ist der Anfang einer neuen Gemeinschaft. In ihr sind die mit Gott und untereinander Versöhnten im Reich Gottes zusammengeführt. Hier wird die Gemeinde Jesu gegründet. Ihr Auftrag lautet: 1. die frohe Botschaft von der in Jesus leibhaftig gewordenen Liebe Gottes zu verkündigen, 2. Krankheiten zu heilen und 3. in der von Jesus verliehenen Vollmacht Dämonen auszutreiben. Wie mutmachend, daß selbst die schöpfungsfeindlichen, zerstörerischen und todbringenden Mächte durch Jesus aus dem Feld geschlagen werden! Die gute Nachricht von Gottes Liebe in Jesus Christus ist in der Tat nicht nur Wort oder gar religiöse Einbildung. Sie ist Macht, Kraft, Sieg und Leben. Markus 16,17.18

Einer trage des andern Last, so werdet ihr das Gesetz Christi erfüllen. Galater 6,2

Sonntag

12.

Römer 14,10-13
Christliche Verhaltensregeln

Die Frage der „Mitteldinge“ (Was darf ich, was nicht?) führte in der römischen Gemeinde zu unguten Konflikten. Überheblichkeit, Verachtung und Verurteilung bewirkten nicht nur Abneigung, Entfremdung und Vorbehalte, sondern drohten sogar die Gemeinde zu spalten. „Der Herr“ ist für Paulus das lösende Wort (V. 6-9). Wo Jesus Christus die Mitte ist, vermögen auch gegensätzliche Ansichten und viele Unterschiede nicht zu trennen. Da gilt vielmehr zarte Rücksichtnahme und gegenseitige Verantwortung. Mit durchdringendem Ernst erinnert der Apostel daran, daß wir alle vor Gottes Richterthron Rechenschaft ablegen müssen. Dieser letzte Ausblick löscht allen falschen Eifer und lieblose gegenseitige Kritik aus. Gottes Wille ist, daß wir in der Liebe gefestigt werden und unter seiner Herrschaft stehen. Der Glaube an Jesus begründet das neue Leben. Die Liebe aber als „Band der Vollkommenheit“ soll dieses bestimmen. Kolosser 3,14

Montag

13.

Markus 3,20-30
Diffamiert

Zwei geradezu erschütternde Tatsachen und ein gar peinliches Bild: In den Augen der eigenen Familie ist Jesus ein Irrgeist, ein wirklichkeitsblinder Moralist und Eiferer mit krankhaftem Gebaren. Eine Delegation, die durch die kirchliche Oberbehörde extra von Jerusalem in die Provinz abkommandiert worden war, kommt zu dem Schluß, daß Jesus vom Teufel inspiriert sei. – Jesus beweist seine göttliche Freiheit und beugt sich weder dem familiären noch dem offiziellen kirchlichen Druck. Mit ruhigen, vernünftigen Schlußfolgerungen versucht er, seine Gegner und Ankläger von der Haltlosigkeit ihrer Argumente zu überzeugen. Es ist unmöglich, im Namen des Teufels einen teuflischen Geist auszutreiben. Vielmehr ist es Lästerung, Gottes Geist als Geist des Teufels zu verdächtigen und Gottes Sohn in Verbindung mit dem Teufel zu sehen. Wer nämlich das Leben, Reden und Wirken Jesu unvoreingenommen betrachtet, dem wird gewiß, daß in ihm, dem Geistgesalbten, Gott selbst unter uns erschienen ist. Johannes 6,68.69

Dienstag

14.

Markus 3,31-35
Gottes Willen tun

Es mag uns überraschen, daß Jesus seine Angehörigen warten läßt und ihr Erscheinen zum Anlaß nimmt, um einen neuen Verwandtschaftsbegriff einzuführen: „Wer Gottes Willen tut, der gehört zu meiner Familie." Darf man *so* mit seiner Mutter umgehen? Kennt Jesus nicht das Gebot, die Eltern zu ehren? – Wie sehr er sich um die eigene Mutter sorgte, bewies er am Kreuz, als er einem seiner Jünger die Fürsorge für sie übertrug (Joh. 19,27). Aus den späteren biblischen Berichten wissen wir, daß sich auch Maria und ihre Söhne der neuen „Familie Jesu" angeschlossen haben (Apg. 1,14). – Auch uns darf die Rücksicht auf die eigene Familie nie von Gottes Auftrag abhalten. Das kann uns in heikle Situationen hineinführen. Doch wir können sie durchstehen im Vertrauen darauf, daß Gott auch die Verwandten für sich gewinnt, daß auch der Rest der Familie zu Jesus findet. Lukas 14,26

Mittwoch

15.

Markus 4,1-9
Gottes Wort verlangt unsere Antwort

Tausende hören Jesus zu. Warum? Es ist sein Wort, das sich so wohltuend von anderen Worten abhebt. Es trifft das Herz. Die Entscheidung, was jetzt geschehen soll, wird nicht künstlich erzwungen, sondern ergibt sich beim Zuhören von selbst. Aber warum bringt die selbe Predigt so unterschiedliche Resultate: Die einen bleiben unberührt, andere werden grundlegend verändert? Jesus beantwortet die Frage mit einem Beispiel aus dem Alltag seiner Zuhörer. Ein Sämann streut tausende von Körnern aus. Jedes trägt in sich die Kraft zu neuem Leben. Dann überläßt er dem Boden die weitere Arbeit. Er hat getan, was er konnte. Auch Gott teilt sein Wort großzügig aus, selbst dorthin, wo es uns sinnlos erscheint. Gewiß weiß er um die Verluste, spart deshalb aber niemand aus. Gott bedient alle. Nun überläßt er uns, dem „Boden", ob wir den Samen verwerten wollen oder nicht – auch das Wort, das wir soeben gelesen haben. Jesaja 55,11

Donnerstag

16.

Markus 4,10-12
Jesus nicht verstehen?

Das gibt's doch nicht! Jesus will mit seinen Gleichnissen nicht erklären, sondern *verbergen*: Die „draußen" sind, die sollen *nicht* erkennen, *nicht* verstehen, sich *nicht* bekehren. Ist das nicht ungerecht? Wir finden eine Antwort, wenn wir „die um ihn waren" genauer betrachten. Wer sind die Bevorzugten, die ihn verstehen? Zunächst einmal die zwölf ausgewählten Jünger. Hinzu kommt ein nicht näher beschriebener Kreis von Zuhörern. Aber warum werden ausgerechnet sie besonders behandelt? Die Antwort liegt ganz nah: Weil sie mit ihren Fragen zu Jesus kommen. Sie wollen wissen, was er mit diesem Gleichnis gemeint hat. Und Jesus nimmt sich Zeit für sie. So ist es bis heute geblieben: Wer seine Fragen selbst beantworten will, gehört zur anderen Gruppe, die eben nicht erkennt, nicht versteht und sich nicht bekehrt. Die Bereitschaft zum Hören auf Jesus ist die Grundvoraussetzung, daß er uns helfen kann.

Johannes 6,44.45

Freitag

17.

Markus 4,13-20
Gott kommt zum Ziel

Vielleicht gefällt uns Gottes alte Methode nicht, mit der er sein Wort ausstreut. Solche Fehlinvestitionen kann sich kein moderner Agrarbetrieb leisten! Müßte man nicht alles verbessern, um schneller zu mehr Erfolg zu kommen? Was ist zu tun, damit Vögel und Dornen, Fels und Sonne weniger vernichten und Gott mehr Erfolg hat? Sollte man nicht die „Dreckspatzen" abschießen, die Felsen sprengen und die Dornen verbrennen? Jesus sagt entschieden: Nein, weitersäen! Zu jeder Zeit und für jede Generation neu läßt er den guten Samen aussäen, obwohl er doch um die gierigen Vögel, um den harten Boden, um Disteln und Dornen und sengende Sonne weiß. Denn er teilt die Menschen nicht schon von vornherein in vier Gruppen ein. Jeder von uns trägt diesen wenig verheißungsvollen Boden in sich. Doch das ist kein Grund zum Resignieren. Sondern es ist ein Grund zur Anbetung, weil Gott keinen Menschen aufgibt.

Markus 4,20

Samstag

18.

Markus 4,21-25
Lichtscheue Leute

Ein Licht gehört auf den Leuchter und nicht an einen Ort, an dem es keinem nutzt. (Ein Scheffel ist ein Gefäß, mit dem Getreide abgemessen wurde.) Gibt es denn solche Leute, die ein Licht anzünden, um es dann zu verdunkeln? – Gottes Gerechtigkeit und Jesu Handeln wollen uns sichtbar werden, unsere Schuld aufdecken und vergeben. Doch geradezu grotesk sind unsere Anstrengungen, die Dunkelheit unseres Lebens dem hellen Wort Gottes zu entziehen. Nun vertreibt aber das Licht die Finsternis. Gottes Vergebung tilgt unsere Schuld. Wer dieses Licht verbirgt, sein Leben mit eigenem Maßstab mißt, verliert schließlich alles. Wer die Verkündigung der Gerechtigkeit Gottes unterdrückt, muß erleben, daß die eigene, vermeintliche Gerechtigkeit am Ende wertlos ist. Das ist ein Grund zum Aufhorchen, zur Hingabe an Gott und seine vergebende Liebe, zur Verkündigung seines Wirkens. Der Aufruf gilt beiden: dem, der sich vor Gott verbirgt, und dem, der Gottes Wort den anderen vorenthält.

Matthäus 5,15

Aus Gnade seid ihr selig geworden durch Glauben, und das nicht aus euch: Gottes Gabe ist es.

Epheser 2,8

Sonntag

19.

1. Korinther 1,18-25
Gottes Weisheit ist das Kreuz Jesu

Es ist ein Skandal für die Ohren der Menschen nicht nur in der damaligen Welt: Ein Gekreuzigter, an einen Schandpfahl Geschlagener, wird als der Retter verkündigt. Das kann doch nicht wahr sein! Die Juden wollten Zeichen sehen (Matth. 12,38; 16,1), und das einzige Zeichen, vor dem sie am Ende stehen, ist die Auferstehung des Gekreuzigten. Die Griechen wollten Gott mit der Weisheit der menschlichen Vernunft begreifen und erfahren, daß er sich damit nicht fassen läßt. In Christus begegnet uns Gott ganz anders: weder als der, der sich von uns zu Zeichen herausfordern läßt, noch als der, der sich vor unserer Vernunft ausweisen muß. In Christus begegnet uns Gott als der, dessen Macht in seiner Ohnmacht liegt. Darin liegt seine Weisheit verborgen, die unsere Rettung ist.

1. Korinther 1,30

Montag

20.

Markus 4,26-29
Wie von selbst

Es gibt Ereignisse im Leben, die geschehen wie von selbst. So ist es hier in dem Gleichnis von dem Mann, der den Samen auf das Land wirft. In dem Augenblick, wo der Samen seine Hand verläßt, überläßt er ihn der Gesetzmäßigkeit des Bodens, auf den er ihn wirft. Und das Erstaunliche geschieht: Aus dem Samenkorn entsteht die volle Ähre. So ist es auch mit Gottes Reich: Es unterliegt anderen Gesetzmäßigkeiten als unseren Vorstellungen und Wünschen, doch wächst es unaufhörlich, „automatisch“, wie das griechische Wort sagt. Gottes gute Nachricht von seinem Reich zu verkündigen, das ist unsere Aufgabe. Es wachsen zu lassen, das ist Gottes Sache. Da dürfen wir zusehen und staunen, was Gott entstehen läßt. Das gibt uns eine fröhliche Gelassenheit, denn wir dürfen wissen: Bei Gott bleibt nichts unvollendet, es kommt zur Ernte.

Philipper 1,6

Dienstag

21.

Markus 4,30-34
Mut zum Neubeginn

Welch ein Gegensatz: das kleine Senfkorn und der hohe Strauch, der daraus entsteht! So wie aus einem Samenkorn von knapp 1 mm Durchmesser eine Senfstaude wird, die bis zu 3 m Höhe erreichen kann, so wird aus einem unscheinbaren Anfang die universale Herrschaft des Reiches Gottes. Es lohnt sich, klein zu beginnen und nicht zu verzagen. Gott handelt so beim Bau seines Reiches, vor dem wir am Ende staunend stehen dürfen und selbst darin unseren Platz haben. Das Unsagbare sagbar zu machen, das ist es, was Jesus hier in seinen Gleichnissen tun möchte. Dazu benutzt er oft Bilder und Vergleiche aus dem täglichen Leben. Wie gut, daß Jesus eine Sprache gebraucht, in der er uns eine Ahnung der Herrlichkeit seines Reiches vermitteln kann!

Jeremia 30,19b

Mittwoch

22. Markus 4,35-41

Jesus ist wahrhaftig Gottes Sohn

■ Gewiß kann es in einer schwierigen Lebenslage hilfreich sein, sich an diese Geschichte zu erinnern. Dann kann es tröstend sein zu wissen: Gerade in „stürmischer" Zeit läßt uns Jesus nicht vergeblich nach ihm rufen. Wenn er im „Lebensboot" ist, erreichen wir sicher das Ziel. – Doch darüber dürfen wir nicht vergessen, daß uns hier ein reales Geschehen berichtet wird. Tageszeit und Ort (V. 1) sind angegeben. Warum ist das so wichtig? Damit wir gewiß sein können, daß unser Glaube an Jesus keine religiöse Idee oder gar Einbildung ist. In ihm ist Gott selbst in unsere Welt gekommen, hat an bestimmten Orten und zu bestimmten Zeiten gehandelt. Auch für die Jünger war das ein so außergewöhnliches Ereignis, daß sie es zunächst nicht verstehen konnten. Ihr erschrockenes Staunen aber zeigt, daß sie wußten: Jesus handelt in der Vollmacht dessen, der Wind und Meer geschaffen hat. Später haben sie bekannt: „Du bist wahrhaftig Gottes Sohn!" Matthäus 14,33

Donnerstag

23. Markus 5,1-20

Jesus hat alle Macht

■ Der Weg führt Jesus und seine Jünger zu den Menschen außerhalb Galiläas in das Gebiet der Zehn Städte. Hier ist für Juden heidnisches Gebiet, das auch unter der Herrschaft der Römer steht. Kaum sind sie dort, kommt einer auf sie zu, der zwar noch lebendig ist, aber doch schon bei den Toten seinen Platz eingenommen hat. Lebendig und doch schon im Grab, das gibt es. Festgehalten und gequält von dunklen Mächten und Dienern des Todes läuft er Jesus entgegen. Dieser aber offenbart sich als der Herr über die unreinen Geister und weist ihnen ihren Ort zu, so daß sie sich nur noch ins Meer stürzen können. Jesus ist der Herr, dem alle Macht gegeben ist. Und die gilt es zu verkündigen, auch außerhalb Israels. Dazu wird der Geheilte beauftragt, und er tut es dort, wo er zu Hause ist. Wir können uns vorstellen, daß dies keine leichte Aufgabe ist. Aber er hat ja die befreiende Macht Jesu am eigenen Leib erlebt. Darum kann er gehorsam sein. Matthäus 28,18

Freitag

24. Markus 5,21-34

Tiefenwirkung

■ Geld und Wissenschaft haben dieser Frau nicht geholfen, sondern ihren Zustand eher verschlimmert. Vielen geht es heute genauso, weil weder Ärzte noch Psychiater die tiefsten Ursachen der Krankheit heilen können. Allein die Begegnung mit Jesus bringt Heilung. Das Volk und auch die Jünger merken zunächst nichts von dem Wunder der Kraft Jesu, die die tiefsten Wunden im Leben dieser Frau heilt. Aber sie erlebt es und wagt es dann öffentlich, von ihrer Not und der wunderbaren Heilung zu berichten. Was mag sie da alles bekannt haben! „Die ganze Wahrheit" (V. 33), das schließt wohl mehr ein als zwölf Jahre körperliches Leiden. Ihr ganzes Leben, das wie unseres von der schlimmsten Krankheit, der Sünde, gezeichnet ist, hat sie Jesus ausgeliefert. Wer aber die göttliche Kraft der Hilfe und Vergebung erfahren hat, der kann nicht stumm bleiben. Wer sich im Glauben nach der Kraft Jesu ausstreckt, dem öffnet sich der Weg aus der Hoffnungslosigkeit.

Psalm 50,15

Samstag

25.

Markus 5,35-43
Todesverachtender Glaube

Es gibt Dinge, die sind endgültig. An denen kann niemand mehr etwas ändern. Zu ihnen gehört der Tod. Mit dem ist alles aus, heißt es; da ist nichts mehr zu diskutieren, höchstens zu philosophieren: Mit dem Tod muß man leben. Wer sich mit dieser unwiderruflichen Tatsache nicht abfindet, wird als weltfremd verlacht (V. 39). Es erscheint vollkommen lächerlich, angesichts des Todes von einem Schlaf zu reden. Doch Jesus sagt dem hilfesuchenden Vater: Finde dich nicht mit dem Tod ab. Vertraue mir! Ich bin stärker. – Für Jesus ist der Tod keine feste Grenze. Er überwindet ihn bei diesem Kind, geht selbst durch ihn hindurch und wird seine Nachfolger vor dem ewigen Tod retten. Denn er selbst ist die Auferstehung und das Leben (Joh. 11,25). Wo er durch sein allmächtiges Wort gebietet, da werden bei seinem Erscheinen alle aus den Gräbern gerufen. Wohl uns, wenn wir heute schon darum wissen und bekennen: „Ich glaube an die Auferstehung der Toten.“ Johannes 11,40

So spricht der Herr, der dich geschaffen hat: Fürchte dich nicht, denn ich habe dich erlöst; ich habe dich bei deinem Namen gerufen; du bist mein! Jesaja 43,1

Sonntag

26.

Römer 6,3-8
Tiefgreifende Lebensveränderung

Edel, hilfreich und gut ist der Mensch nur in der künstlichen Welt der Idealisten. Wer ein wenig tiefer blickt, erkennt den wahren Herzenszustand des Menschen, der ungerecht, selbstsüchtig und voller Bosheit ist. Weder gute Vorsätze noch eigene Anstrengungen ändern etwas daran. Wenn eine neue, veränderte Gesinnung zum Tragen kommen soll, dann muß die alte Natur in den Tod gegeben werden (V. 6). Und genau das hat Gott durch den Kreuzestod seines Sohnes getan. Wer sich nun Jesus mit seinem Leben ausliefert, wird von Gott mit in Jesu Tod und Auferstehung genommen – und in einen *neuen Lebenszustand* versetzt (V. 4). Unter der Herrschaft Jesu wird der Mensch wirklich zum Menschen, weil er nicht mehr von seiner sündigen Natur, sondern von Gottes Geist bestimmt und geprägt wird. Galater 5,22

Montag

27.

Markus 6,1-6
Schubladendenken

Eltern und Lehrer erfahren es immer wieder: Es kann noch so richtig sein, was sie sagen– doch sie finden nicht das Gehör, das einem Fremden geschenkt wird. Manch ein Gemeindeprediger kann die gleiche Botschaft bringen – und doch wird sie oft ganz anders gehört als die eines fremden Verkündigers. Weil man meint, die eigenen Leute und ihre Ansichten bereits zu kennen, glaubt man, sie könnten nichts Neues mehr sagen. Schubladendenken! Nicht einmal Jesus hat es in seinem Heimatort überwinden können. Andere waren von seinen Worten ergriffen (Joh. 7,46). Nur dort, wo man glaubte, ihn zu kennen, stieß er auf Vorurteile und fand keine Zustimmung. Wie wird unser Glaubenszeugnis in der eigenen Verwandtschaft und Bekanntschaft aufgenommen? Und was mag Gott zu solchem Schubladendenken sagen? Johannes 15,20

Dienstag

28.

Markus 6,7-13
Die Grenze für die Liebe Gottes

■ Der Missionsauftrag Jesu an seine Nachfolger hat keine Grenzen: „Geht hin in alle Welt und predigt das Evangelium *allen* Menschen" (Mark. 16,15). Und doch findet dieser Auftrag dort seine Begrenzung, wo man die Botschafter Jesu nicht hören will (V. 11). Jesu Boten sollen zwar einerseits die Menschen nötigen hereinzukommen, damit Gottes Haus voll werde (Luk. 14,23), aber sie dürfen sie nicht gegen ihren Willen bedrängen. Das Evangelium ist die freundliche *Einladung* Gottes für ein neues Leben unter seiner guten Herrschaft, aber es ist keine Zwangsverordnung. Jeder Mensch hat auch die Freiheit, Gottes Angebot abzulehnen und die Überbringer dieser Nachricht von sich zu weisen. Es ist zwar tragisch, daß dieser gegen Gottes helfende Liebe gerichtete Eigenwille sich selbst zum ewigen Gericht verdammt. Doch können wir verhindern, wenn Menschen sich willentlich gegen Gottes Güte und für die Hölle entscheiden? Matthäus 23,37.38

Mittwoch

29.

Markus 6,14-29
Der unheimliche Sog der Sünde

■ Gewiß war Herodes skrupellos. Seinem Bruder spannte er die Frau aus. Und als ihm deshalb Johannes das Gebot Gottes „Du sollst nicht ehebrechen!" vorhielt, ließ er den Boten Gottes kurzerhand ins Gefängnis werfen. Aber so gewissenlos wie Herodias, mit der er die Ehe brach, war er noch nicht. Ein Rest von Ehrfurcht vor Gott hielt ihn zurück, den Mordgelüsten der Herodias zuzustimmen. Sein Herz war noch für Gottes Stimme offen, die er durch Johannes vernahm. Wie unruhig mag sein Gewissen durch die Verkündigung des Gottesmannes geworden sein (z.B. Matth. 3,10)! Doch Herodes stellte sich diesem Reden Gottes nicht – und sein stolzes, hochmütiges Herz lief in die Falle, die ihm der Teufel durch Herodias stellte. Obwohl er es nicht wollte, wurde er zum Mörder. Weil er Gottes Gnadenruf zur Buße und Umkehr ablehnte, wurde die Sünde seine unheimliche Beherrscherin. Römer 2,5

Donnerstag

30.

Markus 6,30-44
Diakonisches Evangelium

■ Evangelium ist immer beides: Wort *und* Tat. Immer geht es um den ganzen Menschen. Wer das Evangelium nur auf die Tat beschränkt, verkürzt es ebenso wie jener, der nur das Wort betont. Der Mensch ist eben beides: Seele und Leib. „Schafe ohne Hirten" (V. 34) brauchen nicht nur Nahrung für den Leib, sondern auch für die Seele. Was jeweils vorrangig ist, ergibt sich aus der Situation, in der sich die Menschen befinden. Jesus hat es abgelehnt, sich zum „Brotkönig" machen zu lassen (Joh. 6,14.15), denn was nützt ein satter Bauch, wenn die Seele dabei verhungert? Aber Jesus hat die Leute auch nicht nur mit Gottes Wort „abgespeist", sondern er hat ihnen auch für den Leib zu essen gegeben, wenn es die Situation erforderte (V. 35-37). Evangelium ohne Diakonie ist genauso lieblos, wie Diakonie ohne Evangelium unbarmherzig ist. Beides braucht der Mensch zum Leben. 1. Johannes 3,18

Freitag

31.

Markus 6,45-56
Glaube in der Bewährungsprobe

Jesus führt seine Nachfolger nicht auf eine „Insel der Seligen“. Er schickt sie ganz bewußt in die bedrohlichen Verhältnisse dieser Welt (V. 45; Luk. 10,3). Doch auch wenn wir uns lange von ihm alleingelassen und fremden Mächten ausgesetzt fühlen, ist er für uns da, selbst wenn wir ihn nicht erkennen. Jesus kann auf Wegen zu uns kommen, die wir nicht ahnen. Es gibt keine Macht, die ihn daran hindern könnte, uns nahe zu sein, auch wenn im Augenblick die Macht der Finsternis uns im Griff zu haben scheint und seine Hilfe verhindern will. Aber er kommt nicht, wenn *wir* meinen, ihn am dringendsten zu brauchen; er kommt zu *seiner* Zeit. Die Jünger damals haben ihn nicht einmal erkannt, ja fürchteten, nun erst recht einer bösen Macht ausgeliefert zu sein. Da gab er sich durch sein Wort zu erkennen. Damit bot er ihnen festen Halt. Auch die Jünger Jesu heute leben davon, daß sie immer wieder neu von ihrem Herrn angeredet und seiner Nähe gewiß gemacht werden. Markus 6,50

Jesus sagt:
Wer Gottes Willen tut,
der ist mein Bruder
und meine Schwester
und meine Mutter.

Markus 3,35

Monatsspruch August:

Jesus Christus spricht: Wer sein Leben erhalten will, der wird's verlieren; und wer sein Leben verliert um meinetwillen und um des Evangeliums willen, der wird's erhalten. Markus 8,35

Samstag

1.

Markus 7,1-13
Christlichkeit ist kein Christusglaube

■ Was die Pharisäer einklagen, sind wichtige und beherzigenswerte Hygienevorschriften. Sie aber machen daraus Erkennungsmerkmale für echten Glauben. Damit sind sie einer Gefahr erlegen, die jeden bedroht, der sein Christenleben ernst nimmt. Hinter dem Deckmantel solcher Erkenntnismerkmale kann man nämlich unbemerkt seine alte, gottlose Gesinnung pflegen. Man kann heucheln, indem man nach christlichen Verhaltensmustern lebt und sich so ein Alibi verschafft, um den Geboten Gottes nicht gehorsam sein zu müssen. So kann man sich sogar von den selbstverständlichsten Pflichten der Zuwendung zu den Allernächsten loskaufen, indem man z.B. seine Zeit, seine Kraft, sein Geld *statt dessen* für christliche oder missionarische Aufgaben zur Verfügung stellt. Was muß da anders werden? – Unser Herz! Markus 7,6

Sonntag

2.

Apostelgeschichte 2,41-47
Eine vorbildliche Gemeinde

■ Was hat sie Besonderes getan? Nichts von allem ist ihre Leistung; denn *Gott allein baut seine Gemeinde* (V. 47). Nicht die hohe Qualität der Mitarbeiter und die Einsatzbereitschaft aller bringt eine Gemeinde vorwärts. Das Leben dieser ersten Christen bestand nicht in einer außergewöhnlichen Aktivität. Sondern die ihr Leben Jesus übereignet hatten, *blieben im Einflußbereich des Wortes Gottes* (V. 42). Durch das tägliche Hören darauf wurden sie geprägt. Ihr Leben war ein Echo dessen, was Gott an ihnen getan hatte. So konnten sie *füreinander einstehen mit Opfern* (V. 45) an Zeit und Geld. Ihre Freude über die Errettung durfte nicht dadurch geschmälert werden, daß andere Not litten!

Apostelgeschichte 2,46.47

Montag

3.

Markus 7,14-23
Aufs Herz kommt es an

■ Der Mensch geht immer davon aus, daß äußere Einflüsse ihn schlecht machen. So ist er niemals letztlich verantwortlich für die negative Prägung seines Lebens. Es sind immer böse Umstände, schlechte Freunde, unglückliche Zufälle (vgl. 1. Mose 3,12). Dies aber ist ein folgenschwerer Selbstbetrug. Jesus entlarvt ihn und macht klar: Was euer Leben negativ bestimmt, worüber ihr vielleicht sogar erschreckt, wenn ihr es bei euch entdeckt (V. 21.22), hat allein mit eurem innersten Wesen zu tun, ist Ausdruck dessen, das in euch steckt. Auch Jünger Jesu haben immer wieder Probleme, diese unreparierbare Verdorbenheit menschlichen Wesens zu akzeptieren (V. 18a). Es gibt keine Entschuldigung für uns. Jeder steht gerade für das, was er ist und tut. Nur ein von Jesus geschenktes neues Leben ist unsere Chance zum Überleben. Markus 7,23

Dienstag

4. **Markus 7,24-30**
Die Kraft Jesu reicht für alle

■ Jesus rühmt den Glauben der heidnischen Frau (Matth. 15,28). Was ist Besonderes an ihrer Haltung? Als Fremde, die nicht die bevorzugte Stellung der Juden zu Jesus Christus hat, bringt sie dennoch ihr Leben mit der großen Not in die Nähe Jesu und liefert sich mit allem, was zu ihrem Leben gehört, ihm aus. Sie erwartet die rettende Kraft Jesu in ihrem Leben. Obwohl sie weiß, daß sie keinen Anspruch auf die Kraft Christi hat, ist sie ganz gewiß, daß die Rettermacht Jesu nicht beschränkt ist auf bestimmte Menschen. Was an Erbarmen und Kraft Jesu übrigbleibt, reicht aus, um selbst die zu retten, die keinen Anspruch darauf haben. Auch sie müssen doch der Macht des Bösen entrissen werden! Ein so grenzenloses Vertrauen in die Macht Jesu über die Mächte des Verderbens war offenbar damals schon selten. Aber wer sich so der Macht Jesu anvertraut, erlebt auch heute den Sieg Jesu über die Macht des Satans im eigenen Leben. Römer 1,16b

Mittwoch

5. **Markus 7,31-37**
Stellvertretender und persönlicher Glaube

■ Das Gebiet der Zehn Städte war reich an kulturellem und religiösem Leben; dort herrschte griechische Bildung und wirtschaftlicher Erfolg. Doch der äußere Wohlstand verbirgt leicht die Not des einzelnen. Wie gut, daß dieser Kranke Freunde hatte, die ihn zu Jesus brachten! Unfähig zum Hören und Reden hatte er von der helfenden Macht Jesu bisher nichts vernehmen können. Doch seine Freunde glaubten für ihn (Mark. 2,5). Das war nicht vergeblich. Aber es sollte zu einem persönlichen Vertrauensverhältnis kommen zwischen Jesus und dem Kranken. Jesu Vorgehen (V. 33) sollte dem Mann zeigen, wo und wie ihm geholfen werden konnte. Nicht durch mysteriöse Heilungszeremonien, sondern durch das persönliche Handeln und das Machtwort Jesu geschah die Hilfe. – Göttliches Wirken an uns hat immer das Ziel, Glauben zu wecken. Wo das geschieht, kann und soll das Zeugnis nicht fehlen: „Er hat alles wohl gemacht.“ Psalm 33,9

Donnerstag

6. **Markus 8,1-10**
Jesus sorgt sich um den ganzen Menschen

■ Als Wesentlichstes will Jesus uns ein Leben schenken, in dem der Tod nicht mehr herrscht. Doch sein Erbarmen über uns ist darauf nicht begrenzt. Seine Sorge um das ewige Heil schließt die Sorge um die leiblichen Belange ein. Allerdings wird deutlich, daß sie nicht den Vorrang haben. Drei Tage lang haben die Leute Wichtigeres aufzunehmen gehabt (V. 2). Und doch sind die leiblichen Belange nun auch für sich genommen Ziel des Erbarmens Jesu. Ihm geht es nicht nur um die Sorge für die Seele. Da, wo auch das, was zu unserem irdischen Leben gehört, aus der Hand Gottes genommen und unter seinen Segen gestellt wird (V. 6.7), erleben wir die helfende, bewahrende und bergende Hand unseres Herrn. Und so können wir als von ihm geistlich und leiblich Gesättigte die Aufgaben in unserem Alltag mit seiner Kraft ausführen. Ja, wenn wir ernsthaft mit der Macht Jesu rechnen, beschenkt er uns so reichlich, daß wir von seinem Segen an andere weitergeben können. Lukas 22,35

Freitag

7. **Markus 8,11-13**
Zeichenforderung

■ Schon die Zeitgenossen Jesu wollten handfeste Beweise dafür haben, daß er der erwartete Messias sei. Offenbar fiel den Menschen damals der Gedanke genauso schwer wie uns heute. Dabei hatten sie Beweise genug vor Augen, nämlich Wundertaten wie die Speisung der Viertausend (V. 1-9). Es hätte doch allen klar sein müssen, wer diese Wunder vollbrachte. Und genau deshalb seufzte Jesus, als er die Frage der Pharisäer nach Zeichen vom Himmel für seine Gottessohnschaft hörte (V. 12). Wie muß es ihn betrüben, wenn noch heute Zeichen gefordert werden, obwohl Gott uns doch mit der Auferstehung ein überaus gewaltiges Zeichen gegeben hat (Matth. 12,38-41)! Wem alle diese Zeichen Jesu nicht genügen als Beweis dafür, daß er der Sohn Gottes ist, den läßt der Herr wie die Pharisäer stehen und wendet sich ab. Hebräer 11,1

Samstag

8. **Markus 8,14-21**
Warnung vor Kleinglauben

■ Als Jesus mit seinen Jüngern wieder allein war, stellte sich heraus, daß die Jünger überhaupt nichts aus den vorherigen Situationen gelernt hatten. Als ihnen auffiel, daß sie außer einem Brot nichts an Lebensmitteln bei sich hatten, reagierten sie kopflos und ängstlich. Der Herr bemerkte ihren Kleinmut und mußte sie zurechtweisen, denn seine Jünger zeigten sich hier ähnlich ungläubig wie die Pharisäer (V. 11). Sie ließen sich sogar von diesen beeinflussen. Welch eine bewundernswerte Geduld hat der Herr Jesus doch mit seinen Jüngern und mit uns! Denn wir sind doch genauso wie die Jünger. Gerade noch haben wir Gottes Bewahrung und Fürsorge erlebt, und einen Moment später zweifeln wir daran, daß er uns helfen wird. Sollten wir nicht dem Herrn mehr vertrauen und uns in allen Situationen auf ihn verlassen? Matthäus 16,12

Lebt als Kinder des Lichts; die Frucht des Lichts ist lauter Güte und Gerechtigkeit und Wahrheit.
Epheser 5,8b.9

Sonntag

9. **Epheser 5,8-14**
Das Leben als Christ in der Welt

■ Paulus macht deutlich, worin sich ein Kind Gottes von einem gottlosen Menschen unterscheiden sollte. Ist unser Verhalten ein gutes Zeugnis für unseren Herrn? Denn wir leben als Christen nicht isoliert und fern von den anderen Menschen, sondern mitten unter ihnen und tragen somit Verantwortung. Wir haben von Gott den Auftrag erhalten, als „Kinder des Lichts" die Finsternis, also die gottlose Welt, zu erhellen, indem wir ihr die erlösende Botschaft Gottes nahebringen. Dabei geschieht es dann auch, daß die Machenschaften und Schlechtigkeiten der Welt aufgedeckt werden, so daß Menschen aus dieser Finsternis zum Licht Gottes streben. – Lebe ich selbst in diesem Licht, oder führe ich nur ein Schattendasein? Philipper 2,15

Montag

10.

Markus 8,22-26
Heilung zur Ehre Gottes

Andere Menschen hatten diesen Mann zu Jesus gebracht, weil sie glaubten, daß er ihn heilen könne. Diesen Glauben belohnt der Herr. Doch warum führt er den Blinden zuerst aus dem Ort heraus? Er hätte ihn doch genausogut in Bethsaida heilen können vor möglichst vielen Menschen. Aber ebenso wie den Taubstummen (Mark. 7,33) heilt er den Blinden nicht vor allen Zuschauern und Zuhörern, sondern ohne viele Zeugen. Der Herr wollte nicht als Wunderheiler angesehen werden, so wie heute manche Menschen in den Medien ihre „göttlichen" und „überirdischen" Fähigkeiten unter Beweis stellen und dafür vergöttert werden wollen. Er wollte nicht, daß nur seine eigene Person herausgestellt wurde, sondern sein Vater sollte durch ihn verherrlicht werden. So belohnt er den Glauben an ihn als den von Gott gesandten Heiland, nutzt aber diese Heilung nicht aus, um für seine Wunderkräfte Werbung zu machen. – Was erwarten wir heute von Jesus? Markus 7,37b

Dienstag

11.

Markus 8,27-33
Wer ist Jesus?

Nachdem die Jünger immer wieder miterlebt hatten, welche Wunder Jesus getan und wie er aus scheinbar ausweglosen Situationen herausgeholfen hatte, stellt er die Frage, für wen sie ihn eigentlich halten. Der Herr verfolgt ein bestimmtes Ziel mit dieser Frage. Er will prüfen, wieviel sie bereits von seiner Person und seiner großen Aufgabe auf der Erde verstehen. Und er möchte die Jünger auch auf das vorbereiten, was noch alles auf sie und ihn an Leidenserfahrung zukommen wird. Eigenartig, wie Petrus sowohl mit einem klaren Bekenntnis (V. 29) als auch mit Unverständnis (V. 32) darauf antwortet! Sieht er nur die äußeren Erfolge und nicht den eigentlichen Auftrag des Herrn? Damit die Jünger nicht vom Teufel verführt werden, der den heilsnotwendigen Leidensweg des Herrn verhindern möchte, erklärte der Herr ihnen im folgenden (V. 34-38), wie wichtig die enge Bindung an ihn ist. Kolosser 3,2

Mittwoch

12.

Markus 8,34-9,1
Eindeutige Nachfolge

Der Herr Jesus stellt den Jüngern und der um ihn versammelten Volksmenge ausführlich dar, was Nachfolge bedeutet. Ganz deutlich macht er, daß es kein Sowohl-als-auch bei der Nachfolge gibt, sondern nur ein Entweder-oder. Der Herr duldet keine halben Sachen. Entweder ich verleugne mich selbst und stelle mich ihm ganz und gar zur Verfügung – oder ich erfülle mir meine egoistischen Wünsche. Ich kann nicht „auf zwei Hochzeiten tanzen", indem ich sowohl mein Glück in der Welt suche als auch halbherzig ein „christliches" Leben führe. Dann würde ich alles verlieren, was der Herr für mich an Segen bereithält. Jesus nachfolgen kann ich nur ganz – oder gar nicht. Warum schäme ich mich in bestimmten Situationen, den Herrn zu bekennen? Warum lege ich mehr Wert darauf, unter den Nichtchristen angesehen zu sein, als dem Herrn zu gehorchen? Sollten wir nicht öfter daran denken, was der Herr alles aus Liebe für uns getan hat? Markus 8,34

Donnerstag

13.

Markus 9,2-13
Ein Blick in Jesu Herrlichkeit

Die Jünger erleben ihren Herrn hier zum erstenmal in einer überirdischen Situation. Sie haben Mühe, das zu verstehen. Zu seltsam sind die Vorgänge, die sie miterleben: die äußere Umgestaltung des Herrn, die Unterhaltung mit Elia und Mose, die sie doch lange tot wähnten, und die Stimme Gottes aus den Wolken. Nur zu verständlich ist die Irritation der Jünger. Zwar hatte Jesus Wunder getan und Handlungen vollzogen, die sie sich verstandesmäßig nicht erklären konnten, aber er war immer ein Mensch wie sie geblieben. Und nun erleben sie den Herrn in Majestät und Herrlichkeit. Wie wird es erst sein, wenn der Herr Jesus all die Seinen, die an ihn glauben, zu sich und seinem Vater in die Herrlichkeit holt! Werden wir nicht ebenso staunend dastehen wie die Jünger? Aber alle, die an ihn glauben, brauchen sich dann nicht zu fürchten, sondern können sich freuen, für ewig mit ihm vereint zu sein.

Offenbarung 22,7

Freitag

14.

Markus 9,14-29
Vollmächtige Hilfe

Glaube ist mehr als die theologische Aussage, daß Gott allmächtig ist. Glaube heißt: Gott beim Wort nehmen, ihm alles zutrauen. Jesus weist uns hier auf die Kraftquelle hin, aus der uns Hilfe zufließt: Es ist Gott, der Schöpfer, selbst. In dessen Vollmacht handelt Jesus. Denn als er den Schauplatz betritt, treten die hilflosen Jünger in den Hintergrund. Der verzweifelte Vater erkennt seinen Unglauben. Das todkranke Kind wird gesund. Die streitsüchtigen Schriftgelehrten erfahren, daß Wissen allein nicht ausreicht. Und die aufgeregte Volksmenge? Wird sie sich Jesus zuwenden, ihm glauben? Werden Menschen darunter sein, die ihm nachfolgen? Vielleicht werden auch wir in einer ähnlichen Situation begreifen, daß es allein auf unseren Glauben ankommt. Jesus ermutigt uns dazu, alles von Gott zu erwarten. Wer auf sein eigenes Können verzichtet und seine Hilflosigkeit eingesteht, erlebt, daß Gott hilft.

Markus 9,23

Samstag

15.

Markus 9,30-37
Positionswechsel

Merkwürdig: Wenn es um Geld, Liebe oder Sport geht, dann begreifen wir meist sehr schnell. Doch wenn von der Auferstehung Jesu die Rede ist, dann sind wir oft begriffsstutzig. Den Jüngern geht es ähnlich. Sie verstehen Jesus nicht. Statt dessen kreisen ihre Gedanken um Anerkennung, Erfolg und Position im Leben. Dafür lohnt es sich zu streiten. Jesus korrigiert ihr falsches Denken. Er setzt sich mit ihnen zusammen, wie man das tut, wenn etwas sehr Wichtiges zu sagen ist: Bei Gott gelten andere Maßstäbe. Von ihm sind wir alle abhängig und hilflos wie Kinder. Gerade den Kleinen und Unscheinbaren aber wendet sich Gott zu – Jesus kleidet seine Belehrung in eine Umkehrung: In der Nächstenliebe wird der Große klein und der Kleine groß. Wenn also jemand groß sein will, dann soll er es als Diener sein. So können andere Menschen durch uns Gott begegnen. Oder steht etwa unsere eingebildete Größe dem im Wege?

1. Korinther 1,27-29

Frei wie nie – und doch voller Angst

Zu keiner Zeit waren die Menschen so sehr von Angst bestimmt wie heute. Und oft genug nehmen die Ängste unserer Zeitgenossen neurotische, d.h. krankhafte Züge an, so daß die Sprechstunden der Ärzte und Therapeuten überlaufen sind. Eigentlich ist diese Entwicklung überraschend. Denn in dem Maße wie die Ängste zunehmen, hat der einzelne in der Gesellschaft einen fast grenzenlosen Spielraum eigener Freiheit erlangt. Der Mensch unserer Tage ist frei wie nie – und steckt doch voller Angst. Das scheint nicht zueinander zu passen. Denn unser deutsches Wort „Angst" hängt sprachlich wie inhaltlich mit „Enge" zusammen: Warum sollte der Mensch, der über nahezu grenzenlose persönliche Freiheit verfügt und dem keiner mehr vorschreibt, was er zu tun und zu lassen hat, Angst haben?

Ein Gespräch hat mir geholfen, diesem offensichtlichen Widerspruch auf die Spur zu kommen. Ein junger Mann hatte mir in einem persönlichen Brief geschildert, daß er todunglücklich sei, weil er in seinem Leben nirgendwo den „roten Faden" erkennen könne. Er habe schon alles mögliche ausprobiert: von Sex über Drogen his hin zum Experimentieren mit der Transzendentalen Meditation; doch nichts habe ihn ausgefüllt. Ja, manchmal überfalle ihn eine regelrechte Panik. Er komme sich dann vor wie einer, der in der Wüste die Orientierung verloren hat.

Als wir uns dann Wochen später gegenübersitzen, führt uns das Bild vom Umherirren in der Wüste zu einer Art „Schlüsselerkenntnis": Mein Gegenüber begriff, daß die Freiheit, in jede beliebige Richtung zu laufen, ihm nicht die geringste Gewähr bot, die Oase auch wirklich zu finden. Nahezu grenzenlose Freiheit, die er ausgekostet hatte, führte nur zur Steigerung des Lebensdurstes. Seine gelegentlichen panischen Angstzustände waren die logische Folge einer völligen Orientierungslosigkeit inmitten seiner Lebenswüste. Ihm wurde bewußt: Es fehlt mir einer, der mir den Weg zum frischen, erquickenden Wasser, zur Oase zeigt; der mich warnt vor der illusionären Fata Morgana; der mir schließlich ein Ziel zeigt, das weit über die nächste Oase hinausgeht.

Jesus sagt: „Wen da dürstet, der komme zu mir und trinke!"

Klaus J. Diehl

Wem viel gegeben ist, bei dem wird man viel suchen; und wem viel anvertraut ist, von dem wird man um so mehr fordern. Lukas 12,48

Sonntag

16.

Philipper 3,7-11
Unvergleichlich wertvoll

In unserer Gesellschaft gilt das Leistungsprinzip. Das Motto ist: „Hast du was, dann bist du was!" Paulus setzt andere Maßstäbe. Er bekennt: „Nur Jesus Christus macht mein Leben wertvoll." Alles andere (V. 5.6) weist er mit Verachtung als schädlich zurück. Nur Jesus ist Inhalt und Ziel seines Lebens seit Damaskus (Apg. 9,1-22). Bei der Begegnung mit Jesus brach sein aus Leistung und Selbstgerechtigkeit aufgebautes Leben zusammen. Aus Gewinn wurde Verlust. Das ist das Geheimnis seines neuen Lebens aus Gott: Paulus lebt nicht mehr aus eigenen Kräften, sondern aus der Kraft der Auferstehung. An seinem Beispiel sollen wir lernen (V. 17). Verlassen wir uns auf unsere Herkunft, Bildung, unsere Anständigkeit und christliche Bemühungen? Vertrauen wir doch auf die Kraft des Gekreuzigten und Auferstandenen! 1. Kor. 15,10

Montag

17.

Markus 9,38-41
Sichtwechsel

„Der gehört nicht zu unserer Gemeinde. Der vertritt eine andere Meinung. Bei dem muß was faul sein." – Wir kennen diese Haltung, leider. Viele Kontakte kommen durch solche Engstirnigkeit gar nicht erst zustande oder werden zerstört. Die Jünger gingen noch einen Schritt weiter. Sie verboten dem anderen sogar sein Tun. Auch das kennen wir. Wir suchen den wunden Punkt beim anderen und setzen sein Handeln herab. Geben wir doch unseren Hochmut auf und lernen von Jesus! Er sagt: „Verurteilt Menschen nicht nach euren Maßstäben, sondern beurteilt sie nach dem, was sie für mich tun." Jesus freut sich, wenn in seinem Namen etwas geschieht. Er lehrt uns, den anderen so zu sehen, wie er ihn sieht. Also nicht: „Wer nicht für mich ist, der ist gegen mich." Sondern: „Wer nicht gegen mich ist, der ist für mich." Philipper 1,18

Dienstag

18.

Markus 9,42-50
Achtung, Lebensgefahr!

Jesus ruft dazu auf, den Verführungen im Leben zu widerstehen. Dabei bezieht er sich auf das Alte Testament. Jedes Opfer wurde gesalzen und mit Feuer verbrannt (3. Mose 2,13). War es nicht gesalzen, so war es Gott nicht angenehm und damit vergeblich. Um in Gemeinschaft mit Gott zu bleiben, braucht der Mensch „Salz". Es ist der Glaube, der nicht fehlen darf. Um ihn zu erhalten und zu bewahren, sollen wir das Liebste drangeben – und wenn wir dabei Hand, Fuß oder Auge verlieren. Auch Christen bekommen die Macht des Widersachers zu spüren. Er verführt uns, hochmütig und neidisch zu sein (V. 42.47); will, daß wir nach Dingen greifen, die uns nicht zustehen (V. 43), und Wege gehen, die ins Verderben führen (V. 45). Wir haben die Wahl. Entweder wir verwirklichen uns selbst, oder wir folgen Jesus. Für welche Seite entscheiden wir uns? Epheser 5,15

Mittwoch

19.

Markus 10,1-12
Gottes Ordnung

Aus der Fangfrage der Pharisäer macht Jesus eine Lebensfrage. Er stellt das Gesetz Moses ins rechte Verhältnis zum Schöpferwillen Gottes. Er erinnert an die Schöpfung und die von Anfang an geltenden Regeln Gottes. Für Christen als neue Geschöpfe (2. Kor. 5,17) gilt wieder: ein Mann und eine Frau – ein Leben lang. Diese Aussage ist nicht gerade populär. Denn heute wird der Playboy zum Idol erhoben. Der Ehemann dagegen erscheint als spießiger Trottel. Doch Jesu klare und eindeutige Antwort ist die einzige Lebenschance für jede Ehe. Christen sind Menschen, die Gottes Ordnung bejahen und ihr Leben danach ausrichten. Für sie ist Ehe Geschenk und Auftrag zugleich. Mit der Ehe schenkt Gott mir meinen Lebenspartner, der mich ergänzt. Als Beschenkte bleiben beide sich nun treu, werden fertig mit Mißverständnissen, Streit und Schuld. Ehe ist oft harte Arbeit. Aber sie steht unter dem Segen Gottes.

1. Thessalonicher 4,3.4

Donnerstag

20.

Markus 10,13-16
Das „Kinderevangelium" für Erwachsene

Wer den Christusglauben für reine Kindersache hält, irrt gewaltig. Wer meint, die Sache mit Jesus gehe nur Erwachsene an, täuscht sich ebenso gründlich. Jesus spricht den Kindern den Himmel zu nicht wegen ihrer „Unschuld" oder Niedlichkeit, sondern weil sie so hilfsbedürftig sind. Sie lassen sich Hilfe einfach gefallen, nehmen sie an ohne Wenn und Aber. Solches Vertrauen ist vorbildlich. Ebenso ist Hilflosigkeit auch für Erwachsene die „enge Pforte", durch die sie zu Gott kommen (Matth. 7,14). Das Christsein beginnt nicht damit, daß man etwas tut, sondern daß man etwas an sich geschehen läßt. Sich von Jesus „behandeln" lassen, im Bewußtsein der eigenen Unzulänglichkeit sich von ihm die Vergebung der Lebensschuld zusprechen lassen, das steht am Anfang des Christenweges. – Eine Zumutung? – Gewiß. Aber wer sich dieser guten Nachricht verschließt, wer sie für „zu einfach" hält, hat Jesus gegen sich (V. 14).

Matthäus 18,3

Freitag

21.

Markus 10,17-27
Allein den Habenichtsen kann es gelingen

Diese Geschichte steht nicht etwa im Widerspruch zu der vorhergehenden. Sondern auch sie macht deutlich: Der Himmel gehört den Hilflosen, den Habenichtsen. Denn Armut bedeutet Abhängigkeit. Wenn dazu noch die Verfügungsgewalt über das eigene Leben Jesus übergeben würde (V. 21), wäre damit die Hilflosigkeit eingestanden. Seinen Reichtum zurücklassen, auch den an hohen moralischen Qualitäten, an Stolz auf einen klugen Verstand, an ernstem Bemühen um ein gottergebenes Leben (V. 20) – dagegen sträubt sich alles in uns; denn da wird unser Ich in seinem Selbstbehauptungswillen tödlich bedroht. Bei ehrlicher Prüfung unserer Lage würden sicher auch wir erschrocken fragen: Wer hat denn überhaupt eine Chance? (V. 26). Doch wäre uns solches Entsetzen sehr zu wünschen. Es würde uns eher bereit machen, uns an die letzte und einzige Möglichkeit zu klammern: an Gott selbst (V. 27). Dann wären wir dem Himmel schon ganz nah.

Römer 9,16

Samstag

22.

Markus 10,28-31
Die reiche Armut

■ Wer den Schritt in die „Armut" gewagt hat, also Christ geworden ist, braucht sich um Leben und Zukunft nicht zu sorgen. Jesus hat nun die Verantwortung für ihn übernommen, und er läßt seine Leute nicht zu kurz kommen. Sie erhalten in ungeahnter Weise zurück, was sie verloren haben. In der christlichen Gemeinde können sie das vielfältig erleben. – In unseren Ländern hat ein Christ kaum materielle Nachteile zu befürchten. Wohl aber mag er den Zerbruch einer Freundschaft erleben oder unter der Isolierung in Familie und Ehe zu leiden haben. In der „Familie des Christus" wird ihm alles reichlich ersetzt. Er erfährt eine Geborgenheit, ein Verstehen, eine Tiefe des Verbundenseins, mit „fremden" Menschen, die alle naturgegebenen Bindungen in den Schatten stellen. Es lohnt sich, Christ zu werden. 1. Korinther 12,26.27

Wohl dem Volk, dessen Gott der Herr ist, dem Volk, das er zum Erbe erwählt hat. Psalm 33,12

Sonntag

23.

Römer 11,25-32
Biblische Gleichheit und Brüderlichkeit

■ Hier wird allem menschlichen Klassen- und Rassedenken der Boden entzogen. Weder finden Nichtjuden – vor allem auch Christen – Anlaß, einen offenen oder geheimen Antisemitismus zu pflegen, noch ist Raum für irgendeine Form jüdischer Überheblichkeit der nichtjüdischen Welt gegenüber. So verschieden die geschichtlichen Wege beider Gruppierungen sein mögen, vor Gott stehen sie in unfreiwilliger Solidarität: Beiden ist rebellischer Widerstand gegen Entscheidungen ihres Schöpfers anzulasten. Beide sind daher von Gott in Schuldhaft gelegt (V. 32). Für beide liegt die einzige Chance darin, daß Gott sie von sich aus, ohne jede Vorleistung ihrerseits, amnestiert und das Gefängnistor öffnet. – Wie viele Konflikte in der Welt würden verschwinden, wenn diese Wahrheit in Kopf und Herz der Menschen eindringen würde! Römer 3,22c-24

Montag

24.

Markus 10,32-45
Wider das Karrieredenken

■ Karrieredenken vergiftet die Atmosphäre innerhalb wie außerhalb der christlichen Gemeinde. Wo nach Macht, Einfluß und Ehre gestrebt wird, kommt es unausweichlich zu Spannungen und Auseinandersetzungen (V. 41; Luk. 22,24). Jesus, der immer auch lebte, was er lehrte, hat den Christen aller Zeiten ins Stammbuch geschrieben, wie es unter ihnen zugehen soll. Sie sind nicht Herrscher, sondern Diener. Deshalb sollen sie nicht auf den eigenen Vorteil bedacht sein, sondern darauf, was die anderen brauchen. – Das Zusammenhalten der Christen, ihr Einstehen füreinander, manchmal mit dem Opfer der eigenen Freiheit oder des eigenen Lebens, hat später die Nichtchristen zutiefst beeindruckt. Grund für das Verhalten der Christen waren der Wille und das Vorbild ihres Herrn (V. 45). – Hand aufs Herz: Welches Denken regiert uns? Philipper 2,3.4

Das Buch des Propheten Jeremia

Der Prophet und die Situation zu seiner Zeit

Jeremia, Sohn eines Priesters Hilkia, wurde 650 v.Chr. in Anatot geboren. Gegen die Berufung zum Propheten sträubt er sich zwar (1,6); er muß aber vernehmen, daß er schon vor seiner Geburt zum Sprecher Gottes bestimmt wurde (1,5).
Seine Predigten tragen ihm Verfolgung ein (1,18.19). Unter König Josia kann er frei wirken, doch unter Jojakim wird er wegen Gotteslästerung angeklagt (26,1-19). Der Besuch des Tempels wird ihm verwehrt. Deshalb läßt er die Botschaft durch seinen ständigen Begleiter Baruch im Tempel verlesen. Das Volk ist tief betroffen und beunruhigt. Der König aber verbrennt die Buchrolle. Die Botschaft, daß Babel der Vollstrecker des göttlichen Gerichts an Israel sei, ist für ihn unverständlich und unannehmbar (36,1-32).
Im Jahre 597 rückt Nebukadnezar tatsächlich heran. König Jojachin unterwirft sich und wird mit zehntausend vornehmen Bürgern nach Babylon umgesiedelt. Jeremia kann in Jerusalem bleiben. Er verkündet: Seid Babylon untertan und gehorsam (27,1-11; 28,1-17)! Den im Exil Lebenden empfiehlt er, Gottes Führung zu erkennen und aus ihrer Lage das beste zu machen (29,1-24).
Doch der schwache König Zedekia von Babylons Gnaden wird von seinen Militärs gedrängt, Babylon den Gehorsam aufzukündigen und sich mit Hoffnung auf Ägyptens Hilfe zu befreien. Jetzt muß Jeremia ein furchtbares Martyrium erleiden (37,11-38,28). Jerusalem fällt. Das Volk wird nach Babylon weggeführt. Jeremia wird befreit und darf in der Stadt bleiben (40,1-6). Später aber, nach der Ermordung des Statthalters Gedalja, zwingt ihn das zurückgebliebene Volk, mit nach Ägypten zu fliehen, wo er vermutlich den Märtyrertod erleidet.

Inhalt des Buches

Jeremia verkündet ohne Abstriche den in der Geschichte sich offenbarenden Gott.
1. Gott ist der Heilige und Liebende, der Gegenliebe fordert und zürnt, wenn sie ausbleibt (2,5-13; 3,1-15).
2. Nicht gereinigter Kult, sondern die Gottesgemeinschaft jedes einzelnen ist der Wille Gottes (6,20; 7,1-15).
3. Die Gottesgemeinschaft ist nicht an einen bestimmten Ort, ein bestimmtes Land und an keine Zeremonien gebunden. Gott ist der ganz andere, der gewaltige, große und ferne Gott (14,8), der sich aber vom aufrichtigen und suchenden Menschen finden lassen will (29,13.14).
4. Der Hintergrund der Gerichte Gottes wird Jeremia durch die Arbeit eines Töpfers erschlossen: Völker und Menschen sind wie Ton in der Hand Gottes. Kann Gott wegen des Starrsinns ihrer Herzen keine brauchbaren Gefäße aus ihnen machen, zerschlägt er die Form und macht aus dem Ton ein neues Gefäß (18,1-12).
5. Gott muß selbst eingreifen und einen neuen Anfang mit seinem Volk machen (30,1-3). Er schließt einen Bund mit Israel auf einer völlig neuen Grundlage. Die Kennzeichen sind: Gott schreibt den Menschen seinen Willen ins Herz. Es werden ihn alle unmittelbar erfahren und erkennen können (31,31-34; vgl. Mark. 14,24; Röm. 8,15-17).

Dieses nur 8 cm hohe Tontäfelchen aus dem 6. Jh. v.Chr. überliefert einen Teil der babylonischen Chronik aus den Jahren 605-594 v.Chr. Es berichtet unter anderem vom Sieg über Ägypten in der Schlacht von Karkemisch (605 v.Chr.; vgl. 2. Chronik 35,20ff.), über die Thronbesteigung König Nebukadnezars II. von Babylon, über die Niederlage Judas im Jahre 597 v.Chr. und über die Einsetzung des Marionettenkönigs Zedekia von Jerusalem (2. Chronik 36,11-21).

Dienstag

25. Markus 10,46-52
Jesus – Wunderdoktor oder Messias-König?

Wäre Jesus nicht mehr gewesen als eine Art Wundertäter von außergewöhnlichem Format, könnte uns diese Geschichte kalt lassen. Sie geht uns aber sehr viel an, wenn er wirklich der in Israel langersehnte Messias-König ist. Denn dann haben wir es mit dem Sohn des lebendigen Gottes zu tun, dem unvergleichlichen Hoffnungsgrund für uns und die ganze Menschheit. Die Tat an dem Blinden signalisiert, daß der Schöpfer selbst durch Jesus handelt. Sein Wort genügt zur Heilung. Auch heute können wir erleben, wie Jesus heilend oder lindernd in unser Leben eingreift und äußere Krankheit wie innere Wunden behandelt. Darum dürfen wir ihn mit Ernst bitten und durch kindliches Vertrauen ehren (V. 51.52). Und sollte er es für richtig halten, uns Leiden zu belassen, werden wir an ihnen nicht zugrundegehen, sondern im Gegenteil reifen und stark werden, weil wir wissen, daß er sie zuerst erlitten hat (Jes. 53,4). Matthäus 10,49c

Mittwoch

26. Jeremia 1,1-10
Ausreden gelten nicht

In einer Zeit der politischen und religiösen Verwirrung wendet sich Gott seinem Volk erneut zu, indem er den Priester Jeremia beruft. Jeremia schreckt vor der Größe des Auftrags zurück, denn er kennt sich. Er ist noch jung und fühlt sich in jeder Beziehung untauglich. Prophet Gottes zu sein, Gottes Willen in aller Öffentlichkeit zu verkündigen, war und ist bis heute keine leichte und angenehme Aufgabe. Gott überrennt Jeremia nicht; aber er läßt auch seinen Einwand nicht gelten. Denn er kennt ihn weit besser als Jeremia sich selbst. Gott gibt ihm einen klaren Auftrag, verspricht jedoch gleichzeitig seinen Schutz und seine Gegenwart. In einer Zeichenhandlung (V. 9) macht er Jeremia klar, daß er selbst ihn mit den Fähigkeiten ausrüsten wird, die er zur Erfüllung seines Auftrags braucht. Wer Gottes Wort verkündigt, darf nicht seine eigenen Worte und Gedanken weitergeben, sondern muß immer zuerst auf Gott hören und sich von ihm „den Mund füllen" lassen. 2. Korinther 12,9

Donnerstag

27. Jeremia 1,11-19
Reif zum Gericht

Zwei Bilder benutzt Gott, um Jeremia auf seine Aufgabe vorzubereiten: Der „erwachende Zweig" will Jeremia alle Angst vor den Konsequenzen seines Auftrags nehmen. Gott selbst wacht über seinem Wort; er verbürgt sich dafür, daß geschieht, was Jeremia ankündigen muß – auch wenn der Prophet die Wirkung nicht sofort erkennen kann. Der „siedende Kessel" verdeutlicht den Ernst der Botschaft Gottes. Sein Volk ist reif zum Gericht. Von Norden her werden die Babylonier ins Land einfallen und die Menschen wegführen. Das ist eine unangenehme Nachricht, die Jeremia seinen Landsleuten bringen soll. Er macht sich damit unbeliebt. Alle Einflußreichen werden gegen ihn sein (V. 18). Wer kann das aushalten? Nur einer, der klar weiß, daß Gott hinter ihm steht und ihn nicht im Stich läßt. Gott verspricht, Jeremias Persönlichkeit in allen Auseinandersetzungen die nötige Festigkeit zu geben. Gott rettet nicht *vor* den Schwierigkeiten, sondern aus ihnen *heraus.* Jeremia 1,19

Freitag

28.

Jeremia 2,1-13
Entfremdung von Gott

■ Gott ist bestürzt über die Untreue seines Volkes. Wie bei einer Ehe, die von einer Seite immer wieder gebrochen wird, so verläßt das Volk immer wieder Gott, um bei anderen Göttern Hilfe zu suchen. Gott leidet unter der zerbrochenen Beziehung und kann deshalb nicht tatenlos zusehen, wie sein Volk ins eigene Verderben rennt. Er erhebt öffentlich Anklage, um allen die Ungeheuerlichkeit ihres Verhaltens vor Augen zu führen. Und er wirbt neu um die Menschen, die ihm untreu geworden sind. Mit Schmerzen erinnert Gott an die Zeit der ersten Liebe. Während der Wüstenwanderung konnte Israel viele Erfahrungen mit Gottes Güte sammeln. Doch wenn es ihnen gutging, vergaßen sie, ihm dafür zu danken. Undankbarkeit gegen Gottes Gaben aber führt nach und nach zu einer Entfremdung von Gott (V. 6.7). – Wie oft danken wir Gott?

Matthäus 6,24

Samstag

29.

Jeremia 3,1-10
Trennung oder Umkehr

■ Die Schuld des Volkes veranschaulicht Gott mit einem Beispiel aus dem alttestamentlichen Eherecht. Danach war einer geschiedenen Frau nach Wiederverheiratung und neuer Scheidung eine Rückkehr in die erste Ehe verwehrt (5. Mose 24,1-4). Ebenso müßte nun auch Israel die Folgen seines Ungehorsams tragen. Denn zur Zeit Jeremias hatte man sich an kanaanäische Fruchtbarkeitskulte angepaßt, die materiellen Wohlstand versprachen, und damit Gott den Rücken gekehrt. Am meisten verletzt wurde Gott dabei durch die Heuchelei, daß weiterhin rein äußerlich Feste und Gottesdienste gefeiert wurden, obwohl die Beziehung zu ihm längst zerrissen war (Jer. 7). Doch Gott besteht nicht auf der endgültigen Trennung, obwohl er das Recht dazu hätte. Seine Liebe treibt ihn dazu, dem abtrünnigen Volk die Umkehr anzubieten. Er wartet auf eine Umkehr von ganzem Herzen.

2. Petrus 3,9

Gott widersteht den Hochmütigen, aber den Demütigen gibt er Gnade. 1. Petrus 5,5b

Sonntag

30.

Epheser 2,4-10
Gute Werke

■ „Allein aus Gnade!“ Immer wieder betont Paulus diesen Gedanken, weil wir so leicht der Gefahr erliegen, selbst etwas zu unserer Erlösung beisteuern zu wollen. Doch wir sind allein auf Gottes Liebe, auf seine unverdiente Zuwendung (= Gnade) angewiesen. Das wird zuerst daran deutlich, daß er uns alle, die wir ohne ihn „tot“ sind, zu einem neuen Leben erwecken muß. Durch die Auferweckung Jesu von den Toten hat er die Macht des Teufels und der Sünde gebrochen. Nun allerdings muß dieses neue Leben auch in unserem Handeln sichtbar werden. Gott hat uns dazu befähigt, daß wir „in guten Werken wandeln“ können. Christsein heißt also nicht, nur einen gedanklichen Standpunkt vertreten. Nein, das neue Leben zeigt sich in einer Bewegung, für die uns Gott die Richtung weist.

Jakobus 1,22

Montag

31.

Jeremia 3,19-4,4
Segensreicher Neuanfang

Ganz „menschlich“ und verletzlich zeigt sich Gott hier. Immer wieder bringt er seine Enttäuschung darüber zum Ausdruck, daß sein Volk ihn verlassen und seine Liebe verschmäht hat. Und noch einmal wirbt Gott um das Vertrauen seiner abtrünnigen Kinder; wieder wartet er auf Antwort. Diesmal bleibt die Antwort nicht aus. Jeremia darf einen Blick in die Zukunft werfen und die Wende ankündigen. Es gibt doch noch eine Chance. Voraussetzung dafür ist: 1. Erkenntnis und Bekenntnis der eigenen Schuld (V. 25) und 2. neues Vertrauen in die Fürsorge Gottes (V. 23). Gott wartet auf unsere ungeheuchelte Umkehr – mit allen Konsequenzen. Und wenn unsere Beziehung zu ihm wieder stimmt, hat das sogar Auswirkungen auf andere Menschen und Völker. Der Segen Gottes für sein Volk soll auch auf die fremden Völker kommen (Jer. 4,2). Wodurch können wir dazu beitragen, daß Gottes Segen auch auf Menschen kommt, die ihn noch nicht kennen? Jeremia 4,3

So spricht der Herr Zebaoth:
Bessert euer Leben und euer Tun,
so will ich bei euch wohnen
an diesem Ort.

Jeremia 7,3

Monatsspruch September:

Wenn ihr mich von ganzem Herzen suchen werdet, so will ich mich von euch finden lassen, spricht der Herr.

Jeremia 29,13.14

Dienstag

1.

Jeremia 6,9-21
Sie wollen nicht

■ Das Volk vertraut in falscher Weise auf den Tempel und gottesdienstliche Formen, anstatt auf Gott und sein Gebot. „Sie wollen nicht ..." So leitet Gott fast jeden seiner Vorwürfe ein. Man nimmt Gottes Wort nicht mehr ernst, hört lieber auf schöne Worte („Friede, Friede"), die doch nur oberflächlich weiterhelfen. Die geistlich Verantwortlichen verfälschen Gottes Wort. Statt der notwendigen, bitteren Wahrheit sagen sie angenehm klingende Lügen. Keiner kann sich von allen diesen Vorwürfen freisprechen. Gott kündigt eine harte Strafe an. Aber viel lieber will er helfen und zurechtbringen. Darum hat er Menschen berufen, die in seinem Namen zur Wachsamkeit mahnen (V. 17). – Wie gehen wir heute mit den unangenehmen Wahrheiten in Gottes Wort um? Wie ernst nehmen wir Menschen, die uns zur Wachsamkeit mahnen?

Matthäus 23,37

Mittwoch

2.

Jeremia 7,1-15
Worauf können wir uns verlassen?

■ Gehören Sie zu den Menschen, die sich auf ihren Glauben an Jesus verlassen? Gut, wenn das so ist! Aber stellen Sie sich vor, an der Kirchentür steht am nächsten Sonntag ein Mann, der allen Gottesdienstbesuchern sagt: „Ihr braucht hier gar nicht hineinzugehen. Das bringt nichts. Ändert erst einmal euer Leben von Grund auf!" Sind wir nicht versucht zu antworten: „Es geht uns nicht um gute Werke. Entscheidend ist nicht, was wir tun, sondern was wir durch Jesus sind."? Das eine wie das andere ist richtig. Was gilt dann aber für uns? Jeremia tritt jeder Halbherzigkeit im Verhältnis zu Gott entgegen. Darum prüfen wir uns heute: Herr, bin ich wirklich ganz dein Eigentum? Woran in meinem Leben ist das zu erkennen? – Wenn unser Glaube wirksam ist, dürfen wir uns ganz auf unseren Herrn verlassen (Matth. 7,21).

Jeremia 7,3

Donnerstag

3.

Jeremia 7,21-28
Geschichte ohne Gott?

■ Bei diesem Rückblick auf die gnädige Geschichte Gottes mit seinem Volk Israel kommt am Ende heraus: Sie haben das zwar alles erlebt, aber in ihren Herzen blieb davon keine Spur zurück. Sie haben alle Erinnerungsgottesdienste und Feiern mitgemacht, aber sie haben nichts vernommen, nichts gehört, was ihr Leben hätte verändern können. Darum steht am Ende eine Taubheit für Gottes Stimme und als Folge davon die von Gott ausgesprochene Distanz: „Dieses Volk da!" (V. 28). Eine erschreckende Möglichkeit, wenn wir die Parallele ziehen zu unserem eigenen Volk oder zu unserer persönlichen Geschichte von Kindheit an! Alles, was wir als Mitglieder einer Kirche sind, bewirkt ja kein Heil, sondern bezeugt nur Gottes gnädiges Handeln an uns. Dieses dankbar zu bejahen, ist der Anfang einer ganz persönlichen Geschichte mit Gott.

Jeremia 7,23

Freitag

4. **Jeremia 9,22.23**
Worauf es ankommt

■ Die Menschheit hat es dank Wissenschaft, Kultur und Zivilisation weit gebracht. Leute mit einem hohen Können sind gefragt. Die Bibel hinterfragt solche Leistungen: Wer gibt uns Gaben und Begabungen? Wer schenkt Lebenserfahrungen, die zur Weisheit des Alters führen? Es sind alles Gottes gute Gaben. In ihm den Geber aller guten Gaben erkennen, *das* ist Weisheit. Man kann sein ganzes Leben sinnlos machen, wenn man alle diese Dinge ohne Gott gebraucht. Es ist ein heilsamer Hinweis, sich des Herrn zu rühmen, um richtig zu leben. Die scheinbar so sicheren Lebensschiffe erweisen sich, wenn es darauf ankommt, als nicht tragfähig. Hier trägt nur einer hindurch: Jesus. Darum können wir getrost auf jede Hilfskonstruktion verzichten, denn es kommt nur darauf an, daß wir bei Jesus sind. Jakobus 1,17

Samstag

5. **Jeremia 14,1-16**
Hungersnot – Gottes Gericht?

■ Die Schilderung (V. 1-6) erinnert uns stark an Meldungen aus der Dritten Welt und aus Ländern, die von gottlosen Regierungen ins Elend gestürzt wurden. Der Prophet legt hier die tiefste Wurzel der Not bloß: die Sünde (V. 7). Sie ist der Menschen Verderben (Sprüche 14,34). Wer wagt es heute, angesichts von Lebensnöten von Gottes Gericht zu sprechen? Sind es nur die Propheten, die um solche Zusammenhänge wissen? Wer sie erkennt, nimmt Zuflucht zur Fürbitte: Herr, erbarme dich, laß ab! Es ist ein ganz großes Geschenk, von der unerschöpflichen Gnade Gottes zu wissen, die uns in Jesus bereitgehalten wird. Das muß uns täglich in Dankbarkeit, Gehorsam und Liebe an den himmlischen Vater binden. Nur so werden wir dem kommenden Gericht Gottes entgehen und können betend und handelnd für die Nöte in der Welt eintreten.
Jeremia 14,9b

Das geknickte Rohr wird er nicht zerbrechen, und den glimmenden Docht wird er nicht auslöschen.
Jesaja 42,3

Sonntag

6. **Apostelgeschichte 9,1-9**
Gott tut Wunder

■ Saulus ist auf dem Weg nach Damaskus, auf dem Weg zu seiner Bekehrung. So meinte es Gott. Saulus meinte etwas anderes: Aus Überzeugung wollte er Gott dienen und die Christen ausrotten. Was gilt? Zum Glück das, was Gott will und tut! Menschlich gesprochen ist es völlig unmöglich, aus einem Saulus einen Paulus zu machen. Aber so ist unser Gott: Er hat Freude daran, das Unwahrscheinliche zu tun. Der ungestüme Christushasser wird von Gott zur Umkehr gebracht. Haben wir selbst vielleicht Ähnliches erlebt? Gott ist ein Gott, der Wunder tut. Damit sollte jeder rechnen. Niemand ist vor ihm sicher. Das hat unzählige Christen getröstet im Blick auf Menschen, die noch auf dem Saulus-Weg ihres Lebens waren. Sie wurden in ihrer Fürbitte nicht müde, weil sie aus der Bibel wußten: Gott konnte damals, er kann auch heute!
Apostelgeschichte 9,5

Montag

7.

Jeremia 15,10.15-21
Hoffnung in Hoffnungslosigkeit

■ Jeremia läßt uns tief in sein Herz schauen; läßt uns seine Verzagtheit sehen, seine Anfechtung, seine Mutlosigkeit. Es war schwer für ihn, seinem unbußfertigen Volk Buße zu predigen. Aber mitansehen zu müssen, wie sie trotz aller Warnungen auf den Abgrund zuliefen, das ging über seine Kraft. In solcher Hoffnungslosigkeit zerbrechen alle eigenen Möglichkeiten. – Auch wir bekommen in der Nähe Jesu einen Blick für die Nöte, für die Gottverlassenheit unseres Volkes. Wir möchten helfen. Es wird gepredigt, evangelisiert und gebetet. Hat es überhaupt noch einen Zweck? Was hält uns aufrecht? Die wunderbare Erkenntnis: „Ich bin nach deinem Namen genannt" (V. 16). Das heißt doch: Du, Gott, kannst dir nicht untreu werden. Du hast dich mit mir eingelassen, du wirst mich nicht ohne Hoffnung lassen! Das ist nicht nur ein frommer Wunsch. Sondern Gott bestätigt die Richtigkeit dieser Erkenntnis (V. 1). Davon können wir leben. Jeremia 15,16

Dienstag

8.

Jeremia 18,1-12
Alles egal?

■ So wie ein Tongefäß den Töpfer nicht beeinflussen kann, kann man doch auch Gottes Werk an uns nicht aufhalten. Dann ist doch alles egal – oder? Das Gleichnis verkündigt die Wahrheit in scheinbaren Gegensätzen, wie so oft in der Bibel. Einmal bezeugt es Gottes uneingeschränkte Freiheit. Er kann machen, was er will. Dann aber ist das Auge des Töpfers unverwandt auf sein Werk gerichtet. Sein Tun ist nicht unabhängig von dem, was sich unter seinen Händen verändert. Darum ruft er seine Geschöpfe zur Bekehrung auf. So hat Gott die Stadt Ninive auf ihre Buße hin begnadigt, und der Prophet Jona begriff es nicht (Jona 3,10-44). Über diesen scheinbaren Widerspruch hat Gott uns aber nicht im Ungewissen gelassen. Nach seinem ewigen Ratschluß nahm sein eingeborener Sohn Knechtsgestalt an. Wer sich zu ihm wendet, findet Gnade vor den Augen des himmlischen „Töpfers". Da kann man nur still werden und anbeten. Gottes Barmherzigkeit hat noch kein Ende! Jeremia 18,11

Mittwoch

9.

Jeremia 19,1-13
Predigt auf der Müllkippe

■ Jeremia kauft sich auf Weisung Gottes einen Tonkrug und führt einige Älteste durch das Scherbentor aus Jerusalem hinaus. Im Tal Ben-Hinnom (vgl. 2. Kön. 23,10), der Müllkippe der Stadt, kündigt er ihnen Gottes Gericht über Jerusalem und Juda an. Es ist eine grauenvolle Kulisse: An diesem Ort, auch Tophet genannt, waren unter den Königen Ahas und Manasse unschuldige Kinder dem Moloch geopfert und fremden Göttern Altäre gebaut worden (2. Chr. 28,3; 33,6). Gottes Gericht wird so schrecklich sein, daß die bisherigen Namen das Ausmaß nicht beschreiben können. Der neue Name ist: Tal des Mordens. Der zerbrochene Krug macht die Unwiderruflichkeit des Gerichts deutlich. Gott ist ein heiliger Gott, von dem man sich nicht nach Belieben abwenden kann. Im Neuen Testament wird übrigens der Ort der ewigen Gottesferne nach diesem Tal „Gehenna" genannt, was Luther mit „Hölle" übersetzt hat.

Lukas 13,2

Donnerstag

10. **Jeremia 20,7-18**
Brennende Herzen

Immer wieder kündigt Jeremia Gericht an – und nichts passiert. Er wird zum Gespött der Leute. Nimmt ihm keiner sein Prophetentum mehr ab? Er will nicht mehr, verflucht den Tag seiner Geburt und merkt doch, daß er gar nicht anders kann, als Stimme Gottes in einer Welt der Gottlosigkeit zu sein. So hadert Jeremia mit seinem Auftrag und hat doch zugleich ein brennendes Herz für sein Volk. Er ist überwältigt von Gott, von dem er weiß: Er steht an meiner Seite wie ein mächtiger Krieger. Er hilft mir aus meiner Angst heraus, auch wenn meine Gefühle das noch nicht bemerken. – Drängt es uns als Zeugen Jesu Christi trotz Spott in der eigenen Familie, trotz Ablehnung der Botschaft vom Kreuz durch Arbeitskollegen und in einer Umgebung, die nichts von Gott wissen will, das Liebesangebot Jesu weiterzugeben? Brennt es in unsren Herzen, damit Menschen nicht ohne Christus ewig verlorengehen?

Apostelgeschichte 4,20

Freitag

11. **Jeremia 21,1-14**
Auf der Seite des Feindes

Nach den Reden in den Kapiteln 1-20, in denen Jeremia das Gericht über Juda und Jerusalem ankündigt, gelten die Prophezeiungen der Kapitel 21-25 mehr einzelnen Gruppen oder Personen. Zuerst wendet sich Jeremia an die Könige. Zedekia läßt Jeremia fragen, ob Gott sich – wie aus der Geschichte bekannt – wieder auf Judas Seite stellen wird. Eigentlich rechnet man damit. Aber es soll anders kommen: Gott wird sogar auf feindlicher Seite mitkämpfen. Der König und sein Hofstaat werden von den Feinden hingerichtet werden. Nicht einmal weinen wird Gott über sie. Gibt es keine Chance mehr zur Umkehr? Kaum, Gottes Gericht ist eine beschlossene Sache. Nur wer zum Feind überläuft, wird mit dem Leben davonkommen. Gottes Geduld mit der Sünde und dem Götzendienst seines Volkes ist zu Ende. In Gottes Augen ist mit Sünde nicht zu spaßen. Sie hat ihn seinen Sohn gekostet. Laßt uns deshalb Sünde nie auf die leichte Schulter nehmen!

2. Mose 20,5

Samstag

12. **Jeremia 23,1-8**
Der gute Hirte

Trotz des furchtbaren Gerichts über die Könige Israels, denen das Volk Gottes gleichgültig war, gibt es Hoffnung für das zerstreute und führungslose Volk. Gott selbst wird sie aus der Gefangenschaft befreien und in ihre Heimat zurückholen. Auch wird er dafür sorgen, daß ein rechtmäßiger und verantwortungsvoller König sein Volk regieren wird. Dieser Hinweis auf den gerechten König findet seine Erfüllung in Jesus Christus. Er ist der rechtmäßige Nachkomme des Königs David (Matth. 1,6; Luk. 3,31). Er ist unsere Gerechtigkeit (1. Kor. 1,30). Mehrmals schon hatte Gott mit der Menschheit und seinem Volk einen neuen Anfang gemacht (z.B. 1. Mose 9,9 und 2. Mose 19,5). Mit dem guten Hirten verheißt er nun die letzte und größte Chance für alle. – Hier zeigt sich angesichts seiner richtenden Heiligkeit erneut seine geduldige Liebe zu uns.

Johannes 10,11

Christus spricht: Was ihr getan habt einem von diesen meinen geringsten Brüdern, das habt ihr mir getan. Matthäus 25,40

Sonntag

13.

1. Johannes 4,7-12
Liebe ist mehr als ein Gefühl

Wer heute von Liebe spricht, wird leicht mißverstanden. Jeder ist dafür, aber nur wenige lieben aufrichtig. Die Selbstliebe ist zur treibenden Kraft geworden in allem, was der Mensch tut. Doch Liebe will andere reich machen. Wenn Johannes die Liebe zu den Glaubensgeschwistern anmahnt, möchte er zu Taten der Liebe ermutigen. Er macht deutlich: Der Ursprung unserer Liebe zueinander ist Gottes Liebe zu uns. Diese Liebe kennt keine Berechnung und erwartet keine Gegenleistung, die wir sowieso nicht aufbringen könnten. Und genauso selbstlos soll unsere Liebe zu den Brüdern und Schwestern sein. Können wir vorbehaltlos auf andere zugehen und ihnen Gutes tun, ihnen ideenreich im Alltag unter die Arme greifen? Erschreckend ist der negative Rückschluß: Wer nicht selbstlos liebt, hat von Gott und seinem Wesen nichts verstanden. Gottes liebendes Wesen wurde im Opfer seines Sohnes sichtbar. Gibt es das auch unter Christen: aufopfernde Liebe? Johannes 15,13

Montag

14.

Jeremia 25,1-14
Taube Ohren – kalte Herzen

23 Jahre predigte Jeremia nun schon, daß das Volk umkehren und Buße tun sollte. Gott erweckte andere Propheten, die diese Botschaft unterstrichen. Doch die Menschen damals wollten nichts vom Gericht Gottes hören. Jeremia beschreibt daraufhin das Gericht sehr deutlich. Er sagt eine 70jährige Gefangenschaft und die totale Zerstörung des Landes voraus. Nebukadnezar wird zum Knecht des Gottes, der die Herzen der Mächtigen wie Wasserbäche lenkt (Spr. 21,1). Auch nach dem vollstreckten Gericht an Israel bleibt Gott der gerechte Gott, der Schuld (der Babylonier) nicht ungesühnt läßt und einen Neuanfang möglich macht. Gott erfüllt seine Verheißungen wie seine Gerichtsankündigungen. Er ist der Gott, dem nichts unmöglich ist und dessen Versprechen wir vertrauen können. Jeremia 32,17

Dienstag

15.

Jeremia 25,15-31
Gericht – Chance zum Neubeginn

Nebukadnezar und seine Nachfolger werden zu Werkzeugen in Gottes Hand. Durch sie bringt Gott Gericht und Vergeltung über Juda und Jerusalem, später dann über Nachbarvölker und -städte. Alle müssen aus dem Zornesbecher Gottes trinken, den Jeremia bringen muß, indem er auch ihnen Gottes Gericht ankündigt. Auch Babylon wird davon nicht ausgenommen (vgl. „Scheschach“ in V. 26 mit Jer. 51,41). Wenn Gott schon sein Volk so straft, wie könnte er dann heidnische Völker ungestraft lassen? Gericht Gottes soll immer eine heilende Wirkung haben. Menschen und Völker sollen dadurch die Notwendigkeit der Umkehr zu Gott erkennen. Doch nutzen wir solche Chancen zum Neubeginn, oder erheben wir Anklage gegen Gott? 1. Petrus 4,17

Mittwoch

16.

Jeremia 26,1-19
Gott meint es ernst

Für die Leute damals war es von Anfang an eigentlich klar, daß Jeremia nicht ernstgenommen werden konnte. Bei der Androhung des Gerichtes Gottes wurden sie sogar aggressiv. Interessanterweise waren es gerade die Priester und (falschen) Propheten, die gegen Jeremia angingen. Würde das heute nicht ähnlich sein? Vom Gericht Gottes darf man sogar – oder gerade – in manchen „frommen" Kreisen nicht sprechen. Es ist zwar allzu menschlich, bei dem Vorwurf, Schuld auf sich geladen zu haben, aggressiv zu werden. Doch gibt es dazu keinen Grund. Gott möchte Menschen mit ihrer Schuld konfrontieren, damit sie sie erkennen und sich von ihr abwenden (V. 3). Sein Ziel ist nicht das Gericht, sondern die Befreiung aus dem Gericht. Wer sich jedoch nicht retten lassen will, muß die Folgen seines Handelns dann auch selber tragen. Wer aber etwas von dem vergebenden Handeln Gottes in der Vergangenheit weiß, kann anderen Mut zur Umkehr machen (V. 17-19).

1. Timotheus 2,4

Donnerstag

17.

Jeremia 28,1-17
Vorsicht vor Anmaßung!

Häufig kommt es vor, daß Christen ihr – möglicherweise ungewöhnliches – Tun mit den Worten begründen: „Der Herr hat mir das gesagt." Wenn nicht offenkundig unbiblisches Verhalten geschieht, kann man mit diesem Argument leicht jedem anderen Argument die Grundlage entziehen. Nur allzuoft erlebt man dann aber Monate später, daß da wohl doch nicht Gott – der Herr – gesprochen hatte, sondern menschliche Wunschträume und Gefühle laut geworden waren. Daß Gott uns für solche Anmaßung heute in den meisten Fällen nicht so straft, wie es Hananja hier geschah, sollte uns nicht übersehen lassen, daß Gott ein heiliger Gott ist. Wir sollten uns davor hüten, seinen Namen leichtfertig in den Mund zu nehmen und unsere Empfindungen, Träume und Wünsche ohne Prüfung als sein Reden auszugeben. Wer im Namen Gottes spricht, trägt eine große Verantwortung.

Jeremia 28,9

Freitag

18.

Jeremia 29,1-14
Heute verantwortlich leben!

Gott gibt den nach Babylon entführten Juden Hoffnung für die Zukunft ihres Volkes. Sie werden nicht für immer in Babylon bleiben müssen. Gleichzeitig überträgt er ihnen jedoch Verantwortung für den Platz, an dem sie jetzt leben (V. 7). Der Auftrag, das Beste für die Stadt zu suchen, beschränkt sich ganz offensichtlich nicht nur darauf, für diese Stadt zu beten. Das Volk Gottes soll sich auch nicht von seiner Umwelt und dem wirtschaftlichen Leben in Babylon absondern. In diesem Brief Jeremias warnt Gott interessanterweise nicht vor den Gefahren, die vom Leben in einer sündigen Stadt ausgehen könnten. Er warnt vielmehr vor den Gefahren, die innerhalb des Gottesvolkes auftreten können. Gott ermutigt sein Volk, nicht auf alle möglichen Heilsversprechungen für die Zukunft zu hören, sondern heute ihn zu suchen.

Jeremia 29,7

Samstag

19. **Jeremia 30,1-3; 31,1-14**
Gottes Güte ist wunderbar
■ Gott verheißt eine Zusammenführung seines Volkes aus der Zerstreuung nicht aufgrund der guten Taten des Volkes. Er handelt aus lauter Güte (Jer. 31,3). Daß hier die Rede vom Herbeiholen auch von den „Inseln“ ist (Jer. 31,10), läßt darauf schließen, daß es um mehr geht als um die Rückführung der Juden aus der Babylonischen Gefangenschaft. Hier ist wohl auch von der Zusammenführung des Volkes nach der zweiten Zerstreuung (nach 70 n.Chr.) die Rede. Israel bleibt Gottes Volk, das er nie verlassen wird. Ja, er nennt sich ihr Vater (V. 9). Diese Vaterschaft besteht in Ewigkeit. Weil er dieses Volk wie ein Kind angenommen hat, wird er immer sein Vater sein – unabhängig von dem Verhältnis, das beide zueinander haben. Gott will auch unser Vater sein. Wollen wir als seine Kinder leben? Johannes 1,12

Lobe den Herrn, meine Seele, und vergiß nicht, was er dir Gutes getan hat. Psalm 103,2

Sonntag

20. **Römer 8,14-17**
Eine reiche Erbschaft
■ Christen sind nicht Angestellte Gottes, die nach Leistung bezahlt werden und jederzeit Furcht vor der Entlassung haben müßten. Gott hat uns als seine Kinder angenommen; er kümmert sich um uns als liebender Vater und läßt uns durch nichts und niemanden aus der Hand Jesu reißen (Joh. 10,28). Das ist jedoch kein Freibrief im Sinne von „Laßt uns kräftig sündigen, auf daß die Gnade desto mächtiger werde!“ (Röm. 6,1). Wer wirklich Kind Gottes ist, erlebt die Bestätigung und auch die Führung durch den Geist Gottes (V. 16). Der Geist Gottes verändert den Menschen von innen her. Ein Christ wird nicht weiter in Sünde leben und die Gnade Gottes mißbrauchen können. Echter Glaube ist an entsprechend veränderten Werken erkennbar (Jak. 2,17). Haben wir die Bestätigung unserer Gotteskindschaft? Römer 8,14

Montag

21. **Jeremia 31,18-20.31-37**
Gott gibt Erneuerung
■ Hier gibt Gott seinem Volk Israel die Zusage, daß er mit ihnen einen neuen Bund schließen will. Aus anderen Prophetenworten (z.B. Joel 3,1.2) wissen wir, daß auch fremde Völker in diesen Bund hineingenommen werden. Am Pfingstfest ist das dann geschehen (Apg. 2). Beim alten Bund, den Gott durch Mose mit Israel schloß, ging es um Gehorsam des Volkes und auch materielles Wohlergehen im Staate Israel (5. Mose 28). Im neuen Bund geht es nicht mehr um das bloße Befolgen festgeschriebener Gesetze. Gott verspricht eine Veränderung und Erneuerung des Menschen selber, nicht nur seiner Handlungen (V. 33). Eine persönliche Beziehung zu Gott ist nun jedem möglich (V. 34). Gott erwartet dafür nicht die Erfüllung bestimmter Bedingungen. In diesem neuen Bund ist er allein derjenige, der Menschen mit seiner Gnade beschenken will. Jeremia 31,33

Warum seid ihr so ängstlich?

„Warum seid ihr so furchtsam?" Nun, eigentlich war dies damals in der lebensbedrohlichen Lage der Jünger eine überflüssige Frage. Wenn das Leben so unmittelbar in Gefahr ist, dann packt einen die Todesangst. Das ist doch klar.
Etwas ganz anderes ist es dagegen, wenn quicklebendigen Jugendlichen in einer komfortablen Tagungsstätte fernab jeder Lebensbedrohung dieselbe Frage gestellt wird. Da schauen sie erst etwas betreten in die Runde und schweigen. Sie – und Angst haben? Und wenn schon: Wer gibt das offen zu – erst recht, wenn Gleichaltrige rechts und links neben einem sich so cool und lässig geben? Nein, als Angsthase vor den anderen dastehen – diese Blöße will sich keiner geben. So fällt unsere erste Gesprächsrunde ziemlich wortkarg aus. Als Tagungsleiter gerate ich schon ein wenig ins Schwitzen. Sollte ich es wirklich mit lauter furchtlosen jungen Menschen zu tun haben?
Nach dem Abendessen stellen wir den Jugendlichen eine Aufgabe, die jeder für sich lösen soll: Wir geben ihnen Zeichenpapier und bunte Stifte in die Hand und bitten sie: „Stellt einfach einmal zeichnerisch dar, was stärker ist als die Angst. Versucht, anschaulich zu machen, wie ihr selbst mit der Angst fertig werdet!"
Das Ergebnis dieser kreativen Phase ist beeindruckend und erschütternd zugleich. Fast sämtliche Zeichnungen verfehlen das Thema: Die Jugendlichen hatten nicht die Bewältigung der Angst dargestellt, sondern das Überwältigtwerden von ihr. Was am Nachmittag keiner mit eigenen Worten zugeben wollte, das ist jetzt um so handgreiflicher an ihren Zeichnungen abzulesen. Da kommen jede Menge Ängste zum Vorschein: Angst vor der Zukunft, vor Krieg und Umweltkatastrophen, vor der nächsten Versetzung und vor dem Verlust der Freundin ...
Es kam an diesem Wochenende noch zu lebhaften Gesprächen. Dabei wurde uns miteinander klar: Wir haben oft Angst davor, unsere eigenen Ängste offen und ehrlich zuzugeben. Mit seiner Frage an die Jünger macht Jesus auch uns Mut, vor ihm unsere Ängste zu benennen. Weil Jesus selbst beklemmende Todesängste durchlitten hat, sind wir mit unserer eigenen Angst gut bei ihm aufgehoben. Vor Jesus muß niemand den Furchtlosen spielen. Klaus J. Diehl

Dienstag

22. **Jeremia 36,1-32**
Bücherverbrennung zwecklos

■ So kann man es auch machen: einfach die Wahrheit verbrennen. Aber dadurch wurde das, was in dem Buch stand, nicht unwahr oder auch nur unbedeutend. Gott vergißt sein Wort nicht und läßt es auch von einem selbstherrlichen Staatsmann nicht einfach vernichten. Jesus wies einmal darauf hin, daß sogar der kleinste Buchstabe der Heiligen Schrift Bestand haben wird (Matth. 5,18). Versuche, Gottes Wort auszulöschen, gab und gibt es immer wieder. Der des Königs Jojakim dürfte davon noch einer der primitivsten gewesen sein. Aber egal wie dumm oder wie intelligent jemand sich bemüht, über Gottes Wort und Gottes Urteil über unser Leben hinwegzusehen, sein Versuch ist zum Scheitern verurteilt. Heute gibt Gott uns noch eine Chance zur Umkehr. Wir sollten Gottes Reden an uns nicht überhören oder beiseiteschieben, sondern danach handeln. Gott meint es gut mit uns. Matthäus 5,18

Mittwoch

23. **Jeremia 37,1-21**
Hart aber herzlich

■ Wenn sie persönlich wird oder nicht die allgemeine Auffassung bestätigt, ist Kritik eine heikle Sache. Dies mußte Jeremia erleben. Der Prophet warnte den König Zedekia, daß die politische Entspannung nur vorläufig sei. In der insgesamt 18monatigen Belagerung Jerusalems durch die Babylonier (Chaldäer) um 588 v.Chr. schien mit der heranziehenden Militärmacht eine Wende eingetreten zu sein. Da wirkte Jeremia mit seiner Rede geradezu als Störenfried. Aber aus seinem Gehorsam Gott gegenüber und seiner Liebe zum Volk blieb Jeremia bei seinen hart klingenden Worten. Angst vor unangenehmen Situationen, Angst davor, dem anderen weh zu tun, oder vielleicht auch davor, unbeliebt zu werden, lassen uns oft „höflich“ werden, auch wenn konstruktive Kritik hilfreicher wäre. In einem Lied heißt es: „Frag nach dem Grund, wenn dir einer seine Meinung sagen will, und ist es Liebe, dann hör zu und halte still.“

Hebräer 3,13

Donnerstag

24. **Jeremia 38,1-13**
Eine kleine Tat?

■ Es gibt Situationen, vor denen ich mich ohnmächtig fühle und in denen mein Handeln von vorneherein aussichtslos erscheint. Aber Jeremia wäre aus seiner Grube nie herausgekommen, wenn Ebed-Melech genauso gedacht hätte. Von Ebed-Melech, einem Bediensteten des Königs, einem Mann aus einem fremden Volk, hätte Jeremia wohl am wenigsten Hilfe erwartet in seiner verzweifelten Lage. Aber Gott läßt für seinen Propheten weder die Zisternenmauern einstürzen, noch ihn von einer himmlischen Streitmacht retten. Die Befreiung beginnt ganz unscheinbar. Dieser Ebed-Melech beklagt sich beim König über das Unrecht, das Jeremia geschieht. Die kleine Tat ist aber sehr wirksam. Und Jeremia erkennt in dieser Hilfe die Führung Gottes. Könnte Gott nicht auch heute durch uns Wunder wirken, wenn wir uns in seinen Dienst und den Dienst der Nächstenliebe stellen, so wie Ebed-Melech es getan hat?

1. Petrus 4,10

Freitag

25.

Jeremia 38,14-28
Schwere Entscheidung?

Manchmal wünsche ich mir vor großen Entscheidungen, daß ich von vertrauenswürdiger Seite verläßlichen Rat erhalte. Erwartete der König Zedekia noch solche zuverlässige Hilfe von Gott (V. 16)? Immerhin fragt er den Propheten um Rat. Aber Jeremia kann nur bestätigen, daß die Tatsachen sich nicht verändert haben. Und er warnt den König. Noch ist es Zeit zu handeln. Aber die Spannung steigt, denn die Situation wird immer drängender. Oft genug hatten Zedekia und Jeremia miteinander geredet. Wenn der König nun nicht handelt, wird Gottes Gericht seinen Lauf nehmen. Der Rat des Jeremia steht zwar gegen den der Berater des Königs. Doch auf die wird am Ende kein Verlaß sein (V. 22). Wird Zedekia auf den Boten Gottes hören? Und nach wem richten wir uns in wichtigen Entscheidungen?

Psalm 118,8

Samstag

26.

Jeremia 39,1-14
Ist nun alles aus?

Die Zerstörung Jerusalems im Jahre 587 v.Chr. war die große Katastrophe in der Geschichte Israels (vgl. auch 2. Kön. 25; Jer. 52). Von nun an lebte das Volk Israel in Babylon, bis 536 v.Chr. unter dem persischen König Cyrus die ersten Israeliten aus der Verbannung nach Jerusalem zurückkehren dürfen (Esra 1). Alle vorherige Geschichte Gottes mit seinem auserwählten Volk schien mit der Zerstörung Jerusalems zu Ende zu sein. Der Bund Gottes mit seinem Volk galt anscheinend nicht mehr. Aber war das wirklich so? Die Verse 12 und 14 lassen aufhorchen. Mitten in der Katastrophe kündet sich eine neue Geschichte an. Jeremia bleibt im Land unter dem Volk – sozusagen als Bürge der Anwesenheit Gottes. Sind wir als Christen vielleicht auch solche Hoffnungsträger in unserer Zeit?

1. Petrus 1,21

Alle eure Sorge werft auf ihn; denn er sorgt für euch.

1. Petrus 5,7

Sonntag

27.

1. Petrus 5,5-11
Drei Wünsche

Petrus gibt der Gemeinde am Ende seines Briefes drei Wünsche mit auf den Weg: 1. Daß christliche Gemeinschaft zu dem von Gott gesetzten, hohen Ziel komme. Das geschieht, wenn jeder einzelne sich dem guten Willen Gottes unterordnet. Dann wird es auch niemandem schwerfallen, sich in die Gemeindeordnung einzufügen. 2. Daß sich alle Gemeindeglieder Gott anvertrauen möchten und sich von ihren Sorgen befreien lassen. Denn er hat sie schließlich berufen und wird sie auch bewahren. 3. Daß sie ihren Blick von sich selbst abwenden können und ihre Mitchristen in der Nähe und Ferne nicht übersehen. So können sie sogar im Leiden standhalten und selbst satanische Angriffe überstehen. – Durch diese Ermahnungen und Wünsche wird die Gemeinde gestärkt und kann das Lob Gottes vor aller Welt glaubhaft verkünden.

1. Petrus 5,6

Montag

28. Jeremia 40,7-16

Bedrohte Hoffnung

■ Nach der Eroberung Jerusalems soll das Land neu aufgebaut werden. Zu diesem Zweck wird der Israelit Gedalja von den Babyloniern als Statthalter eingesetzt. Nicht das zerstörte Jerusalem, sondern die Stadt Mizpa wird zur Keimzelle der Neuordnung. Es wird also nicht wieder so wie vorher. Aber Gedalja ermutigt das Volk, sich den geänderten Umständen anzupassen (V. 10). Doch nicht alle wollen sich mit der neuen Situation abfinden. Einige wandern aus (V. 9), und Vertreter des königlichen Geschlechts, wie Ismael, können sich mit einer Unterordnung unter die Babylonier nicht abfinden und drohen mit Gewalt. Aber Gedaljas Zuversicht baut darauf, daß ein „Rest Judas“ (V. 15) überleben wird. Was immer auch geschieht, die bleibende Erwählung des Gottesvolkes ist die Heilshoffnung, die sich durch die nun kommende Geschichte Israels hindurchzieht. Gegen alle Bedrohung steht der Glaube, daß Gott seinen Verheißungen treu bleibt. Jesaja 42,3

Dienstag

29. Jeremia 41,1-18

Was kann man gegen Gewalt tun?

■ Zerstörerische, unberechenbare und hinterhältige Gewalt herrscht, wo die von Gott eingesetzten Ordnungen mißachtet werden. Selbst für uns heute, die wir täglich mit Gewalt konfrontiert werden, z.B. in den Medien, ist es unfaßbar, was damals geschah. Oft genug bleiben die Motive, wie hier bei der Ermordung der Pilger (V. 7), im Dunkeln. Zur Erinnerung an die Unheilstat des Ismael wird noch heute von Juden im 7. Monat ein Fastentag begangen. Und auch uns stehen die grausamen Gewalttaten in der eigenen Geschichte mahnend vor Augen. Jesus hat sich zum Thema Gewalt eindeutig geäußert. Aber seine Worte richten sich hauptsächlich an die Opfer von Gewalt (Matth. 5,11.25.39.44). Paulus faßt dies mit dem Satz zusammen: „Vergeltet niemandem Böses mit Bösem“ (Röm. 12,17). Aus der Gewißheit heraus, daß Gott uns vergibt, sollen auch wir uns in gegenseitiger Vergebung üben. Epheser 4,32

Mittwoch

30. Jeremia 42,1-22

Gehorsam?

■ Nach allem, was sich an Schrecklichem zugetragen hat, haben die Juden Angst, die Babylonier würden sie wieder bedrängen. Der besonnene Vermittler Gedalja ist ermordet worden. Nachdem sie bereits beschlossen haben, nach Ägypten zu fliehen (Jer. 41,17), wollen sie sich noch bei Jeremia rückversichern und bestürmen ihn, er möge Gott fragen, ob die Flucht nach Ägypten richtig sei. Jeremia muß jedoch nach zehn Tagen mitteilen, daß sie im Lande bleiben sollten. Werden sie noch darauf hören? Oder schlagen sie den Rat Gottes aus? Die Warnungen, die Gott durch den Propheten sagen läßt, sind eindeutig: Zu ihrem vorgefaßten Plan wird er nicht ja sagen. Wenn sie trotzdem dabei bleiben, haben sie die Folgen zu tragen. – Das ist heute nicht anders: Gott unsere vorgefaßten Pläne zu unterbreiten, ohne die Bereitschaft, sie zu korrigieren, kann ebensogut unterbleiben. Vielmehr gilt es, nach Gottes Willen zu fragen und nachher mutig entsprechend zu handeln. Darauf antwortet er mit Segen. Matthäus 7,21

Monatsspruch Oktober:

Die Güte des Herrn ist's, daß wir nicht gar aus sind; seine Barmherzigkeit hat noch kein Ende, sondern sie ist alle Morgen neu. Klagelieder 3,22.23

Donnerstag

1.

Jeremia 43,1-13
Keine Flucht vor Gott

Nun fliehen die führenden Juden eben doch nach Ägypten in der Hoffnung, dort in Sicherheit und Ruhe leben zu können. Jeremia aber sieht es anders. Das ungehorsame Volk kann der Strafe Gottes nicht entrinnen. Gott erreicht sie auch im fernen Ägypten. Nebukadnezar aus Babylon, dieser brutale Eroberer und Schänder der Juden, wird hier sogar als Gottes „Knecht" bezeichnet (V. 10), der am entflohenen Volk der Juden die Strafe Gottes vollziehen soll. In Ägypten fallen die ersten Juden erst recht in die Hände dieses eigenwilligen und rücksichtslosen Herrschers. – Es ist immer verfehlt, in irgendeiner Weise vor Gott fliehen zu wollen. Gott wird uns auch im entferntesten Land einholen. Dort aber, wo wir uns ihm unterordnen und nach seinem Willen fragen, um ihn zu tun, wird er uns zum Segen setzen. Psalm 139,7

Freitag

2.

Jeremia 44,1-14
Wem wollt ihr dienen?

Nun sind die Juden in Ägypten. Noch einmal ist die Stimme des Propheten zu hören, bevor die Ungehorsamen umkommen. Vermutlich stirbt auch der Gottesmann, der sich nichts anderem verpflichtet wußte als dem lebendigen Gotteswort, in dem fremden Land, in das er mitgeschleppt wurde. Noch einmal sagt er mit aller Deutlichkeit jenen, die sich in Ägypten ansiedeln wollen, was die eigentliche Sünde ihrer Väter war: der Götzendienst, die Abkehr vom lebendigen Herrn. Und für die Gegenwart muß er dasselbe feststellen: Ihr wendet euch den ägyptischen Göttern zu und opfert ihnen (V. 8). Ihr lebt nach dem Muster eurer Väter weiter. Das aber läßt sich der heilige Gott nicht gefallen. – Auch für uns heute ist unabdingbar wichtig, welchem Herrn wir folgen und dienen wollen: dem lebendigen Gott oder irgendeiner anderen Macht. Wir müssen uns entscheiden. Josua 24,15

Samstag

3.

Jeremia 45,1-5
Dennoch ist Gott da!

Jeremia und sein Schreiber Baruch hatten hautnah den totalen Niedergang des Judenvolkes miterlebt. Die Hoffnung, mit Gedalja könnte etwas Neues beginnen, wurde durch Mörderhand zerschlagen (Jer. 41). Gegen ihre Überzeugung mußten sie mit nach Ägypten ziehen (Jer. 43). Ihr Auftrag war, zur Zeit und zur Unzeit das ihnen aufgetragene Gotteswort in die verschiedensten Situationen hineinzusprechen, auch wenn sie von vornherein wußten, daß kaum jemand sich danach richten würde. Bevor aber Jeremia schwieg, vernahm Baruch für sich selber: „Du wirst mit dem Leben davonkommen." So zeigt sich auch hier wieder Gottes Treue: Wer ihm glaubt, ihm vertraut, ihm dient und für ihn lebt, den verläßt er nicht – weder Jeremia, der stirbt, noch Baruch, der weiterleben darf. – Gott hält sein Wort. Vertrauen wir ihm? Psalm 139,5

Das Buch der Klagelieder Jeremias

Verfasser
In 2. Chron. 35,25 wird bei der Beschreibung der Trauer um den König Josia berichtet, daß auch Jeremia ein Trauerlied verfaßt habe. In der Tat entspricht der Inhalt dieser Klagepsalmen dem Tenor seiner Verkündigung (Jer. 9,19).

Inhalt
Der Hauptgegenstand der ergreifenden Klage ist die Zerstörung von Stadt und Tempel. Die Verzweiflung beruht aber weniger auf dem äußeren Tatbestand, sondern bezieht sich auf den Verlust der Gegenwart und der Zuwendung Gottes durch dieses Gericht, das über das Heiligtum und das Volk erging.
Der Verzweiflungsschrei: „Der Herr hat seinen Altar verworfen und sein Heiligtum entweiht ..." (2,7) zeigt die tiefgreifende Erschütterung auf. Dahinter steckt die Erkenntnis und Erfahrung der Sünde, der Boshaftigkeit, Eigenwilligkeit und Unbußfertigkeit des Volkes. Die Untreue seines Volkes hat Gott zum Feind gemacht. Die Vernichtung des Heiligtums ist Gottes Werk (1,17; 2,1; 4,11).
Gott zürnt, er hat gerichtet und vernichtet, aber er selbst ist dabei keinem Schicksal, keiner fremden Macht unterlegen. Hinter allem Geschehen steht er. Dieser Trost bleibt. Jeremia darf und kann sich an diesen Gott wenden – und mit ihm das gesamte Volk. Gott hat geschlagen, aber nicht auf ewig verstoßen (3,31). Gottes Erbarmen hat kein Ende, er kann sich dem bußfertigen Sünder wieder zuwenden. Es kann nur einen Ausweg aus der Verzweiflung geben, den, an Gottes Gnade zu appellieren: „Bringe uns wieder zu dir!" (5,21).

Thema
„Die Güte des Herrn ist es, daß wir nicht gar aus sind!" (3,22).

Gliederung
Kap. 1: Das tiefe Leid Jerusalems, das seine Sünde demütig bekennt.
Kap. 2: Gott hat so gehandelt, wie er vorausgesagt hat. Aufforderung, ihn im Gebet zu suchen.
Kap. 3: Jeremia spricht für das ganze Volk. Er klagt Gott sein Leid und bittet den Herrn inständig um Hilfe.
Kap. 4: Das Elend der Belagerung. Die Schuld der Propheten und Priester. Die Eroberung der Stadt.
Kap. 5: Ein Gebet, in dem die Leiden der Stadt beschrieben werden, in dem die Betenden sich aber auch zu ihren Sünden bekennen und Gott um Erlösung bitten.

Es ist ein köstlich Ding, geduldig sein und auf die Hilfe des Herrn hoffen.
Klagelieder 3,26

Jesus Christus hat dem Tode die Macht genommen und das Leben und ein unvergängliches Wesen ans Licht gebracht durch das Evangelium. 2. Timotheus 1,10b

Sonntag

4. **2. Korinther 9,6-15**
Gott liebt fröhliche Geber
■ Immer wieder werde ich gefragt, wieviel ein Christ für die Sache des Reiches Gottes opfern müsse – wirklich zehn Prozent vom ganzen Einkommen? So war es im Alten Testament für das Volk Israel vorgesehen (3. Mose 27,30.32). Gilt das für die Christen im Neuen Testament nicht mehr? Meine Antwort: Christen, die immer ängstlich mit ihrem Einkommen umgehen und glauben, es würde ihnen für ihr Bankkonto zu wenig bleiben, sind immer knauserige und unglückliche Spender. Andere, die mutig die zehn Prozent reservieren, können es sich leisten, großzügig zu sein. Vers 11 wird bei ihnen wahr: „Er wird euch reich machen, daß ihr jederzeit freigebig sein könnt." Gott zahlt nicht zurück. Aber er segnet die Gaben, segnet die Empfänger und segnet auf eine geheimnisvolle Weise den Geber. 2. Korinther 9,7

Montag

5. **Klagelieder 1,1-11.17-22**
Ist niemand da, der tröstet?
■ Den Klageliedern spüren wir den Schrecken ab, der mit der Zerstörung Jerusalems über die Menschen gekommen ist (V. 3-5). Wie war es nur möglich, daß Gottes Stadt so verwüstet werden konnte? Da hat nicht einfach ein blindes Schicksal gewaltet; auch hat nicht nur die Übermacht des feindlichen Heeres gesiegt, wenn auch menschliche Bosheit zeitweilig triumphieren kann (V. 7.9). Gott selbst hat über die Sünde seines Volkes Gericht gehalten (V. 5.8). Menschen haben ihre Schuld erkennen müssen (V. 5). Aber dann haben sie vor Gott ihre Sünde auch beim Namen nennen können (V. 18.20). Zwar sind sie noch wie von tiefem Schmerz umfangen und ohne Trost (V. 17.19.21). Aber wo Menschen vor Gott zu ihrer Schuld stehen, wird mitten in der Traurigkeit der Blick auf den Retter gerichtet (V. 11). Das ist Trost auch für uns. Jesaja 38,17

Dienstag

6. **Klagelieder 3,1-33**
Darum hoffe ich noch
■ Wieviel Schweres muß Jeremia erlitten haben, der hier so offen sein Leid klagt (V. 1-19)! Mit drastischen Bildern beschreibt er, wie er durch Dunkel und Gefahr, durch Schmerzen und Traurigkeiten gegangen ist und dabei nicht Menschen und Umstände, sondern Gott zum „Gegner" gehabt hat. Wichtig aber ist, daß er alles vor Gott ausspricht und sich im Gebet an ihn wendet (V. 18.19). Und dann geschieht es, daß mitten in die Nacht der Schwermut das helle Licht der Glaubenssonne hineinleuchtet und das Dunkel vertreibt. Nun sieht alles anders aus: Wer Gott kennt, muß nicht verzagen (V. 20.21). Wer Gottes Barmherzigkeit erlebt, gewinnt neuen Mut (V. 22.23). Wer um Gottes Treue weiß, kann wirklich hoffen (V. 24.25). Denn Gott führt auch auf schweren Wegen zu seinem guten Ziel (V. 27-33). Wirklich, solche „Hoffnung läßt nicht zuschanden werden"! Römer 5,5

Mittwoch

7. **Klagelieder 3,34-44.55-59**
Du hast mir Recht verschafft

■ Der lebendige Gott ist kein blinder und stummer Götze (V. 36b; Ps. 115,3-7). Gottes Verborgenheit darf niemals dazu verleiten, daß wir uns in falscher Sicherheit wiegen (V. 34-36). Er läßt sich nichts vormachen (V. 37.38). Er dringt darauf, daß Menschen sich wirklich selbst kennenlernen (V. 39.40) und ihr Leben vor ihm ordnen (V. 41-44). Gerade das aber ist die Chance, die Gott auch uns gibt. Denn wer sich in seinem Licht recht erkennt und seine Sünde zugibt, erfährt es, daß Gott die Wolke des Schweigens durchbricht (V. 43.44) und sich ihm wieder zuwendet (V. 55-57). Weil wir uns selbst nicht helfen können, hat Gott unsere „Sache geführt" und seine Erlösung gesandt (V. 58). Das geht weiter, als es der Beter im Alten Bund erfahren hat. Wer sich im Glauben zu Jesus bekennt, wird gerettet werden (Apg. 4,12). Denn in seinem Sohn ist Gott ganz nahe zu uns gekommen. Durch ihn spricht er uns verbindlich und tröstend zu: „Fürchte dich nicht!" Jesaja 43,1

Donnerstag

8. **Klagelieder 5,1-5.16-22**
Zurück zu Gott

■ Mit einer aufwühlenden Frage schließt Jeremia sein Gebet: „Hast du uns denn ganz verworfen ...?" (V. 22). Aber mit solch einer offenen Frage kann niemand leben. Von der rechten Antwort hängt alles ab – für den einzelnen wie für ein ganzes Volk. Wieviel Gutes hat Israel mit seinem Gott erlebt (V. 15.16)! Aber jetzt ist alles anders geworden. Muß das denn für immer so bleiben? Die Verzagtheit liegt schwer auf den Menschen; sie können sich selbst nicht helfen (V. 1-5). Nur durch Gottes rettendes und heilendes Eingreifen kann noch einmal etwas Neues werden. Er ist und bleibt doch derselbe (V. 19), auch wenn sich nach außen hin alles gewandelt hat (V. 16-18). Darum schaut das Volk zu ihm auf und bittet um sein machtvolles Eingreifen (V. 21). Denn wen Gott zur Umkehr führt und „zurückbringt", dem ist wirklich geholfen (V. 21b; Jer. 31,18), dem wird das Heimkommen zum Tag des Jubels und der Freude. – „Herr, bring uns wieder zu dir zurück!" Das soll auch unsere Bitte sein. Jeremia 31,18

Freitag

9. **2. Korinther 1,1-7**
Kein Faß ohne Boden

■ Trübsal kann viele Gründe haben. Da ist das körperliche Leid, Versuchung, ein Trauerfall, der Eindruck, wir würden als Christen alleine stehen, oder das Leid anderer. Manchmal ist es auch nur ein Tief unseres Gefühlslebens. Trübsal hat in jedem Fall viel mit unseren Gefühlen zu tun. Das Wort spricht für sich: Wir sehen alles getrübt. Gerade in solchen Situationen dürfen wir wissen, Jesus will uns nicht verlassen. Sogar in selbstverschuldeter Trübsal sucht Gott den Kontakt zu uns. Wenn wir aufrichtig unsere Schuld bekennen, wird die Gemeinschaft mit ihm wieder hergestellt (1. Joh. 1,9). Welcher Grund auch immer vorliegen mag, wir sollten nie den Segen der Trübsal aus den Augen verlieren. Unsere Erfahrung aus durchlebter Trübsal kann schon morgen eine Hilfe für unseren Nächsten sein. Die eigene durchlebte Erfahrung ist oft der beste Zugang für seelsorgerliche Hilfe am Nächsten. Römer 8,28

Der zweite Brief an die Korinther

Situation der Gemeinde
Die Situation der Gemeinde ist nur aus Andeutungen des Apostels zu erkennen. Er hatte schwere Zeiten in der Provinz Asia hinter sich (1,8-11) und war im Begriff, über Troas nach Mazedonien zu reisen (2,12; 7,5). Die Kapitel 8 und 9 setzen voraus, daß die Sammlung für die verarmte Gemeinde von Jerusalem weit fortgeschritten war. Ein besonderes Anliegen war es für den Apostel, einen ernsten Konflikt mit der Gemeinde endgültig beizulegen. Wie aus 2,1-11 und 7,12 hervorgeht, war Paulus in seiner Autorität als Apostel schmählich angegriffen worden. Ein Zwischenbesuch in Korinth hatte keine Lösung gebracht. Paulus schrieb daraufhin den in 2,4 erwähnten Brief, der uns allerdings nicht erhalten ist. Mit diesem Brief schickte Paulus den Titus nach Korinth. Als Titus mit guten Nachrichten zurückkehrte, war der Apostel getröstet. Aber in den Kapiteln 10-13 nennt er ein neues Problem, diesmal nicht aus dem Kreis der Gemeinde, sondern von außerhalb der Gemeinde: Judenchristliche Gegner behaupteten, daß Paulus gar kein richtiger Apostel sei. Paulus verteidigt sein Apostolat auf dreifache Weise:
1. mit dem Hinweis auf seine Leiden als Apostel (11,16-33),
2. mit dem Hinweis auf seine besonderen geistlichen Erfahrungen (12,1-10),
3. mit dem Hinweis auf seine apostolischen Wunder und Machttaten (12,12.13).

Eigenart des 2. Korintherbriefes
Es ist bedauerlich, daß dieser Brief in der Verkündigung wenig beachtet wird, obwohl er doch wie kein anderer die Herrlichkeit und die Nöte des apostolischen Dienstes beschreibt. Wegweisend ist die Kraft, mit der das Leid des Christen ins Licht der göttlichen Herrlichkeit gerückt wird, und vorbildlich ist die geistliche Feinheit, mit der die Kollekte für Jerusalem den Adressaten ans Herz gelegt wird.

Denn unsere Trübsal, die zeitlich und leicht ist, schafft eine ewige und über alle Maßen gewichtige Herrlichkeit.
2. Korinther 4,17

Samstag

10.

2. Korinther 1,8-11
Licht am Ende des Tunnels

Im gestrigen Abschnitt hat Paulus darauf hingewiesen, daß sogar in der Trübsal ein Segen liegt. Heute möchte er uns nochmals mit seiner Erfahrung bekanntmachen, die er in Zeiten des Leidens lernen konnte. Verglichen mit Christen anderer Länder erfahren wir relativ selten massive Verfolgung um der Sache Jesu willen. Paulus hat dies in seinem Leben mehrmals, sogar körperlich erlebt. Die Bedrohung ging so weit, daß er nicht mehr damit rechnete zu überleben. Auch wenn wir das noch nicht erfahren haben, werden wir doch alle schon an einen Punkt gekommen sein, wo es nicht mehr weiterzugehen schien. Paulus fordert uns auf, auch solche Tage dankbar anzunehmen. Sie helfen uns zu lernen, unser Vertrauen nicht auf die eigene Kraft und Fähigkeit, sondern auf Gott zu setzen. Römer 12,12

Unser Glaube ist der Sieg, der die Welt überwunden hat. 1. Johannes 5,4c

Sonntag

11.

Römer 10,9-17
Weitersagen!

Glaube und Bekenntnis gehören zusammen. Wenn Gott nur am Sonntag in unserem Leben eine Rolle spielt, stimmt etwas nicht. Wieviele Mitschüler oder Arbeitskollegen wissen, daß wir uns zu Jesus bekennen? Wenn sie nie etwas gehört haben, können sie auch nicht glauben. Reden wir uns nicht zu oft mit den Zahlen der Kirchenmitglieder heraus? Was belegen diese Zahlen überhaupt? Es ist eine Täuschung zu glauben, all diese Menschen würden das Evangelium kennen. Doch die wenigsten nehmen für sich in Anspruch, daß Jesus für sie gestorben ist. Nicht nur das: die wenigsten wissen, daß dies eine Voraussetzung dafür ist, Gemeinschaft mit Gott zu haben. Gott sucht Menschen, die auch heute sein Wort weitergeben. Er sucht Menschen, die dies nicht aus Zwang, sondern aus Freudigkeit tun. Römer 1,16a

Montag

12.

2. Korinther 1,12-24
Vorbild der Aufrichtigkeit

Bei seiner Abfahrt aus Korinth hatte Paulus wohl versprochen, wieder zurückzukehren (V. 15.16). Er änderte jedoch seine Pläne. Denn in der Zwischenzeit hatte Gott ihm bewußt gemacht, daß er Gefahr lief, die Korinther zu stark zu kritisieren (V. 23). Diese Haltung deuteten einige aus der Gemeinde als Wortbruch. Man kann sich die Frage stellen, warum so viele Verse dieses Abschnitts eine relativ beiläufige Angelegenheit behandeln. Die Persönlichkeit des Apostels wird durch seine Rechtfertigung sehr deutlich. Für Paulus ist ein Ja ein Ja und ein Nein ein Nein. In anderen Worten: Ein Jünger Jesu steht zu seinem Wort. – Können sich andere auf mich verlassen? Oder widersprechen sich meine Aussagen häufig? Die Briefe des Paulus machen sehr deutlich, wieviel Mühe er sich damit gab, Vorbild zu sein. 1. Timotheus 4,12

Dienstag

13. **2. Korinther 2,1-11**
Klare Sache

Die Korinther haben es Paulus nicht leicht gemacht. Er mußte sie schärfer ermahnen, als uns dies von irgendeiner anderen Gemeinde her bekannt ist. Davon waren bestimmte Leute sogar persönlich betroffen. Paulus strafte sie in der Gemeinde. Er machte aber auch deutlich, wie er diese Strafe verstand. Er handelte nicht aus Rechthaberei. Es fiel ihm eher schwer (V. 4). Doch Paulus war dafür, Mißstände deutlich beim Namen zu nennen. Damit war die Angelegenheit aber auch erledigt. Genauso deutlich weist Paulus nun darauf hin, daß der öffentlich Kritisierte auch wieder in den Kreis der Gemeinde aufgenommen werden muß. Paulus zeigt damit, daß er nicht nachtragend ist. Was vergeben ist, ist vergessen (V. 10). Jesus hat unsere Schuld ebenfalls vergeben und vergessen. Manchmal kochen aber Konflikte unter der Oberfläche weiter. Wieviel ist z.B. schon in Gemeindeversammlungen besprochen worden? Ist es aber wirklich vergeben? 1. Johannes 2,9

Mittwoch

14. **2. Korinther 2,12-17**
Wort und Tat

Was befähigt Paulus dazu, von einem Siegeszug seines Lebens zu sprechen? War sein Leben nicht gerade durch Verfolgung, Härte und Enttäuschung gekennzeichnet? Wie in vielen Dingen des Lebens ist auch hier die Perspektive entscheidend. Paulus wußte um seinen Auftrag. Dieser Auftrag bestand in der Verkündigung. Paulus wußte, wenn Gottes Wort weitergegeben wird, dann kommt es nicht leer zurück (vgl. Jes. 55,11). Menschen hören jedoch nicht nur auf unsere Worte, sie sehen auch unser Leben. Unser Lebenswandel spielt eine wichtige Rolle. Für Paulus stellt sich deshalb die Frage: Wer ist dazu tüchtig? Bei den Korinthern gab es Menschen , die damit Probleme hatten. Wenn sie Gottes Wort weitergaben, verbanden sie gleichzeitig persönliche Interessen damit. So kann Gott nicht segnen. Nur wenn wir ihm alleine die Ehre geben, wird sein durch uns weitergesagtes Wort auch heute Menschen bewegen. Epheser 4,15

Donnerstag

15. **2. Korinther 3,1-11**
Beamter der Gerechtigkeit

Paulus setzt sich mit den Korinthern über sein Amt als Apostel auseinander. Seine Aufgabe ist es, Menschen, denen das Gesetz Gottes ihre Schuld gezeigt hat, zur Gerechtigkeit zu führen (V. 9). Er ist ein Diener des Neuen Bundes (V. 6). Sein Dienstherr ist Jesus allein, der ihn durch den heiligen Geist leitet (V. 3.6.8). Deshalb braucht Paulus keine Empfehlungen von Menschen. Dabei wird die große Verantwortung, aber auch die große Freude des Dienstes für Jesus deutlich: Als „Briefschreiber" Jesu trägt er diese Nachricht weiter und prägt sie den Gemeinden ein. Der Inhalt der Nachricht ist herrlich: Es geht darum, daß Menschen lebendig im Geist und durch die Vergebung Jesu vor Gott gerecht werden. – Wodurch befähigt Jesus uns heute, seine „Beamten der Gerechtigkeit" zu sein? 2. Korinther 3,5

Freitag

16. **2. Korinther 3,12-18**
Freier Zugang
Weil Israel im Alten Bund sich immer wieder von Gott abwandte, wurde es verstockt, bis sie schließlich blind wurden für Gottes Liebe; aus Liebe wurde Pflicht, aus Gnade Recht. Deshalb liegt noch eine Decke (ein Nicht-verstehen-Können und -Wollen) auf Israel. Doch diese Decke ist eigentlich zerrissen. Der Vorhang im Tempel, der den Blick in das Allerheiligste verwehrte, zerriß beim Sterben Jesu (Matth. 27,51). Der Zugang zu Gott ist nun wieder frei. Jeder kann zu Gott kommen. Das gilt natürlich auch für das Volk Israel. Dieser Zugang zu Gott durch den heiligen Geist läßt uns jetzt schon die Herrlichkeit ahnen, in die wir einmal hineingenommen werden (V. 18). Was jetzt schon Wirklichkeit der Gnade Gottes ist, nämlich die Vergebung, wird dann an uns vollendet werden. Diese christliche Freiheit gilt es aller Welt zu verkünden. 2. Korinther 3,17

Samstag

17. **2. Korinther 4,1-6**
Licht für eine dunkle Welt
Paulus unterscheidet deutlich zwischen hell und dunkel, zwischen der offensichtlichen Wirklichkeit des Evangeliums und der verblendenden Lüge des „Gottes dieser Welt“, also des Teufels (V. 4). Der Wille Gottes ist, daß es Licht werde durch uns (V. 6). Das bedeutet Kampf gegen die finstere Macht des Teufels mit deutlich unterschiedlichen Waffen (V. 2). Den werden wir selbst nicht gewinnen; sondern Jesus Christus, unser Herr, führt den Kampf. Er hat uns allerdings Macht gegeben, dabei seine Mitstreiter zu sein. Doch nicht alle Menschen wollen zum Licht kommen. Vielen ist es zu dumm, einen gekreuzigten Gott als Herrn zu haben (1. Kor. 1,18). Aber weil wir Barmherzigkeit am eigenen Leib erlebt haben und um die Chance der Vergebung wissen, dürfen wir die Menschen in der Dunkelheit nicht aufgeben. Matthäus 5,14

Dies Gebot haben wir von ihm, daß, wer Gott liebt, daß der auch seinen Bruder liebe. 1. Johannes 4,21

Sonntag

18. **Römer 14,17-19**
Gefülltes Leben
Wer unter Gottes Herrschaft lebt, wer also Christ ist, zeichnet sich nicht dadurch aus, daß er sich an bestimmte Speisegebote oder Eßgewohnheiten, Gebetsvorschriften oder Lebensordnungen hält, sondern daß sein Leben gefüllt ist mit Gerechtigkeit, Friede und Freude. Diese drei Begriffe umschließen alle wichtigen Lebensverhältnisse: Gerechtigkeit meint die Gerechtigkeit vor Gott, die wir durch die Inanspruchnahme der Vergebung geschenkt bekommen; Friede meint den Frieden mit Gott und allen Menschen, auch mit den uns weniger sympathischen; Freude meint die Freude, die in unser Herz tritt, wenn wir Sorgen, Ängste und Schuld bei Gott abgeben. Alles das wirkt die Liebe Gottes in uns durch den heiligen Geist. Und das wiederum hat Auswirkungen auf unser Verhältnis zu Gott und den Menschen (V. 18). Römer 14,19

Montag

19.

2. Korinther 4,7-12
Kraft auch im Leiden

Mit diesen Versen nimmt uns Paulus hinein in sein persönliches Leiden. Mir fallen da Erlebnisse des Paulus ein wie seine Steinigung in Lystra (Apg. 14,19), das Gefängnis in Philippi (Apg. 16,23-40) und Rom (Phil. 1,13) und die vielen Verfolgungen und Verleumdungen. Aber sooft er an seine Leiden denkt, erinnert er auch immer an seine Bewahrung. Ja, er verweist sogar auf die ungeheure Kraft, die selbst im Leiden und Sterben in der Nachfolge Jesu mächtig sein will, auf den „Schatz“ (V. 7), die Christusherrlichkeit, die erlebte Vergebung. Gott erweist gerade darin seine Macht, daß er die irdenen Gefäße, nämlich unsere Zerbrechlichkeit, mit seiner Kraft erfüllt. Wir fragen oft im Blick auf persönliches oder erlebtes Leid: Warum läßt Gott das zu? Ich denke, daß Paulus hierauf eine Antwort gibt, wenn er von seinem Leiden wegblickt hin zu dem Leben mit Jesus (V. 11.12). 2. Korinther 12,9

Dienstag

20.

2. Korinther 4,13-18
Blick aufs Ziel

Der Glaube an Jesus weiß um die Auferstehung und gründet sich darauf (V. 14). Ein altes Lied erinnert an diese Gewißheit: „Auferstehen werd auch ich und den Auferstandnen sehen, wenn er kommt und wecket mich.“ Das Wissen um unsere eigene Auferstehung ist der tägliche Antrieb, die Kraft für jeden Tag. Dabei ist Jesu Auferstehung die Bürgschaft für unsere eigene. Das verkündigen heißt, Gott zu ehren (V. 15). Diese Blickrichtung empfiehlt uns Paulus im Leiden. Denn alle Trübsal hat das Ziel, Herrlichkeit zu „erarbeiten“ (V. 17). Auch das Leiden soll uns verwandeln in Christusmenschen („innere“ Menschen, V. 16), wenn wir auch als „äußere“ Menschen belastet sind und zerfallen. Als Christen haben wir keine Verheißung für ein leichtes, sorgenfreies Leben, jedoch die Zusage für eine ewige, große Herrlichkeit. Paulus lädt uns ein, auf die Ewigkeit zu blicken (V. 18). Denn Gottes Ziel mit uns ist Herrlichkeit.
Hebräer 12,1.2

Mittwoch

21.

2. Korinther 5,1-10
Geschenktes Wohnrecht

Bewegen uns noch die Fragen: Was muß ich tun, damit ich in den Himmel komme? Werden dann die guten Werke belohnt? Dazu stellt Paulus zu Beginn fest: Wir wissen, daß es im Himmel für jeden Christen eine „Eigentumswohnung“ gibt. Das Wohnrecht kann nicht erarbeitet werden, es wird uns aus Gnade und Barmherzigkeit geschenkt. Deshalb können wir getrost dem Tod entgegensehen, auch wenn es uns natürlich viel lieber wäre, ohne zu sterben gleich zu Gott zu kommen (V. 2.4). Das wird geschehen, wenn Jesus selbst wiederkommt. Doch heute schon kann Gott Sie und mich zu sich rufen. Wenn wir das täglich bedenken, werden wir unser Leben so einrichten, „daß wir ihm wohlgefallen“ (V. 9). Dann brauchen wir uns auch nicht davor zu fürchten, vor Jesu Richterstuhl offenbar zu werden; denn Christen werden nicht nach Tarif entlohnt, sondern aus Gnade und Liebe belohnt. Jesus wird dann fragen, ob wir aus Liebe zu ihm oder aus Eigenliebe gehandelt haben. 2. Korinther 5,9

Donnerstag

22. 2. Korinther 5,11-15

Getrieben von der Liebe

Jesus Christus opferte sein Leben aus Liebe für die Menschen. Doch heute wie damals erscheint die göttliche Liebe vielen Menschen unsinnig (1. Kor. 1,23). Im Leben des Apostels Paulus war diese Liebe die treibende Kraft (V. 14). Wenn er sogar übereifrig und unverständlich handelte, dann tat er es getrieben von der Liebe zu Gott (V. 13a). Was aus dieser Liebe geschieht, ist vor Gott immer gerechtfertigt, auch wenn es den Menschen unvernünftig erscheint. Zum Beispiel erregte die Salbung Jesu in Bethanien Anstoß unter den Anwesenden. Aber Jesus verteidigte die Liebestat der Frau (Mark. 14,9). Auch hat nur das, was aus Liebe zu Gott geschieht, Bestand (1. Kor. 13,1-3). Darum will Paulus aus Liebe zu Gott nicht sich selbst verwirklichen, sondern Jesus Christus (V. 15). Sein ganzes Leben ist darauf ausgerichtet, möglichst viele Menschen für Christus zu gewinnen (V. 11). – Worauf ist unser Leben ausgerichtet? 5. Mose 6,5

Freitag

23. 2. Korinther 5,16-21

Weltversöhnung durch Jesus Christus

Gottes Weltversöhnung durch Jesus Christus schafft neue Verhältnisse (V. 17). Das Kernproblem der Menschheit, die zerstörte Beziehung zu Gott, wurde von Gott selbst gelöst (V. 18). „Gott war es selbst an Christi Kreuz, der deine Schuld getragen hat, und ruft in seiner Huld: Laß dich mit Gott versöhnen!" (D. Singenstreu). Die Form der Bitte zeigt, wie passiv der Mensch zur Versöhnung mit Gott werden muß (V. 20). Kein Mensch kann zu Gottes Weltversöhnung einen Beitrag leisten. Sie ist ein übermenschliches, wunderbares Werk – von Gott erdacht und durch Jesus Christus vollbracht (Joh. 19,30). Nur wer das begreift und alle eigenen Versöhnungsversuche aufgibt, kann mit Gott durch Jesus Christus versöhnt werden. Die Ablehnung des Sohnes Gottes ist teuflisch (Joh. 8,24.44). Die vielen von Menschen erdachten Religionen zeigen klar, wie tief die Feindschaft des Menschen gegen Gott ist. Lassen wir uns doch durch Jesus Christus versöhnen! Kolosser 1,19.20

Samstag

24. 2. Korinther 6,1-10

Auf Herz und Nieren geprüft

Paulus und seine Mitarbeiter bewährten sich unter den schwierigsten Umständen als Diener Gottes. In Bedrängnissen, in Notlagen und Angst absolvierten sie die „Geduldsprobe" (V. 4). Unter Peitschenhieben, in Haft und unter aufgehetzten Menschen bestanden sie auch die „Mutprobe" (V. 5a). Ihre persönlichen Eigenschaften und Fähigkeiten setzten sie ganz für Gott ein. Sie konnten Tag und Nacht arbeiten, fasten und beten (V. 5b; Apg. 20,31). Sie dienten Gott aus reinen Motiven und führten ein vorbildliches Leben. Im Umgang mit den Menschen verhielten sie sich weise und einfühlsam (V. 6). In Auseinandersetzungen mit ihren Gegnern verließen sie sich auf Gottes Wort (V. 7). Sie lebten aus der Gnade Gottes, die sie zu allem befähigte. Gott schenkte ihnen seine Gnade nicht vergeblich (V. 1). Sie machten etwas daraus und schafften so die „Gnadenprobe". Wie werden wir abschneiden, wenn unser Leben „auf Herz und Nieren geprüft" wird? Hebräer 10,36

Heile du mich, Herr, so werde ich heil; hilf mir, so ist mir geholfen. Jeremia 17,14

Sonntag

25.

Epheser 4,22-32
Neu eingekleidet

Das Thema des Epheserbriefes ist die Herrlichkeit der Gemeinde Jesu. Die Gemeindeglieder bilden den Leib Christi, und Christus ist das Haupt seiner Gemeinde (V. 15.16). Der Leib Christi muß gut gekleidet sein. Paulus empfiehlt die Kleider der Gerechtigkeit und Heiligkeit (V. 24). Aber bevor wir in diese guten Kleider schlüpfen, müssen wir unsere schmutzigen Kleider der Ungerechtigkeit und Scheinheiligkeit ausziehen (V. 22). Nur so machen die neuen Kleider wirklich neue Leute und zeigen die Schönheit der Gemeinde Jesu. Wenn wir den Deckmantel der Lüge oder das „Zornkleid" ablegen (V. 25.26), läßt uns Christus nicht bloß dastehen. Er kleidet uns neu ein. Tragen wir seine Kleider „auf der Haut", oder verbergen wir darunter noch unsere alten Lumpen? Jesaja 61,10

Montag

26.

2. Korinther 6,11-7,1
Unvereinbare Gegensätze

Paulus nennt fünf krasse Gegensätze und fragt nach ihrer Übereinstimmung: Gerechtigkeit und Ungerechtigkeit; Licht und Finsternis; Christus und Belial (Name für Schlechtigkeit); Gläubige und Ungläubige; Tempel Gottes und Götzen. Die Frage beantwortet sich von selbst: Die Kontraste vertragen sich nicht. Es ist so, als wenn man zwei ganz verschiedene Tiere zusammenspannen würde (V. 14). Das kann nicht gutgehen. Paulus warnt uns vor zwielichtigen Verbindungen. Wer sich auf sie einläßt, verliert die Verbindung zu Gott. Niemand kann gleichzeitig oder „teilzeitig" Christus und Satan zur Verfügung stehen. Beide Mächte beanspruchen den ganzen Menschen. Gottes Wort fordert uns auf: Trennt euch von dem, was euch von Gott trennt, und laßt die Finger von der Sünde (V. 17)! Nur so können wir leben, wie es Gott gefällt (V. 1).

1. Könige 18,21

Dienstag

27.

2. Korinther 7,2-16
Erste Schritte auf dem guten Weg

Paulus fordert die Christen in Korinth zur Selbsterkenntnis auf (2. Kor. 13,5). Die Gemeinde war durch Schuld und Uneinsichtigkeit schwer belastet (1. Kor. 5,1.2). Paulus kämpft leidenschaftlich um ihre Heilung (2. Kor. 2,4). Offenbar konnte er sie nur noch ohne Nachsicht zu einer klaren Entscheidung auffordern (V. 8). Mit einem Kompromißangebot hätte Paulus gewiß sich und der Gemeinde viele Schmerzen erspart, aber Gottes Ziel nicht erreicht. Sein rücksichtsloser Ernst schreckte die Korinther auf und bewegte sie zum ersten Schritt zur Besserung (V. 9). Auf diesem guten Weg blieben sie nicht im irdisch-menschlichen Bereich stecken wie Judas (Matth. 27,3-5), sondern machten weitere Schritte zu ihrer Heilung (V. 10). Eifrig setzten sie sich für das Recht und für Paulus ein (V. 11.12). Wie weit gehen wir, wenn Gott uns zur Selbsterkenntnis führt?

Matthäus 26,75

Mittwoch

28. **2. Korinther 8,1-5**
Vorbildliche Freigebigkeit
Paulus schrieb keine Bettelbriefe. In diesem Abschnitt wollte er aber die Gebefreudigkeit der Christen in Korinth wecken. Die vorbildliche Freigebigkeit der mazedonischen Gemeinden in Philippi, Thessalonich und Beröa bewirkte Gottes Gnade – nicht menschliche Bettelei (V. 1). Die großzügigen Spender boten die finanzielle Unterstützung freiwillig an (V. 4). Wo Gottes Gnade wirkt, da ist das Geben keine lästige Pflicht, sondern ein Vorrecht (Apg. 4,34.35). Da kommt es auch nicht darauf an, was wir haben, sondern was wir geben. Die Mazedonier hatten nicht viel, aber sie gaben viel (V. 2). Diese Haltung lehrte Jesus uns am Beispiel der armen Witwe (Luk. 21,1-4). Wir dürfen nicht fragen: „Was geben wir von dem, was uns gehört?" sondern: „Was behalten wir von dem, was Gott gehört?" Die Mazedonier stellten sich Gott ganz zur Verfügung (V. 5). Das war das Geheimnis ihrer vorbildlichen Freigebigkeit, die auch unsere Gebefreudigkeit wecken will. 1. Chronik 29,9

Donnerstag

29. **2. Korinther 8,6-15**
Spenden, eine christliche Tugend
Paulus erwartet, daß Christen teilen: Freude, Glauben, Erkenntnis und auch Geld. Er befiehlt keine Zwangskollekte oder Kirchensteuer. Es ist jedoch dem Christen auch nicht freigestellt, ob er vom Überfluß abgeben will oder nicht. „Ich prüfe auch eure Liebe, ob sie von rechter Art sei" (V. 8). Liebe, die nicht abgibt, ist keine Liebe. Das Reden von Liebe hilft keinem Bedürftigen. Liebe, die teilt, wird zur Tat. Was macht aber der, der nicht viel hat? Was macht z.B. ein Schüler, ein Student oder ein Arbeitsloser? Der gibt eben weniger, oder er verschenkt Dinge, die nichts kosten, z.B. Zeit. Im Alten Testament gab es die Ordnung, 10% abzugeben. Das ist eine gute Regel, die zu einem Maß für jeden werden kann. Paulus erwähnt diese 10%-Regelung nicht. Er verweist auf Jesus Christus, der sich 100%ig gab. Er gab alles ab, damit wir reich würden. Warum sollten wir anders handeln als er? 3. Mose 27,30

Freitag

30. **2. Korinther 8,16-24**
Korrekt in Geldsachen
Paulus schickt gleich zwei Mitarbeiter nach Korinth, um die große Kollekte für Jerusalem abholen zu lassen. Die Gemeinde soll wissen, daß Paulus in Geldsachen korrekt ist. Obwohl Ehrlichkeit für Christen selbstverständlich sein sollte, ist eine klare Buchführung über Gelder unerläßlich. Gerade auf finanziellem Gebiet dürfen sich Christen nichts zuschulden kommen lassen. Mit Spendengeldern und persönlichen Opfern muß man ganz besonders verantwortlich umgehen. Titus reist extra deswegen nach Korinth und nimmt sich dafür einige Wochen Zeit. Er muß zu dieser Reise nicht gedrängt werden, sondern diesen Dienst tut er auch persönlich gern. Viele Christen haben das erlebt, daß die Übernahme von Aufgaben im Reich Gottes erfüllend und sinnvoll ist. Man gewinnt neue Freunde, manchmal sieht man sogar andere Länder, lernt die weltweite Christenheit kennen und merkt, daß es eine Freude ist, für Gott zu arbeiten. Matthäus 6,33

Samstag

31.

2. Korinther 9,1-5
Luther und die guten Werke

Fast aufdringlich ermahnt Paulus hier die Gemeinde in Korinth, doch genug Kollekte für Jerusalem zu geben. In Mazedonien erzählt er von der Opferbereitschaft der Korinther. Die Korinther spornt er mit der Opferbereitschaft der Mazedonier an. Erinnert diese Kollektenrede, heute am Reformationstag, nicht an den Ablaßhandel Tetzels? Dieser Gegner Luthers lehrte, daß Geld und Opfer der eigenen Seele oder der Seele eines anderen Heil bringen könnte. Er sagte: „Wenn das Geld im Kasten klingt, die Seele aus dem Fegefeuer springt.“ Das war eine Irrlehre. Geld macht nicht selig. Luther setzte dagegen, daß allein Jesus Christus unsere Sache mit Gott in Ordnung bringt. Gute Werke und Opfer sind selbstverständliche Äußerungen eines Christenlebens. Aber durch gute Werke kann man sich den Himmel nicht verdienen. Der Himmel ist durch das Opfer Jesu ein für allemal nur als Geschenk erhältlich.

Matthäus 7,17

So sind wir nun Botschafter
an Christi Statt,
denn Gott ermahnt durch uns;
so bitten wir nun an Christi Statt:
Laßt euch versöhnen mit Gott!

2. Korinther 5,20

Monatsspruch November:

Jesus Christus spricht: Laß dir an meiner Gnade genügen; denn meine Kraft ist in den Schwachen mächtig. 2. Korinther 12,9

Sonntag

1. **1. Thessalonicher 4,1-8**
„Allerheiligen"
Das Schlüsselwort in diesem Abschnitt ist das Wort „Heiligung" (V. 3). Heilig heißt in der Bibel all das, was sich Gott ausgesucht hat. Wer zu Gott gehört, ist ein Heiliger. Sind alle Christen Heilige? Wenn das so ist, dann muß das Leben des einzelnen Auswirkung haben. Im sexuellen Bereich heißt das, daß Christen einander treu sind und ausschließlich dem Ehepartner gehören. Unzucht, sexuelle Freizügigkeit und „gierige Lust" (V. 5) sind dagegen Zeichen der Gottlosigkeit und des Heidentums. Heiligung im sexuellen Bereich ist nicht Verachtung der Sexualität. Vielmehr erwartet Gott von seinen Geschöpfen, daß wir die von ihm gegebene Sexualität verantwortlich in Freundschaft und Ehe gestalten. Hilfreich kann es sein, in diesen Fragen mit erfahrenen Christen zu sprechen. 2. Mose 20,14

Montag

2. **2. Korinther 9,6-15**
Wer schenkt, wird beschenkt
Eine der Voraussetzungen für eine reiche Ernte ist eine großzügige Aussaat. Das wissen nicht nur Landwirte und Wirtschaftsberater. Auch bei Gott gilt diese Regel. Paulus und viele Christen der ersten Gemeinden haben diese Erfahrung gemacht. Geben und Verschenken macht nicht arm, sondern auf eine andere Weise reich. Wer von dem, was er hat, abgibt, vermehrt den Segen Gottes. Arme Menschen bekommen so an dem Reichtum anderer Anteil. Und Gott gibt selber – oft in ganz anderer Währung – zurück. Diesen geheimen Ausgleich Gottes für ein freigebiges Leben lernt nur der kennen, der das ausprobiert. Gott gibt seinen Segen dem, der ihn nicht für sich behält. Beim Weitergeben machen wir neue Erfahrungen mit der Treue Gottes. Wer abgibt, erfährt in ganz besonderer Weise die Liebe Gottes (V. 7). Maleachi 3,10

Dienstag

3. **2. Korinther 10,1-11**
Vorwürfe
Paulus muß sich hier mit harten, persönlichen Vorwürfen auseinandersetzen. Ihm wird vorgeworfen, in der Entfernung mutig und in der Nähe ängstlich, in den Briefen deutlich und in der Rede belanglos zu sein (V. 2.10). Paulus bittet, ihm ein scharfes Auftreten bei einem folgenden Besuch zu ersparen (V. 2). Bestimmte Kreise der Korinther haben sich an seiner Person und an seinem Auftreten gerieben. Sie meinten, weil Paulus nicht imponierend genug sei, sei er kein richtiger Apostel. Paulus verteidigt nun nicht seine Person. Er betont, daß er nicht *nach* dem Fleisch, aber noch *in* dem Fleisch lebt. Das bedeutet, daß das Irdische und Gottlose nicht sein Maßstab ist. Er lebt für Gott. Von Gott hat er allerdings die Bevollmächtigung und den Auftrag, die Gemeinde zu ermahnen und zu korrigieren. Johannes 3,30

Mittwoch

4. **2. Korinther 10,12-18**
Aufgabenteilung

■ Reklame für die eigene Sache ist heute üblich. Ebenso rühmten sich manche Prediger in Korinth, daß sie mehr schaffen würden als Paulus. Sie gaben sich selbst Empfehlungsschreiben mit. Die Gemeinde in Korinth geriet dadurch in einen Konflikt. Paulus überläßt das Urteil darüber letztlich Gott. Er weiß: Nicht der ist tüchtig, der sich selbst lobt, sondern der, den Gott lobt (V. 18). Das ist ein guter Maßstab, der auch in unseren Gemeinden Richtschnur sein sollte. Denn nur, wer Christus in Wort und Tat verkündigt, ist wichtig. Der aber, der sich selbst für wichtig hält und auf sich aufmerksam macht, muß in Gottes Augen gar nicht wichtig erscheinen. Gott fordert auch nicht, daß jeder alles tut. Er will nur, daß wir den von ihm gegebenen Auftrag ausführen. Paulus hatte den Auftrag, das Evangelium nach Korinth zu tragen. Andere sollten in anderen Gemeinden das Evangelium verkünden. Was ist mein Auftrag?

1. Korinther 12,4-6

Donnerstag

5. **2. Korinther 11,1-6**
Einen anderen Jesus gibt es nicht

■ Nur Jesus Christus alleine ist für unsere Erlösung in die Welt gekommen. Für ihn lohnt es sich zu leben. Diese Wahrheit wurde schon bei den ersten Christen verwässert. Welchen „anderen Jesus" (V. 4) die Gegner des Paulus predigten, ist unbekannt. Aber wird nicht auch heute der Name Jesu mißbraucht für eine „christliche Kultur", für das „christliche Abendland", für „christliches Verhalten"? Viele nennen sich Christen, lassen Jesus aber nicht ihren Herrn sein. Es ist wie bei einer Hochzeit, sagt Paulus, zu einem Bräutigam gehört die Braut (V. 2). So gehören auch Christen zu Christus; keinem anderen dürfen sie sich hingeben. Gefährlich wird es immer dann, wenn neben Jesus Christus noch anderes notwendig sein soll: gute Werke und Aktionen, reichliche Spenden und Opfer. Das ist Irrlehre. Das unverfälschte Evangelium ist klar und einfach – auch wenn es vielen töricht (V. 1) und einfältig (V. 3) erscheint.

Apostelgeschichte 4,12

Freitag

6. **2. Korinther 11,7-15**
Apostel zum Nulltarif

■ Das waren schon starke Beschuldigungen, die da gegen Paulus vorgebracht wurden: „Einige Gemeinden beraubt er, und von uns will er keine Hilfe annehmen. Sicherlich liebt er uns nicht so, wie es die anderen Verkündiger tun!" Dabei ging es Paulus gerade darum, mit seinem Verhalten zu zeigen, daß ein entscheidender Unterschied zwischen ihm und den falschen Aposteln bestand. Waren diese doch in die Gemeinde eingedrungen, bildeten sich etwas ein auf ihre Verdienste und ließen sich aushalten. Gerade seine große Liebe zu den Korinthern machte Paulus fähig, auf Ansehen und Geld zu verzichten. Auch heute wird oft auf denjenigen herabgeschaut, für den Erfolg und Geld nicht das Wichtigste ist. Beachtung aber findet der, der Einfluß und Macht besitzt. Doch Paulus verdeutlicht uns, wohin der Weg der falschen Apostel führt (V. 15). Lassen wir uns von Paulus zeigen, worauf es eigentlich ankommt: nicht daß wir im Mittelpunkt stehen, sondern Gott und unser Nächster. Matth. 10,8b

Samstag

7.

2. Korinther 11,16-33
Gezwungen zum Eigenlob

War Paulus ein minderwertiger Apostel? Die Gemeinde in Korinth meinte, mit den Aposteln in Jerusalem könne er sich nicht messen. Diese Auffassung treibt Paulus dazu, sich selbst zu loben. Aber geht er da nicht ein bißchen zu weit, wenn er sagt, er sei ein viel größerer Diener Christi? Worin besteht denn diese Größe? Nun geschieht das Erstaunliche: Nicht große Erfolge und seine vielen Gemeindegründungen zählt Paulus auf, sondern seine Leiden und Schmerzen lassen ihn wie ein Narr reden. Ist das nicht eher ein Zeichen von Schwäche? Uns ist es doch meistens peinlich, von unseren Leiden, Schwächen und unserem Versagen zu erzählen. Doch gerade da, wo scheinbar Schwäche und Hilflosigkeit herrschen, ist Gottes Kraft besonders groß. Immer wieder kommt uns Gott auch durch leidvolle Erfahrung ganz neu nahe. Matthäus 8,17

Siehe, jetzt ist die Zeit der Gnade, siehe, jetzt ist der Tag des Heils! 2. Korinther 6,2b

Sonntag

8.

Römer 14,7-9
Alles für den Herrn

Die Thematik, die Paulus in diesem Kapitel anspricht, kommt uns sicher nur allzu bekannt vor. Wie oft entzweit man sich in unseren Gemeinden an eigentlich zweitrangigen Fragen! Wie oft verurteilen wir uns untereinander, nur weil einer eine andere Meinung zu bestimmten Dingen hat (z.B. Politik, Mode, Musik)! Paulus weist uns in diesen Versen wieder auf das Entscheidende hin: Nicht für uns und unsere Meinungen leben wir, sondern allein für Jesus. Er muß Maßstab sein im Leben; dann gehören wir ihm auch im Tod. Ihm allein steht es zu, über Entscheidungen und Vorstellungen zu richten. Vor ihm müssen wir uns einmal verantworten. Aber das macht auch Mut, daß er unser Herr ist. So bin ich nicht mehr abhängig von einem bestimmten Lebensstil; sondern einzig das Vertrauen auf Jesus macht mich frei. Johannes 14,6

Montag

9.

2. Korinther 12,1-10
Nur Gnade

Nicht nur von schwachen Stunden kann Paulus berichten. Gott hatte ihn auch Außergewöhnliches hören und sehen lassen. Aber diese Erlebnisse sollen nicht im Mittelpunkt stehen, denn nicht aus ihnen schöpft er seine Kraft. Immer wieder wird er daran erinnert, daß er nur durch Gottes Gnade leben kann. Das hat er oft schmerzhaft erfahren müssen. (Möglicherweise ist mit dem „Pfahl“ eine Krankheit gemeint.) Auch uns gilt die Zusage der Gnade Gottes. Sicher ist jeder von uns schon einmal an die Grenzen der eigenen Möglichkeiten gestoßen. Wie oft haben wir schon gegen bestimmte Fehler in unserem Leben angekämpft und haben es nicht geschafft! Gott möchte unsere Schwächen und unser Versagen durch seine Gnade umwandeln. Er will in uns stark werden. Geben wir doch vor Gott unser Unvermögen zu! Philipper 4,13

Dienstag

10. **2. Korinther 12,11-18**
Grenzenlose Liebe

■ Die ablehnende Haltung einzelner in der Gemeinde schreckt Paulus nicht ab. Mit allen Mitteln wirbt er immer wieder um ihr Vertrauen. Auch wenn dabei manches harte und zurechtweisende Wort fällt, so wird doch sein ganzes Handeln von der Liebe bestimmt. Obwohl er schon zweimal die Gemeinde besucht hat, ist er trotzdem bereit, noch einmal zu kommen. Ja, er würde sogar sein Leben für die Gemeinde opfern. Angesichts der ständigen Angriffe durch die Gemeinde fällt es uns schwer, diese Liebe zu verstehen. Sind wir nicht eher versucht, in solchen Situationen mal richtig dreinzuschlagen? So ein ordentliches Gewitter reinigt ja schließlich die Luft! Paulus aber zeigt uns hier eine ganz andere Möglichkeit: eine Liebe, die bis zur Selbstaufgabe geht. Ich wünsche mir eine solche Liebe in unseren Gruppen und Gemeinden, die den anderen trägt, ermutigt und auch in Auseinandersetzungen das Miteinander bestimmt. Epheser 4,15

Mittwoch

11. **2. Korinther 12,19-21**
Hoffnung auf Umkehr

■ Das Ende des zwölften Kapitels wirkt überraschend. Klang nicht alles vorher Gesagte wie eine einzige Verteidigungsrede des Paulus? Doch sein Ziel war es nicht, sich zu verteidigen, sondern vielmehr die Gemeinde aufzubauen. Darum muß er sich vor ihr auch nicht rechtfertigen. Paulus und seine Mitarbeiter sind allein Gott verantwortlich. Waren die Versuche, die Gemeinde zur Umkehr zu bringen, denn alle vergeblich? Wird er bei seinem nächsten Besuch wieder die gleichen Zustände antreffen? Wie leicht kommen wir da in Versuchung, uns über diese Gemeinde in Korinth zu stellen, als sei so etwas bei uns nicht denkbar. Aber sind nicht auch bei uns viele Gemeinden durch Streit und Lieblosigkeit zerrissen? Prüfen wir uns einmal selbst, ob nicht vieles, was Paulus sagt, auch auf uns zutrifft! Sind wir bereit, uns von Gott ändern zu lassen und von falschen Wegen abzukehren? Römer 2,4b

Donnerstag

12. **2. Korinther 13,1-4**
Konsequenzen

■ Sie wollten es nicht anders. Immer wieder forderte die Gemeinde in Korinth Paulus auf, den Beweis seiner Vollmacht zu erbringen. Nun ist es soweit: Paulus kündigt Konsequenzen bei seinem nächsten Besuch an. Zweimal hat er dem Treiben in der Gemeinde schon zugesehen. Aber bei seinem dritten Besuch will und muß er eingreifen, wenn keine Umkehr stattfindet. Doch nicht Paulus selbst wird als der große Richter der Gemeinde auftreten, sondern Christus wird durch Paulus richten. Wieviel wird oft zerstört, weil immer wieder Menschen sich das Recht herausnehmen, über andere zu richten! Das geschieht nicht nur im großen, sondern auch im kleinen, im täglichen Miteinander. Lernen wir doch an Paulus, uns von Jesus als Werkzeuge gebrauchen zu lassen, auf ihn zu hören, um von ihm in Auseinandersetzungen die nötige Urteilsfähigkeit geschenkt zu bekommen! Jesus will nie zerstören, sondern helfen, aufbauen und zurechtbringen. Römer 14,10

Der Brief an Philemon

Adressat
Der Brief ist an einen wohlhabenden Christen in Kolossä gerichtet, an Philemon, der sein Haus für die Gemeinde zu Versammlungen zur Verfügung gestellt hat (2). Philemon hat dem Apostel Paulus Entscheidendes für sein Glaubensleben zu verdanken.

Situation
Der Philemonbrief ist der kürzeste Paulusbrief und gehört wie der an die Epheser, Philipper und Kolosser zu den „Gefangenschaftsbriefen". Um die letzte Gefangenschaft des Apostels kann es sich kaum handeln, da Paulus hofft, freigelassen zu werden (22), während er im 2. Timotheusbrief mit seiner baldigen Verurteilung und Hinrichtung rechnet (2. Tim. 4,6.7).

Zweck des Briefes
Der ganze Brief ist eine Fürsprache für Onesimus, einen dem Philemon entlaufenen Sklaven. Dieser hat seinen Herrn vor seiner Flucht wahrscheinlich bestohlen. Onesimus findet durch den Apostel zum Glauben an Christus (10) und erweist sich ihm durch seine Dienste als sehr nützlich (Onesimus bedeutet „der Nützliche). Paulus schickt ihn mit diesem Brief zu seinem Herrn mit der Bitte zurück, ihm zu verzeihen und ihn als Bruder aufzunehmen (16).

Gliederung
1-3: Briefeingang und Gruß
4-7: Paulus dankt Gott für die Liebe und den Glauben Philemons.
8-22: Bitte, dem Onesimus zu verzeihen und ihn als Bruder aufzunehmen.
23-25: Grüße

Auf diesem Medaillon aus dem 4. Jahrhundert, das ein römischer Sklave tragen mußte, steht: „Nimm mich fest, falls ich fliehen sollte, und schicke mich meinem Herrn zurück!“

Freitag

13. **2. Korinther 13,5-13**
Glaube auf dem Prüfstand

Echter Glaube wird konkret. Er bleibt nicht nur im Kopf, sondern geht ins Herz und in die Hand. Glaube will lebendig werden. Glaube ist prüfbar. Auch Paulus fordert die Gemeinde in Korinth auf, ihren Glauben zu überprüfen. Ist Christus noch ihre Mitte? Ist er in ihrem Leben auch für andere zu erkennen? Diesen Anfragen müssen auch wir uns immer wieder stellen. Ist unser Lebensstil wirklich an Jesus orientiert, und kann unser Glaube Vorbild für andere sein? Wenn wir Nachfolge Jesu in unserem Leben verwirklichen, dann ist unser Miteinander bestimmt von Freude, Trost, Einheit und Frieden (V. 11). An unseren „Früchten“ wird man uns erkennen können. Lassen wir uns anstecken vom Eifer des Paulus, seinem Herrn in allem nachzufolgen, und bitten wir um Jesu Liebe, damit unser Leben ein Zeugnis sein kann in dieser Welt! Johannes 15,5

Samstag

14. **Philemon 1-25**
Vom Sklaven zum Bruder

Selbst in der Gefangenschaft hört für Paulus die Fürsorge für andere Menschen nicht auf (V. 19). Mit diesem Privatbrief aus dem Gefängnis in Rom hilft der Apostel einem Sklaven, der inzwischen durch den Dienst des Paulus ein Jünger Jesu geworden ist (V. 10), zu seinem rechtmäßigen Herrn zurückzukehren (V. 12). Philemon ist ein begüterter Christ in Kolossä, in dessen Haus sich eine Gemeinde versammelt (V. 2.4-7). Ihm ist Onesimus in zurückliegender Zeit davongelaufen (V. 18). Nun soll Philemon seinen Sklaven wie einen Bruder aufnehmen (V. 16); mehr Gutes will Paulus nicht „erzwingen“. Er krempelt also nicht einfach die damals geltende Ordnung um. Aber er leitet zwei Menschen an, sich im Namen ihres gemeinsamen Herrn und in gegenseitiger Verantwortung zu begegnen. Er schlägt für diese Menschen die Brücke der Liebe und des Friedens. Matthäus 23,8

Wir müssen alle offenbar werden vor dem Richterstuhl Christi. 2. Korinther 5,10

Sonntag

15. **Römer 8,18-23**
Vom Leiden zur Herrlichkeit

Es gibt unheimlich viel Leid in dieser Welt: Lasten und Schmerzen, die unerträglich scheinen; Sorgen und Kämpfe, die unbeschreiblich sind. Darum verschweigt Paulus auch das Schwere nicht, das mit der Nachfolge Jesu verbunden sein kann. Aber durch die dicken Nebel der Leiden dringt doch jetzt schon das Licht der Hoffnung (V. 18). Darum ist das starke Sehnen aller Kreatur nach der Erlösung nur zu gut zu verstehen (V. 20.22). Und dieses Sehnen wird gestillt werden. Denn durch Gottes Heil, das Jesus Christus vollbracht hat, wird auch alles abgrundtiefe Leid überwunden und die ganze Schöpfung mit Gottes Herrlichkeit überkleidet werden (V. 21). Dafür ist jetzt schon eine „Garantie“ gegeben: Gottes heiliger Geist, der in denen wohnt und wirkt, die an Jesus Christus glauben (V. 23). Diese Gewißheit gibt unserem Leben Perspektive. 2. Korinther 4,17.18

Montag

16.

Titus 1,1-16
Führungskräfte gesucht

Paulus fordert seinen Mitarbeiter Titus auf, Älteste einzusetzen (V. 5). Er bezeichnet diese Männer gleichzeitig als Bischöfe (V. 7), was wörtlich mit „Aufseher" übersetzt werden kann. Sie sollen die Gemeinden in der Verantwortung vor Gott leiten. Paulus legt großen Wert auf die Eigenschaften der Ältesten. Sie müssen reife, gefestigte Menschen sein, die ihre Liebe zu Gott als Väter an ihre Kinder weitergeben, die gelassen Konflikte durchstehen können, die sich ehrlich für andere einsetzen und vor allem nur Gott gehorchen. Dann sind sie auch in der Lage, zu ermahnen und zurechtzuweisen (V. 9). Denn das läßt niemand gerne an sich geschehen. Wenn aber Älteste in der Gemeinde eine Autorität haben, die eindeutig im Wort und Auftrag Gottes begründet ist, wird ihr Rat überzeugen. Nicht rechthaberische und enge Besserwisser haben unsere Gemeinden nötig, sondern von Gott bevollmächtigte Führungskräfte. Kolosser 3,16

Dienstag

17.

Titus 2,1-10
Lebensmuster

Titus soll die Menschen seiner Gemeinde auffordern, Gott wohlgefällige Christen zu werden in ihrem jeweiligen Lebensalter und ihrer Lebenssituation. Er tut das, während er selber lernt und Vorbild wird, sozusagen als ein „Musterchrist". Aber wie sieht dieses Muster denn nun aus? Es soll ein Muster guter Werke sein (V. 7). Aber ein mustergültiges Verhalten und ein anständiges Leben kann so leicht zum Krampf werden. Das wünscht Gott sich anders: Er möchte gute Werke als Ausdruck unserer Liebe. Erst die Liebe Gottes zu uns macht uns fähig zur Liebe, die dann an andere weitergegeben werden kann. Sie ist das „Muster" unseres Lebens, nämlich die Liebe, die Gott an uns verwandte, als er seinen Sohn für uns in den Tod gab (V. 14). Alle anderen Eigenschaften wie Besonnenheit, Güte, Ehrlichkeit, Nüchternheit lassen sich nicht leben ohne Liebe. Jemand, der „ein Vorbild guter Werke " ist (V. 7), ist dann kein Moralapostel, sondern ein Liebender. Markus 12,30.31

Mittwoch

18.

Titus 2,11-15
Der Rahmen des Christenlebens

Besonnen, gerecht und fromm sollen wir leben, eifrig zu guten Werken sein. Aber eifrig heißt nicht, daß wir religiöse Plfichtübungen ableisten, sondern daß uns ein innerer Antrieb dazu drängt, anderen Liebe zu erweisen. Der innere Antrieb ist die Liebe Gottes zu uns, aus der unsere Liebe zu ihm entsteht. Dieses Leben in der Liebe ist eingerahmt durch zwei wichtige Tatsachen: Zunächst hat Jesus uns erlöst und gereinigt durch seinen Tod (V. 11). Dadurch sind wir überhaupt in der Lage, mit Gott in Verbindung zu treten. Seitdem haben wir die Hoffnung auf Jesu Wiederkehr, die uns Gott viel näher bringen wird, als wir ihm in unserem irdischen Leben je sein konnten. Dieser Rahmen macht uns fähig zu einem Leben in guten Werken, die nicht nur auf christlicher Tradition gründen. Ein frommes, gerechtes Leben ist kein geruhsamer Selbstzweck, sondern die folgerichtige Antwort auf das Sterben Jesu. Epheser 2,10

Donnerstag

19.

Titus 3,1-15
Vorschußliebe

Warum sollen wir gütig sein, nicht streiten, zu guten Werken immer bereit sein? Liebt Gott uns dann mehr? Nein, sicher nicht; denn seine Freundlichkeit und Menschenliebe hat er uns gezeigt, als wir noch gar nicht daran dachten, gut zu sein (V. 3.4). Er gab seine Liebe als Vorschuß, und sie bleibt unser ganzes Leben Vorschuß, denn so viele gute Werke könnten wir gar nicht tun, so gut nicht sein, daß wir seine Liebe verdienten. Aber seine Liebe läßt uns nicht so, wie wir sind; wir werden erneuert (V. 5). Und damit ändert sich alles. Jetzt sind wir überhaupt erst in der Lage, gute Werke zu tun. Und warum sollen wir das? Paulus sagt ganz schlicht: weil es gut ist und den Menschen nutzt (V. 8). Wir sind nützlich für andere Menschen, die Gott genauso mit Vorschuß liebt wie uns selbst, und erweisen ihnen Achtung und Liebe. Hier schließt sich der Kreis der Menschenliebe Gottes. Deshalb sollen wir uns mit guten Werken hervortun. 1. Johannes 4,19

Freitag

20.

Markus 13,1-13
Sicherheiten

Wann ist das Ende unserer Welt gekommen? Alle Menschen, auch die, die nicht an Jesus Christus und seine Herrschaft glauben, fragen so – sei es im Angesicht der atomaren Aufrüstung, mit der wir selber der Erde ein schreckliches Ende setzen könnten, sei es im Blick auf den schleichenden Zusammenbruch des fein abgestimmten ökologischen Gleichgewichts der Erde. Das ist unser Sicherheitsbedürfnis. Wir wollen wissen, ob diese Welt und unser Leben ein gutes Ende nehmen. Oder wenigstens wollen wir hören, daß uns noch Zeit bleibt, bis das Ende da ist. Das gäbe uns dann die Sicherheit, mit der wir für die nächsten zehn oder tausend Jahre planen könnten. Aber Jesus widerspricht unserem Sicherheitsbedürfnis. „Die Katastrophen sind näher, als ihr meint. Aber habt keine Angst (V. 7). Fürchtet euch nicht davor (V. 11). Wartet bis zuletzt auf mich (V. 13)." Matthäus 6,34

Samstag

21.

Markus 13,14-23
Schutz vor Verführung

Nicht offene Christusgegnerschaft scheint die größte Gefahr für die Gemeinde Jesu zu sein, sondern falsche Christusse und falsche Propheten, die uns vom festen Grund unseres Glaubens abbringen und auf ihre Seite ziehen wollen. Doch für seine Auserwählten (V. 22) hat Gott vorgesorgt. Sie könnten nur verführt werden, „wenn es möglich wäre". Es ist also nicht möglich, daß wir uns zu irgendwelchen fanatischen Aktionen hinreißen lassen und auf die Schauwunder der Irrlehrer hereinfallen – wenn wir allein auf das achten, was Jesus uns gesagt hat (V. 23)! Sein Wort ist wirksamer Schutz. Es bereitet uns auf die gefährlichen Zeiten vor und öffnet uns die Augen für drohende Verführung. Im Vertrauen darauf können wir den schrecklichen Katastrophen, der Verunsicherung, selbst Angst und Schmerzen entgegensehen. Es ist ja der Leidensweg Jesu, den nun auch die Gemeinde in seiner Nachfolge zu gehen hat. Sie ist auch in diesen Nöten in der Hand des allmächtigen Gottes.

1. Petrus 1,5

Lasset eure Lenden umgürtet sein und eure Lichter brennen. Lukas 12,35

Sonntag

22. Offenbarung 21,1-7
Ganz nah bei Gott

■ Wir haben Mühe, uns das wirklich vorzustellen, was Johannes geschaut und für die Gemeinde Jesu aufgeschrieben hat: Es wird einmal nichts mehr geben, über das wir traurig sein und weinen müßten, keine Schmerzen, Krankheiten, seelischen Verletzungen, keinen Tod mehr. Angesichts des immer wieder erlebten Sterbens, wenn wir von Menschen Abschied nehmen müssen, damit Hoffnungen und Perspektiven begraben müssen, sagt uns dieses Wort Gottes: Alles wird neu sein. Gott wird ganz nah bei uns wohnen. Aber vielleicht erschreckt uns das auch, Gott so nah zu sein, so nah bei ihm, der heilig, absolut gerecht und Herr über alles ist. Kennen wir Gott, unseren Vater, so gut, daß wir uns wirklich wünschen, nah bei ihm zu leben? Aber wir können getrost sein: Durch Jesus Christus macht Gott auch uns neu, so daß er bei uns wohnen kann. 2. Korinther 5,17

Montag

23. Markus 13,24-37
Wach bleiben!

■ Das ist offenbar so wichtig, daß Jesus es dreimal wiederholt: Seid wachsam! (V. 33.35.37). Wir sollen wachsam sein und auf den Augenblick warten, an dem Jesus wiederkommt. Sollen wir aus Furcht wachen, weil wir es vielleicht verpassen könnten, wenn Jesus in großer Kraft und Herrlichkeit kommt? Wohl kaum. Wachsamkeit bedeutet, in dieser Zeit, in der Jesus nicht in sichtbarer Gestalt unter uns ist, trotzdem immer auf ihn zu sehen, immer so zu leben, daß deutlich ist: Er ist der Herr im Haus unseres Lebens und niemand sonst. Wachsam sein bedeutet auch, offen und bereit zu sein, wenn Jesus uns aus seinem Wort Neues lehren und mitteilen will. Oder haben wir uns etwa zur Ruhe gelegt auf den Erfahrungen, die wir bis jetzt mit Jesus gemacht haben?

1. Korinther 16,13

Dienstag

24. 2. Petrus 1,1-11
Geschenksendung

■ Christsein heißt: 1. Wir sind von Jesus Christus aus einem Leben der Sünde in die Gemeinschaft mit Gott berufen. 2. Wir wurden beschenkt mit Glauben und allem, was für ein Leben mit Gott nötig ist. „Geschenksendung“ steht auf dem Paket Gottes, das er für jeden abgeschickt hat. Ist es bei uns schon angekommen? Und wie gehen wir damit um? Finden wir die Verpackung so großartig, daß wir das Geschenk eingewickelt stehen lassen? Oder nehmen wir den Inhalt für uns in Anspruch? In einer langen Reihe zeigt Petrus die Schritte auf, die wir zu gehen haben, wenn das, was uns Gott geschenkt hat, in unserem Leben zur Wirkung kommen soll. Denn Gott hat uns neues Leben geschenkt, und das soll wachsen und gedeihen (V. 8) auf der Grundlage der göttlichen Berufung und Erwählung. Römer 8,32

Mittwoch

25.

2. Petrus 1,12-21
Vorbereitung auf die Zukunft

Was muß das für ein Erlebnis gewesen sein, damals auf dem Berg der Verklärung (Matth. 17,1-8): Jesus in strahlendes Licht getaucht und neben ihm Mose und Elia! Die Jünger hatten die lichte Wolke gesehen, das Zeichen der Gegenwart des lebendigen Gottes, mit dem er einst sein Volk auf dem Weg ins Gelobte Land begleitet hatte (2. Mose 13,21), und sie hatten die Stimme Gottes gehört. Nie wird Petrus das vergessen, immer wird er sich daran erinnern. Solche Erinnerung hilft Zweifel zu überwinden und Durststrecken durchzustehen. Solange wir noch wie im Zelt auf dieser Erde leben, solange wir noch nicht in ein festes Haus im Himmel umziehen konnten (2. Kor. 5,1), haben wir solches Erinnern nötig. Deshalb feiern wir auch Abendmahl, damit unter uns gegenwärtig ist, was Jesus für uns getan hat. Erinnern ist kein Hängen am Gestern. Erinnern ist Gegenwartsbewältigung und Vorbereitung auf die Zukunft.

Johannes 14,26

Donnerstag

26.

2. Petrus 2,1-22
Gefahren für den Glauben

Gemeinschaft mit Christus bedeutet nicht das Ende aller Kämpfe. Im Gegenteil: Der Christ hat die Angriffe des Widersachers Gottes stets zu erwarten. Der Feind wird versuchen, ihn zu überlisten und für sich zu gewinnen. Dabei findet er meisterhaft unsere schwachen Punkte: Triebe, Sorgen, Bequemlichkeit. Auch „Freiheit" bietet er uns an. Aber eine Freiheit ohne Bindung an Gott wird zur gefährlichen Utopie. Petrus vergleicht die Verkündiger solcher Freiheit mit Brunnen ohne Wasser, dahintreibenden Wolken, ewiger Finsternis. Wo der Mensch die ihm von Gott gegebene Freiheit als Bindungslosigkeit mißversteht, wird er zum Tier. Bestehen können wir nur in der wachsamen Ausrichtung auf Gott. Denn mit unserer eigenen Kraft können wir den Verführungen nicht standhalten. Ein Glaube, der alles vom Herrn erwartet, macht uns widerstandsfähig.

Matthäus 24,4

Freitag

27.

2. Petrus 3,1-9
Gottes Geduldsfaden

Manchmal scheint er nur aus dünnem Zwirn zu sein, unser Geduldsfaden. Wenn Mutter und Vater abends geschafft von der Arbeit nach Hause kommen und ihnen dann ebenso geschaffte Kinder auf die Nerven gehen, dann brauchen sie „Nerven wie Stahlseile". Gott scheint solche Stahlseilnerven zu haben. Denn Anlässe, aus der Haut zu fahren und der Weltgeschichte ein Ende zu setzen, haben wir Menschen ihm seit der Schöpfung immer wieder gegeben. Doch Gott hat noch immer Geduld mit uns. Noch immer wartet er auf unsere Umkehr. Noch immer heißt aber nicht für immer. Das hat er mit dem Ereignis der Sintflut deutlich gemacht. Gott hält Wort. Er erfüllt, was er angekündigt hat. Daran ändern auch die Spötter nichts. Aber vielleicht bekehrt sich vorher noch ein Spötter – noch bevor der Stahlseilgeduldsfaden Gottes reißt.

2. Mose 34,6

Samstag

28. **2. Petrus 3,10-18**
The Day After
■ Der Film mit diesem Titel, der die Situation nach einer Kernwaffenexplosion szenisch darstellt, hat größte Bestürzung ausgelöst bei allen, die ihn gesehen haben. Es ist vorstellbar geworden seit Nagasaki und Hiroshima, was Petrus hier beschreibt: Die Elemente werden zerschmelzen; die Erde und alles, was auf ihr ist, wird verbrennen und vergehen. Gibt es dann überhaupt noch einen Tag danach? Was bleibt übrig? Kann man noch etwas tun? Genau das ist es, worauf wir gestoßen werden sollen: Das Ende ist nicht das Letzte. Es gibt einen neuen Himmel und eine neue Erde, in denen Gerechtigkeit wohnt. Wer wird in dieser kommenden Welt leben? Wer hier schon Frieden mit Gott geschlossen hat (V. 14) und weiß, daß allein Christus ihn vor Gott gerecht gemacht hat (V. 18). Für den gibt es nicht nur einen „day after", sondern eine „world after" – Gottes neue Welt, sein Friedensreich. Offenbarung 21,1

Siehe, dein König kommt zu dir, ein Gerechter und ein Helfer. Sacharja 9,9

Sonntag

29. **Jeremia 23,5-8**
Unsere Gerechtigkeit
■ Der Name des erwarteten Heilskönigs Israels, der Recht und Gerechtigkeit wiederherstellen wird, steht in eigenartiger Spannung zu dem Namen des amtierenden Königs zur Zeit Jeremias, der Zedekia heißt, was „Jahwe ist *meine* Gerechtigkeit" bedeutet. Solange es nur um mich geht, ist das Recht der anderen in Gefahr. Denn „mein Recht" kann ich auch auf Kosten anderer durchsetzen wollen. Gerechtigkeit ist aber unteilbar. Wenn das schon im zwischenmenschlichen Bereich gilt, wieviel mehr betrifft es das Verhältnis jedes einzelnen zu Gott! Er will unser aller Gerechtigkeit. In Jesus hat er begonnen, diesen Plan in die Tat umzusetzen. In der Gemeinde Jesu sind Menschen aus allen Völkern, die Gott mit der Gerechtigkeit Jesu beschenkt hat (Phil. 3,9). Wie äußert sich das in unseren örtlichen Gemeinden? Jesaja 56,1

Montag

30. **Jesaja 56,1-8**
Gemeinde an der Zeitenwende
■ „Mein Heil ist nahe" (V. 1). Wie eine Überschrift steht die Zusage Gottes am Beginn eines neuen Zeitabschnittes des Volkes. Geprägt ist diese neue Zeit von Freude und neuem Mut. Aufbruchstimmung macht sich breit, weil ein Edikt des Perserkönigs Kyros Israel die Rückkehr in die alte Heimat ermöglichen wird. Die Zeit der Babylonischen Gefangenschaft geht vorüber. Aber nicht nur die äußeren Lebensumstände werden neu. „Mein Heil ist nahe", das ist zugleich Mahnung, die das innere Verhältnis des Menschen zu Gott betrifft. Hier wird eine neue, noch heute gültige Gemeindeordnung begründet: Weder ist der Zuspruch des Heils an die Abstammung oder die religiöse Erziehung gebunden (V. 3), noch darf aufgrund solcher Dinge jemand von der Gemeinde ausgeschlossen werden. Das Heil gilt dem einzelnen, der sich zu Gott bekennt und sich ihm anvertraut. Epheser 2,19

Das Buch des Propheten Jesaja

Der Prophet
Jesaja, Sohn des Amoz, war verheiratet und hatte wenigstens zwei Söhne (Jes. 7,3; 8,3.18). Sonst erfahren wir nur wenige persönliche Daten von ihm. Seinen besonderen Auftrag erhielt er im Todesjahr des Königs Usia, 740/39 v.Chr. (Jes. 6,1). Die letzten Berichte von seinem Auftreten haben wir aus der Zeit des Einfalls Sanheribs im Jahre 691 v.Chr. (Jes. 36-39).

Die Situation des Volkes und die Botschaft Jesajas
Nach Salomos Tod um 930 v.Chr. war die Einheit seines Reiches zerbrochen. Bürgerkrieg und Teilung des Reichs in ein Nord- und ein Südreich, in Israel und Juda, hatten tiefe Wunden hinterlassen. Besonders Juda hatte die wirtschaftlichen Folgen spüren müssen. Nur langsam war es wieder aufwärts gegangen. Aber dann, rund dreihundert Jahre später, erlebte es einen wirtschaftlichen Aufschwung. Die Gefahr war jetzt nicht mehr ein Bürgerkrieg oder eine Invasion von Feinden, sondern der Luxus und die zügellose Genußsucht. Der Prophet Jesaja geißelt die Ausschweifungen und warnt vor dem Gericht Gottes als Folge der Sünden. Daher ruft er zur Umkehr. Dem Menschen, der zu Gott zurückfindet und sich seinem Willen unterordnet, wird volle Vergebung verheißen, auch wenn die Schuld noch so groß ist.
Nach der Eroberung Judas und der Wegführung in die Babylonische Gefangenschaft war Verzweiflung über das Volk gekommen. Die Zukunft schien aussichtslos, nachdem die Vergangenheit alles zerstört hatte und die Gegenwart gerade noch ein bescheidenes Leben ermöglichte. Politische Intrigen, die Invasion feindlicher Heere, Überfall, Mord und Plünderung, der lange Marsch ins Exil und das hoffnungslose Leben im fernen, fremden Land hatten alle Erwartungen ausgelöscht und jede Illusion genommen. Jesaja aber wird nicht müde, das Volk aus seiner Hoffnungslosigkeit und Trägheit aufzuwecken, es wieder dazu zu bringen, sich an Gott zu wenden. Er weiß von einer Zukunft, in der Gott alle Tränen abwischen wird. Er vermittelt eine Botschaft, durch die Gott verheißt, daß für die Gefangenen eine Heimat bereitgehalten wird, in der Gott mit ihnen zusammen wohnen will. Verheißungsvoll und ermunternd für das niedergeschlagene, verzweifelte Volk ist die Schau Jesajas von einer Wüste, in der das Wasser strömt, die blüht und fruchtbar ist.

Ich freue mich im Herrn, und meine Seele ist fröhlich in meinem Gott, denn er hat mir die Kleider des Heils angezogen und mich mit dem Mantel der Gerechtigkeit gekleidet.
Jesaja 61,10

Monatsspruch Dezember:

Gott spricht: Ich will euch trösten, wie einen seine Mutter tröstet. Jesaja 66,13

Dienstag

1.

Jesaja 57,14-21
Gott steht zu seinem Wort

Mancher Israelit, der die frohe Kunde vom Ende der Gefangenschaft vernahm, mag verzweifelt gewesen sein, sah er doch noch unüberwindliche Hindernisse für die Rückkehr in die Heimat. Das vorhergesagte Heil stand noch aus, und von anderen hatte der Gottesfürchtige darum noch obendrein beißenden Spott zu ertragen. In dieser Situation begegnet ihm das seelsorgerliche Handeln Gottes, dessen erklärter Wille das Heil für sein Volk ist. Kaum ein Kontrast ist größer als der, daß der hohe, erhabene und ewige Gott bei den Mutlosen und Enttäuschten Wohnung nimmt. Er nennt ihr Versagen beim Namen; auch ihre Schuld wird aufgedeckt; aber größer als der Zorn Gottes ist sein Wille zu heilen und zu trösten. Nur auf diesem Weg kann echter Friede einziehen, kann sich die Klage in Lob verwandeln (V. 19). Wer sich heilen läßt, der kann das erfahren. Psalm 34,19

Mittwoch

2.

Jesaja 58,1-12
Heuchelei

Das Heil, welches Jesaja ankündigt, gilt nur denen, die ihre Schuld vor Gott einsehen. Darum ergeht der Bußruf des Propheten mitten hinein in die Reihen des Gottesvolkes. Er redet deutlich und überführt die Gläubigen der Heuchelei. Ihre Gottesdienstfeiern waren zum Ort geschäftiger Scheinfrömmigkeit geworden; selbst ihre Fastenpraxis, die doch ihre Buße zeigen sollte, mündete in betriebsames Fordern, das Gott zum Handeln zwingen wollte. – Ist solches Denken nur ein Problem jener Gemeinde? Auch uns macht Gott deutlich: An einer bloßen Ableistung religiöser Gebräuche ist er nicht interessiert (V. 5). Ihm geht es um den konkreten Gehorsam aus der Liebe zu ihm. Seine Verheißung gilt dem, der aus dieser Verantwortung heraus auch soziales Unrecht angeht und sich der Verantwortung für seinen Nächsten nicht entzieht (V. 7).

1. Johannes 3,18

Donnerstag

3.

Jesaja 59,1-15a
Schuldbekenntnis

Der Prophet hält den enttäuschten Israeliten einen Spiegel vor: Daß so manche Verheißung noch nicht in Erfüllung gegangen ist, liegt nicht am Unvermögen Gottes. Die Ursache für das Ausbleiben der Hilfe Gottes ist ein verkehrtes, menschliches Denken, das meint, Gottes Heil für sich beanspruchen zu können, ohne das gottlose Leben ändern zu wollen. Unter den Folgen solchen gottabgewandten Lebens haben letztlich alle – auch der Prophet – zu leiden („wir“ ab V. 9). Darum geht es ihm hier nicht um ein Moralisieren, sondern um Eingeständnis der Schuld und damit eine Grundsatzentscheidung für ein Leben in der Heiligung, das Gott wirken will. Weil Gott lebendig ist, sucht er auch bei seinen Geschöpfen eine verbindliche Lebensgemeinschaft mit ihm. Psalm 139,23

Freitag

4. **Jesaja 59,15b-21**
Gottes Gerechtigkeit siegt

■ Die Anklage ist nicht die letzte Form der Begegnung Gottes mit seinem Volk. Durch die Verdrehung von Recht und Gerechtigkeit hatte es seinen Zorn herausgefordert, aber aus eigener Kraft konnte es sich nicht aus der Lage des Schuldigen befreien. Auch kein Mittler stellte sich zwischen das Volk und Gott, kein Fürsprecher schaltete sich ein. Da kündigt Gott das Unfaßbare an: Er selbst wird eingreifen und die Not wenden; er selbst wird für das Heil seines Volkes kämpfen. Der Heilige wird gegen das Unheilige vorgehen; sein Gericht wird nicht ausbleiben. Für die einen ist es die Konsequenz für ein Leben in der Gottesferne, für die anderen, die sich von ihren Vergehen abwenden, tritt ein Erlöser ein. Wir wissen heute: Der Mittler ist gekommen; Jesus hat Gottes Gericht auf sich genommen und denen, die unter ihrer Sünde leiden, das Heil gebracht. Römer 5,18

Samstag

5. **Jesaja 60,1-11**
Licht leuchtet auf

■ In herrlichen Farben malt der Prophet ein Bild des Volkes Gottes. Weil Gott, der selber Licht ist, in seiner ganzen Herrlichkeit Wohnung bei seinem Volk nehmen und das Dunkle verbannen will, kann das Volk auch Lichtgestalt annehmen. Wo der Glanz Gottes einzieht, da geschieht etwas. Das Volk wird gesammelt, ja, selbst Fremde und ehemals Feinde eilen aus allen Himmelsrichtungen herbei, um gemeinsam mit allen in das Lob Gottes einzustimmen (V. 9). Was für ein Tag! Der, der am Beginn alles Lebens steht, macht sich auf den Weg, um uns das Licht zu bringen und Dunkles zu erhellen. – Seit Jesus kam, ist dieses Licht in der Welt. (Die alten Bibelausleger haben darum eine Verbindung des in Matth. 2,1-12 Berichteten mit dieser Weissagung Jesajas gesehen.) Ist es auch schon in uns hell geworden? Johannes 8,12

Seht auf und erhebt eure Häupter, weil sich eure Erlösung naht. Lukas 21,28

Sonntag

6. **Matthäus 24,1-14**
Unterwegs in eine neue Zukunft

■ Es ist schon eigenartig. Da geht Jesus den Weg ans Kreuz, und seine Jünger plaudern mit ihm ganz harmlos über die Schönheiten des Tempels. Ob wir es heute nicht genauso machen? Wir gehen der Wiederkunft Jesu entgegen und plaudern ganz harmlos über dies und jenes. Mitten hinein in unsere Harmlosigkeit deckt Jesus die Gefahren auf, die auf uns lauern. Durch falsche Heilande verführt werden, an schrecklichen Ereignissen verzagen, um Jesu willen verfolgt werden, einander verraten – das alles steht im Zusammenhang mit den „Zeichen der Zeit“. Wem diese Zeichen den Ernst der Zeit klargemacht haben, der ist dankbar für Jesu Hilfestellung. Wer nüchtern und wachsam ist, wer aus Liebe zu Jesus ihn als den Retter bezeugt, wer treu an Jesus festhält, der wird dabei sein, wenn Jesus wiederkommt. Matthäus 24,13

Montag

7.

Jesaja 60,15-22
Neue Schlagzeilen

Sollte es im neuen Jerusalem die „Jerusalem Post" noch geben, werden sich die Herausgeber und Journalisten ganz gewaltig umstellen müssen. Denn was heute die Schlagzeilen bestimmt, ist fast völlig von der Finsternis (V. 2) geprägt: Krieg, Umsturz, Polizeiaktionen, Gewaltverbrechen, also „Frevel, Schaden und Verderben" (V. 17.18). Das alles wird dann keine Schlagzeilen mehr machen und keinen Stoff mehr hergeben, weil Gottes Licht die Menschen und das, was sie tun, ununterbrochen bestimmen wird. Zu schön, um wahr zu sein? Was hier geschaut wird, sind keine menschlichen Zukunftsutopien, die wie Seifenblasen zerplatzen. Gott selbst wird diese neue Wirklichkeit schaffen („Ich will ..." V. 15.17.22). Dann werden alle Schlagzeilen den als den Heiland und Herrn verherrlichen, der mit Frieden und Gerechtigkeit regieren wird. Ob mein Leben mit Gottes Hilfe nicht heute schon neue Schlagzeilen machen könnte? Offenbarung 21,5

Dienstag

8.

Jesaja 61,1-11
Neue Kleider

Jedes begangene Unrecht zieht neues Unrecht nach sich. Rache und Vergeltung sind häufig anzutreffende und oft unbewußte Motive menschlichen Handelns. Die Folgen sind Elend, zerbrochene Herzen und Gebundenheiten aller Art. Der Gesalbte des Herrn durchbricht den Teufelskreis des Unrechts. Er kommt und kündigt Befreiung an. Dabei entlarvt er erst einmal die menschliche Gerechtigkeit als besseres Unrecht. Angesichts der Forderungen göttlicher Gerechtigkeit können wir alle einpacken. Der Tag der Vergeltung würde uns das Todesurteil bringen, wenn der Gesalbte dieses Urteil nicht auf sich genommen hätte. So erfüllte er Gottes Gerechtigkeit und bietet uns diese als ein „neues Kleid" an. Damit stehe ich vor der Frage: Will ich weiter mit den alten Klamotten der Selbstgerechtigkeit mein Elend bedecken? Oder will ich mich mit den neuen „Kleidern des Heils" schmücken? Kann diese Entscheidung noch schwerfallen? Jesaja 61,10

Mittwoch

9.

Jesaja 62,1-5
Neuer Name

Der Name hat in der Bibel eine wichtige Bedeutung. Er verdeutlicht die Stellung, die Berufung und das Geschick eines Menschen. Nun kennt die Bibel Umbenennungen als Umprogrammierung einer Person (z.B. Jakob/Israel, 1. Mose 32,29). Dabei greift Gott in ein Leben hinein und gibt ihm eine neue Richtung. Das wird auch Israel hier verheißen. Gott wird sich auch weiterhin in großer Treue um dieses Volk mühen. Seine Liebe gibt nicht auf, bis Israel sich ihm zuwendet. Dann wird Gott das Volk von Grund auf erneuern. Aus diesem Volk wird Gottes Herrlichkeit zum Zeichen für alle Völker hervorstrahlen. Der neue Name steht dann für das, was Gott an diesem Volk geschaffen hat. Genau dasselbe tut Gott heute schon an einzelnen Menschen. Er hat auch in mir neues, göttliches Leben geschaffen. Mein neuer Name lautet jetzt „Auserwählter, Heiliger und Geliebter Gottes" (Kol. 3,12). Diesem Namen will ich heute alle Ehre machen! Offenbarung 3,17

Auf, auf, ihr Vielgeplagten,
der König ist nicht fern.
Seid fröhlich, ihr Verzagten;
dort kommt der Morgenstern.
Der Herr will in der Not
mit reichem Trost euch speisen;
er will euch Hilf erweisen,
ja dämpfen gar den Tod.

Johannes Rist (1607-1667)

Donnerstag

10. **Jesaja 62,6-12**
Neue Zuversicht

Der Prophet erlebte das Jerusalem seiner Zeit als eine armselige Stadt. Wie kommt er dazu, von einer so prächtigen Zukunft Jerusalems zu sprechen? Gott ermöglichte ihm einen Blick in die Zukunft. Damit sollte ihm und denen, die auf ihn hörten, neue Zuversicht vermittelt werden. Solche von Gott geschenkte Zuversicht und Hoffnung machen nicht untüchtig, sondern verpflichten zum Dienst in der Gegenwart. Sie verpflichten einerseits zum Dienst des Wächters (V. 6), der in priesterlicher Gesinnung Gott seine Verheißungen betend vorhält. Nach Gottes großem Tag Ausschau halten, mit seinem Kommen rechnen – das ist rechtes Leben im Advent. Zum andern verpflichten sie auch zum Dienst des Zeugen (V. 10): „Bereitet dem Volk den Weg!" Räumt Hindernisse weg, damit andere es leichter haben zu glauben, daß sie leichter in die Nähe Gottes finden! Wer anders ist dazu in der Lage, als die, die in Jesus Zuversicht und Hoffnung haben? 2. Korinther 3,12

Freitag

11. **Jesaja 63,7-16**
Neue Gotteserfahrung

In Israel hat man sich zu allen Zeiten gerne auf die „Glaubensväter" berufen. Es waren ja auch gewaltige Erfahrungen, die etwa ein Abraham oder ein Mose mit Gott gemacht hatten. So gut und richtig es ist, ihrer zu gedenken – die eigene Gotteserfahrung können sie nicht ersetzen. Dies wird besonders dann spürbar, wenn man in Krisen gerät, wenn von der Barmherzigkeit Gottes nichts mehr zu spüren ist (V. 15). Daß gerade inmitten einer solchen Krise Gott aber als Vater angerufen wird, begegnet uns im Alten Testament nur in diesem Klagelied. Erst im Neuen Testament zeigt uns Jesus Gott als unseren Vater, ja Christus ist der Weg zum Vater (Joh. 14,6). Gerade in den dunklen Stunden unseres Lebens, angesichts der Macht der Sünde und des Todes, dürfen wir von Jesus her dies bewußt nachsprechen: „Du bist doch unser Vater, unser Erlöser, das ist dein Name." Johannes 16,27

Samstag

12. **Jesaja 63,17-64,3**
Zerrissener Himmel

Nach dem Gericht Gottes über sein Volk ist das Land verwüstet. Wie soll die Bereitschaft zum Wiederaufbau und Vertrauen in die Zukunft aufkommen? Und dazu wissen sie um die Schuld in den eigenen Reihen. So müssen sie bekennen: Wir sind geworden wie Leute, über die Gott nie geherrscht hat, über denen sein Name nie genannt wurde. – Kennen wir solche hoffnungslose Lage und den Wunsch, daß sozusagen der Himmel aufreißen und Gott auf wunderbare Weise Hilfe schicken möge? Was Jesaja stellvertretend für sein Volk erfleht hat, ist geschehen: Der Himmel ist aufgerissen. Jesus Christus hat die Hilfe gebracht. Sein Name ist nun in der Welt. – Auch wenn mich die eigene Schuld entmutigen will, will ich doch heute Jesus vertrauen und aus seiner Kraft leben. Denn auch das ist gewiß: Noch einmal wird sich der Himmel öffnen. Jesu Wiederkunft in Herrlichkeit wird die letzte Erfüllung dieses inständigen Gebets sein. Philipper 1,6

Bereitet dem Herrn den Weg; denn siehe, der Herr kommt gewaltig. Jesaja 40,3.10

Sonntag

13.

Lukas 3,1-14
Nicht nach dem Munde reden
Das tut Johannes wirklich nicht. Seine Autorität macht die Leute neugierig. Doch er wirbt nicht für sich, sondern weist unübersehbar auf den Messias hin, bereitet ihm den Weg. Sein Ruf nach Änderung, nach Umkehr, kann pausenlos aufregen und muß auch uns heute herausfordern. Im November '90 war in den ostdeutschen Kinos endlich die Premiere des Films „Jesus". Bis zum letzten Platz war die Schauburg in Dresden gefüllt. Die große Leinwand zeigte, wie Johannes am Jordan taufte und daß er in seiner Botschaft keine Kompromisse machte. Und dann redete Johannes von dem Stärkeren, an dem sich unser Leben entscheidet. So wie bei Johannes viele betroffen am Jordan standen, erlebten wir viel Betroffenheit bei Menschen, die erstmals oder nach Jahren diese Botschaft hörten. Wieviele werden nun nicht mehr nach dem Mund, sondern von Jesus reden? Jesaja 40,3

Montag

14.

Jesaja 64,4-11
Neue Hoffnung
Vor Jahren wohnte ich in einem sehr alten Haus. Der tief ins Erdreich getriebene Gewölbekeller war immer schwach beleuchtet. Eines Tages schraubte ich eine neue Lampe ein. Endlich richtiges Licht da unten! Doch wieviel Kellerdreck war nun zu sehen! Israel ging es so, als Gott in sein Leben leuchtete. Deutlich erkannten sie, was sich alles angesammelt hatte. Ihr Abirren (Jes. 63,17) hatte Folgen gehabt. Und sie gestehen: Wir sind dreckig geworden und verwelkt wie totes Laub. – Sicher waren sie nun in der Gefahr, mit dem Glauben an Gott Schluß zu machen. Doch sie rufen: „Herr, du bist ja doch unser Vater!" Und mit der Einsicht wächst auch ihre Hoffnung. Denn wer sich zu Gott hält, dessen „Blätter verwelken nicht" (Ps. 1,3). – Wie gut ist es also, wenn Gott mit seinem Wort in unser Leben leuchtet! 2. Timotheus 3,16

Dienstag

15.

Jesaja 65,16b-25
Es wird alles neu
Während in aller Welt noch die Zerstörungskräfte wirken, läßt Gott sein Volk durch alle Schwierigkeiten hindurch einen Blick in seine herrliche Zukunft tun. Das bedrängte, abgeirrte, suchende Volk erfährt, daß Gott einmal alles neu schaffen wird, daß es eine neue Beziehung unter Menschen (V. 19-22) und zu Gott (V. 24) geben soll. Man muß dazu einmal Offenbarung 21 und 22 lesen. Dort wird die großartige Verheißung ganz aufgedeckt. Gott wird Leid und Schmerz wegnehmen; er wird die Tränen abwischen, und der Tod wird nicht mehr sein. Wer diesen Worten Gottes vertraut, darf ein wenig „hinter den Vorhang schauen", der weiß: Die Zukunft liegt in Gottes Hand! Wer sich auf die neue Welt Gottes freut, kann jetzt bewußter leben. Offenbarung 21,5

Das Evangelium nach Lukas

Verfasser
Lukas, der Arzt, war Heidenchrist, Begleiter des Paulus auf mehreren Missionsreisen und während dessen Gefangenschaft; er ist auch Verfasser der Apostelgeschichte (Philem. 24; Kol. 4,14; 2. Tim. 4,11; Apg. 1,1; 16,10-17; 20,5-15; 21,7-17; 27,1-28,16).
Im Vorwort des Evangeliums (1,1-4) stellt Lukas selbst fest, daß er kein Augenzeuge der irdischen Geschichte Jesu war, aber er hat seine Informationen von Augenzeugen erhalten.
Der Vergleich mit der Einleitung der Apostelgeschichte zeigt, daß beide Bücher vom selben Verfasser stammen. Sie bilden ein großes zweibändiges Werk, in dem die Geschichte Jesu und die nachfolgende Geschichte der urchristlichen Mission zusammenhängend dargestellt wird. Das Evangelium wurde wahrscheinlich noch vor dem Jahr 60 geschrieben.

Inhalt
In seiner Darstellung folgt das Lukas-Evangelium – allerdings sehr frei – dem Aufbau des Markus-Evangeliums. Neben dem Stoff, den er Markus verdankt und den er mit Matthäus gemeinsam hat, bringt Lukas manches „Sondergut". Ein beträchtlicher Teil davon ist in dem sogenannten großen Reisebericht (9,51-18,14) zu finden.

Eigenart des Lukasevangeliums
1. Lukas erweist sich in seinem Evangelium als der gewissenhafte Historiker, der im Sachlichen und in der Ausdrucksweise auf Genauigkeit achtet.
2. Lukas, der geborene Heide, schreibt für Christen aus den Heidenvölkern. Über jüdische Hintergründe, die für seine Leser nicht von unmittelbarer Bedeutung sind, berichtet er nicht (6,27-36;; Matth. 5,21-48).
3. Er bezeichnet Jesus als den Retter von allem, was verloren ist (Kap. 15). Zu den Verlorenen gehören neben Zöllnern und Sündern auch die Frauen und die Armen. Auffällig ist, daß die Frauen in seinem Evangelium einen großen Platz einnehmen: Maria, die Mutter Jesu, Elisabeth, Hanna, die Witwe von Nain, die reuige Sünderin, die Schwestern Marta und Maria. Wegen seiner Liebe zu den Armen hat man Lukas den „Sozialisten unter den Evangelisten" genannt.
4. Lukas betont, daß die durch Jesus bewirkte Erlösung die ganze Welt umfaßt. Aufschlußreich ist, daß er den Stammbaum Jesu nicht wie Matthäus nur bis zu Abraham, sondern bis zu Adam – ja, bis zu Gott selbst – zurückführt (3,38).
5. Viel stärker als in den anderen Evangelien tritt das Wirken des heiligen Geistes hervor. Lukas betrachtet den heiligen Geist als die leitende Kraft sowohl im Leben Jesu wie im Leben der Gemeinde. So findet man bei ihm die Perspektive einer „Heilsgeschichte".

Denn siehe, das Reich Gottes ist mitten unter euch.

Lukas 17.21b

Mittwoch

16.

Jesaja 66,5-14
Vertrauen und freuen

Das dürfte jedem bekannt sein: Für Argumente gegen Gott finden sich immer Stimmen. Wer eine sozialistische Schule besucht hat, kennt eine Menge davon. Und wer materiell immer alles bekommt, wird kaum Verlangen nach Gott haben. Besonders merkt man das, wenn man konsequent nach Gottes Wort leben möchte. Wer das zu Hause durch tägliches Bibellesen und Gebet tun möchte, kann ziemlichen Ärger in der Familie bekommen: Also das geht dann doch wohl zu weit! – Jesaja macht deutlich, daß alle Argumente gegen Gott einmal wie ein Kartenhaus zusammenfallen werden. Darum soll Israel sich auch in schwerer Zeit an Jerusalem freuen und trösten lassen. Glauben heißt, den Zusagen Gottes mehr als allen anderen Argumenten vertrauen. Es stimmt schon, in dieser Freude liegt die Kraft. Wir könnten das heute eigentlich überprüfen. Jesaja 40,31

Donnerstag

17.

Jesaja 66,18-24
Gottes Botschaft braucht Botschafter

Jesaja weiß: Trotz aller menschlichen Irr- und Abwege wird Gott zum Schluß doch seinen Heilsplan vollenden. Er wird einmal alle Völker zu sich rufen. Dazu sendet er Menschen, die schon errettet sind. – Diesen Auftrag zur Völkermission macht Jesus durch den Missionsbefehl (Matth. 28,18-20) für jeden seiner Nachfolger verbindlich. In neuerer Zeit prägte man sich das so ein: „Gerettetsein schafft Rettersinn." Gilt das noch für uns? Macht es uns eigentlich Not, daß viele Menschen in unserer Nähe Gott überhaupt nicht kennen? Wer sagt ihnen, daß alle Sehnsucht, alles Hoffen, Suchen und Fragen wirklich erst bei Gott beantwortet werden kann? Ist uns selbst klar, daß Gott einmal alles vollendet und es tatsächlich ein Drinnen und Draußen gibt? Bin ich bereit, Zeit, Geld und Kraft einzusetzen, damit Gottes Botschaft bekannt wird und Menschen gerettet werden? Für wen soll ich heute Botschafter Gottes sein?
Johannes 20,21

Freitag

18.

Lukas 1,1-17
Leben im Auftrag Gottes

Absolut zuverlässig ist der Bericht des Lukas deshalb, weil seine Erkundungen „von oben", nämlich von Gott, bestätigt wurden (V. 3 wörtlich). Gleich zu Beginn wird schon deutlich, daß auch Gott selbst alles Geschehen bestimmt hat. So kräftig griff er in den Lauf der Ereignisse ein, daß der rechtschaffene Priester Zacharias davor erschrak. Der Engel unterbrach den Tempeldienst und nahm keine Rücksicht auf die biologischen Gegebenheiten (V. 7). Wenn schon der Geburt dieses Boten solche unerhörten Ereignisse vorausgingen, was mußte das dann für ein gewaltiger Herr sein, dessen Kommen er vorbereiten sollte! Obwohl Johannes ihn nicht kannte, war doch sein Leben von Anfang an geprägt von diesem göttlichen Auftrag (V. 15). Wir wissen heute aus der Bibel sehr viel mehr von Jesus, dem Herrn. Sind wir vorbereitet auf sein zweites Kommen? Und wie nehmen wir Gottes Auftrag wahr, die Menschen um uns herum darauf hinzuweisen (V. 17)? Johannes 1,23

Samstag

19.

Lukas 1,18-25

Unübersehbare Beweise

Hinter der anscheinend vernünftigen Frage (V. 18) verbirgt sich Unglaube (V. 20). Wie ist das möglich? Der fromme Priester hatte doch an heiliger Stätte die Botschaft Gottes vernommen – so unüberhörbar, ja sogar unübersehbar, wie wir es uns oft wünschen. Konnte es da noch Zweifel geben? – An diesem Geschehen wird deutlich, daß sogar ein lange eingeübter Glaube uns nicht selbstverständlich verfügbar ist, ja daß nicht einmal massive Gotteserfahrungen immer auch gleich Vertrauen zu Gott bewirken. Das gilt es zu bedenken, wenn jemand Gott herausfordert, Beweise für seine Existenz und für die Wahrheit seines Wortes zu geben. Und doch ist Gott so gnädig, daß er für Zacharias und das Volk damals kräftige Zeichen folgen ließ. – Welche Zeichen hat er uns gegeben, damit wir ihm vertrauen? Römer 1,4

Freuet euch in dem Herrn allewege, und abermals sage ich: Freuet euch! Der Herr ist nahe!

Philipper 4,4.5b

Sonntag

20.

Lukas 1,26-38

Anbetungswürdig

Es klingt so (in V. 29), als wollte Maria all die Mißverständnisse abwehren, denen sie im Laufe der späteren Kirchengeschichte ausgesetzt war. Denn aus dem Gruß des Engels hat eine Volksfrömmigkeit besonders in den römischen und orthodoxen Kirchen eine Verehrenswürdigkeit hergeleitet, die letztlich in eine ihr nicht zustehende Anbetung übergegangen ist. Nein, gerade die Tatsache, daß Gott sich Maria gnädig zugewandt hat (V. 28), zeigt doch, daß sie genau wie wir das unbedingt nötig hatte. Und so trat sie als begnadigte Sünderin in diesen außerordentlichen Dienst Gottes (V. 38). In der Mitte der Engelsbotschaft aber steht der ewige König, dessen Name „Jesus“ schon seinen Auftrag ankündigt: Durch ihn wird Gott aller Welt Rettung schaffen. Er allein ist darum zu loben und anzubeten. Matthäus 1,21

Montag

21.

Lukas 1,26-38

„... geboren von der Jungfrau Maria“

Hier wie an weiteren Stellen (Matth. 1,18-25; Luk. 3,23; Gal. 4,4) betont die Bibel, daß allein Gott seinen Sohn in Maria Mensch werden ließ, Jesus also keinen irdischen Vater hatte. Warum ist das so wichtig? Weil die verhängnisvolle Kette, die uns von Generation zu Generation mit der Sünde Adams verbindet (Röm 5,14), unterbrochen werden mußte. Nur der durch eine ganz neue Schöpfungstat in diese Welt gekommene Gottessohn kann diese Bindung auch bei uns zerreißen und uns zu Gottes Kindern machen (Joh. 1,12.13). Daß die Aussagen der Heiligen Schrift hierzu eindeutig und zuverlässig sind, bekräftigte schon Martin Luther in seiner Antwort an zeitgenössische Bibelkritiker: Er bot demjenigen 100 Taler an, der ihm beweisen könne, daß das betreffende hebräische Wort in Jesaja 7,14 nicht „Jungfrau“ bedeute. Römer 5,18

Dienstag

22. Lukas 1,39-56

Gott hält Wort

„Über alle Maßen glücklich" wird Maria gepriesen, weil sie dem Wort Gottes vertraut hatte (V. 45). Wie schon bei der Verkündigung durch den Engel (V. 26-38), so wird auch hier deutlich, daß Gott allein der Handelnde ist, dem alles Lob gebührt. Er hat seine ungewöhnliche Zusage (V. 15) an dem noch nicht geborenen Johannes in einem so überschwenglichen Maß erfüllt, daß auch Elisabeth den Geist Gottes kraftvoll erfuhr. Wenn auch diese beiden Frauen gewiß in besonders einmaliger Weise Gott dienen durften, so sind vergleichbare Erfahrungen damit für uns nicht ausgeschlossen: Auch wir können uns immer wieder dem Einfluß des Wortes Gottes aussetzen – wie es Maria getan hatte. Sie kannte das Lied der Hanna (1. Sam. 2,1-10) offenbar auswendig! Anhaltend können wir unsere Anliegen vor Gott bringen – wie das betagte Priesterehepaar (V. 13). Sollte Gott darauf nicht mit dem Geschenk seines Geistes antworten? Lukas 11,13

Mittwoch

23. Lukas 1,57-66

Ein Grund zum Fürchten?

Daß Zacharias etwas Besonderes erlebt haben mußte, hatten die Leute wohl bemerkt (V. 22). Doch erst jetzt, da er wieder reden konnte, wurde ihnen das ganze Ausmaß des Geschehens bewußt. Gott selbst hatte klar erkennbar im Leben des Priesterehepaars gehandelt. Und die zunächst Unbeteiligten waren in höchstem Maße betroffen: So nah ist Gott! So konkret handelt er, daß er den Eltern schon im voraus den Namen des Kindes nennt! Gott ist also nicht eine unerreichbar ferne Größe, auch nicht ein Unbekannter, der nur in alten Schriften bezeugt und der in der Liturgie besungen wird. Gott will in Jesus auf uns zukommen. Wie können wir in seiner Gegenwart mit unserem sündigen Leben bestehen? Sind wir heute, die wir kaum jemals wirklich mit ihm rechnen, dann nicht erst recht verlorene Leute? Die Antwort auf solche Furcht hat Gott schon bereit. Denn der Name des Kindes, „Johannes", heißt: „Gott ist gnädig." Lukas 5,8

Donnerstag (Heiligabend)

24. Lukas 1,67-80

Weihnachtsfreude

Sehr weit zurück blickt Zacharias: Zweitausend Jahre sind vergangen, seit Gott Abraham zugesagt hatte, sein Nachkomme werde das Heil für alle Völker sein (1. Mose 22,16-18; vgl. dazu Gal. 3,16). Daß diese Verheißung sich jetzt erfüllte, hatte Gottes Geist selbst dem Vater des Johannes offenbart (V. 67). Das wird nicht zuletzt daran deutlich, daß in seinem Lobgesang immer wieder Worte aus der Heiligen Schrift, aus dem Alten Testament, laut werden. Zugleich blickt Zacharias aber auch sehr weit voraus auf das Ziel, daß Gott mit uns verfolgt. Haben wir es heute, nach weiteren zweitausend Jahren erreicht? Dienen wir Gott an allen Tagen in Heiligkeit und Gerechtigkeit (V. 75)? Wenn wir aufrichtig sind, werden wir bekennen müssen, daß wir dieses Ziel selbst nie erreichen werden. Darum müssen wir uns wie in jedem Jahr heute ganz stark daran erinnern lassen: Der Heiland, der Sünden vergibt (V. 77), ist für uns geboren. Welch ein Grund zur Freude am Heiligen Abend! Lukas 1,68

Freitag (1. Weihnachtstag)

25.

Lukas 2,1-14

Unzumutbar

■ Wir hätten darauf bestanden: Die Reise nach Bethlehem wird jetzt nicht angetreten. Das ist unzumutbar für eine schwangere Frau! Und gab es denn keinen anderen Platz für das Neugeborene als eine Futterkrippe im Viehstall? Nein, das darf doch nicht wahr sein! Aber Gott – Gott läßt es geschehen mit seinem einzigen Sohn. Er gibt ihn so den Menschen hin. Er gibt ihn hinein in unsere Verlorenheit und Heimatlosigkeit. Hat sich niemand darüber empört? Im Gegenteil: Alle Engel im Himmel waren außer sich vor Freude. Gerade an den unzumutbaren Zuständen soll die Herrlichkeit Gottes am deutlichsten erkennbar sein, sagen sie den Hirten. Und tatsächlich: An der Tiefe, in die sich der heilige Gott herabneigt, wird seine große Liebe zu uns erkennbar. 2. Korinther 8,9

Samstag (2. Weihnachtstag)

26.

Lukas 2,15-20

„Mit den Hirten will ich gehen ..."

■ Die Hirten hören das Wort – sie kommen mit Freuden – sie sehen das Kind – sie sagen es weiter – und sie loben Gott. Ist das wirklich so einfach, in fünf Schritten den Heiland zu finden? Ja, so einfach ist es, zu Jesus zu kommen. Aber, wie sollen wir es denn anfangen, wie tun wir den ersten Schritt? Wir fangen gar nicht an, Gott beginnt seine Geschichte mit uns, Gott macht den Anfang. Wie den Hirten, so läßt er auch uns heute durch seine Boten sein Wort sagen. Und wenn es auch nur ein schlichter Mensch ist, der uns auf ein Wort der Bibel hinweist, kann es uns doch ins Herz treffen, so daß wir erschrecken und nicht mehr davon loskommen. Der Satz: „Euch ist heute der Heiland geboren", kann so treffen. Denn einen Heiland und Retter haben alle die nötig, die sonst hoffnungslos verloren wären – also Sie und ich. Johannes 1,14

Das Wort ward Fleisch und wohnte unter uns, und wir sahen seine Herrlichkeit. Johannes 1,14a

Sonntag

27.

Matthäus 2,13-18

Jesus, das Flüchtlingskind

■ Berichte von flüchtenden Eltern mit Kindern erscheinen fast täglich auf dem Bildschirm und in den Zeitungen. Man spricht von zwei Millionen Kindern, die irgendwo auf der Welt in Flüchtlingslagern leben und sterben müssen. Häufig sind sie Opfer von verantwortungslosen Politikern, die aus blinder Machtbesessenheit unschuldige Menschen in die Flucht treiben. Solcher Machtdemonstration war also schon das Kind Jesus ausgesetzt. Herodes hatte vor, es umzubringen (V. 13). Ob der große Herodes Angst hatte vor dem kleinen Jesus? Jedenfalls ließ er nach ihm suchen, wenn auch ohne Erfolg. Während der Haß die Kinder von Bethlehem trifft, wird Jesus diesmal noch gerettet. Wohl aber erfahren wir bereits hier, daß er die Mächtigen seiner Zeit gegen sich hat. Ihr Haß wird ihn ein Leben lang begleiten – bis ans Kreuz. Lukas 24,26

Montag

28.

Lukas 2,21-24
Jesus – Name und Auftrag zugleich

Wenn auch von vornherein gesagt war und durch die Ereignisse, die seine Geburt begleiteten, deutlich wurde, daß Jesus Gottes Sohn ist (Luk. 1,35), so ist er doch zugleich ein Glied des Volkes Israel, in dessen religiöse Sitten und Gebräuche er bereits als Kind eingebunden wird. Die hier an Jesus durchgeführte Beschneidung war das Zeichen der Zugehörigkeit zum Gottesvolk. Mit der Beschneidung verbunden ist die Namensgebung für das Kind. Der Name Jesus bedeutet soviel wie „Gott rettet". Dieser Name wurde ihm auf ausdrückliches Geheiß Gottes gegeben (Matth. 1,21). „Jesus", das ist Name und Auftrag zugleich. Name und Person Jesu sind eins. Daran müßten wir uns eigentlich immer wieder erinnern lassen, wenn der Name „Jesus" genannt wird: Er ist gekommen, um Menschen zu suchen und zu retten. Jesus stellt die durch unsere Sünde verlorengegangene Verbindung zu Gott wieder her.

1. Timotheus 2,5.6

Dienstag

29.

Lukas 2,25-35
Der Wartende

Menschen wie Simeon gibt es selten. Sie sind in der Öffentlichkeit kaum bekannt, verbreiten aber doch ein helles Licht, offenbaren ein fast vergessenes Stück Wahrheit, eine Wirklichkeit voller Frieden. Wer ist Simeon? Lukas beschreibt sein Geheimnis mit ebenso kurzen wie aufschlußreichen Worten: Simeon war ein Mensch von der Art, die noch weiß, was Gottesfurcht bedeutet. Simeon wird zu den Frommen gezählt, zu den Leuten, die man oft leichtfertig den Heuchlern gleichstellt. Simeon ist zugleich ein Wartender und auch darin uns allen voraus. – Wer kann denn noch warten? – Simeon lebt in einem Bereich, der bestimmt ist vom heiligen Geist. – Wer so vertrauensvoll auf Gott und seine Verheißungen sieht, der darf am Ende erfahren, wie seine Hoffnung erfüllt wird. Er darf den verheißenen Gottessohn sehen und ihn in seine Arme nehmen. Damit ist sein Lebenslauf erfüllt. Er beschließt ihn mit einem Lobgesang. Wie könnte es anders sein!

1. Mose 49,18

Mittwoch

30.

Lukas 2,36-40
Eine Witwe als Prophetin

Es muß schon etwas Besonderes dahinterstehen, wenn eine alte Frau, eine Witwe von 84 Jahren, uns als Prophetin vorgestellt wird. Woher hat diese Frau Hanna ihre Legitimation zu einer solchen Stellung? Ihr ganzes Leben war ein Gottesdienst (V. 37b). Schauen wir uns einmal um, dann entdecken wir auch heute Frauen, die einen solchen prophetischen Dienst tun. Was wären unsere Gemeinden ohne die lieben, alten, treuen Frauen, die durch ihre Anteilnahme, durch ihr Beten und durch ihr Wirken im Verborgenen der Gemeinde einen unentbehrlichen Dienst erweisen? Ihr schlichtes Zeugnis durch Wort und Tat macht sie zu Prophetinnen. Sie sind es immer dann, wenn sie uns etwas im Auftrag Gottes zu sagen haben; dann können sie uns sogar den Weg in die Zukunft weisen. Nichts anderes tut auch Hanna, wenn sie durch ihr Zeugnis bekennt: Das Warten auf den Heiland Gottes hat sich gelohnt, ihm allein gebührt unser Lob und Dank!

Jesaja 52,9

Donnerstag

31.

Lukas 2,41-52

Wo Jesus zu Hause ist

Jesus ist nicht nur in Nazareth zu Hause bei seinen irdischen Eltern, sondern vor allem im Tempel in Jerusalem, den er hier als sein Vaterhaus bezeichnet (V. 49). Doch nicht der Tempelbetrieb mit seinen vielen Opfern beeindruckt ihn; ebensowenig die sich durch die Straßen drängenden Massen, die aus dem Passafest ein lautes, fröhliches Volksfest machen. Er ist dort zu Hause, wo um die Wahrheit gerungen wird. Jesus ist an dem Ort, wo Menschen sich um Gottes Wort scharen. Dort gehört er hin, wo es zum lebendigen Austausch kommt darüber, was unser Herz im tiefsten Grund braucht. Wo sind wir wirklich zu Hause? Wo suchen wir unsere Kinder, wenn die Verbindung zwischen uns und ihnen unterbrochen ist? In der Nähe Gottes, wo sein Wort zu vernehmen ist, sind wir gut aufgehoben. Psalm 84,11

Gelobt sei der Herr, der Gott Israels!
Denn er hat besucht
und erlöst sein Volk.

Lukas 1,68

Konrad Eißler, Fraasstr. 20, W-7000 Stuttgart 1	1.-8.1.
Hans-M. Stäbler, Am Hirschanger 33, W-8560 Lauf	9.-14.1.
Rainer Dick, Kirchberg 2, O-3211 Gutenswegen	15.-20.1.
Klaus Rudolph, Kirchberg 7, O-3211 Gutenswegen	21.-27.1.
Brunhilde Blunck, Auf dem Loh 21a, W-4300 Essen 17	28.-31.1.
Jürgen Blunck, Auf dem Loh 21a, W-4300 Essen 17	1.-5.2.
Dr. Theo Lehmann, Wittgensdorfer Str. 82b, O-9081 Chemnitz	6.-11.2.
Jörg Swoboda, Clara-Zetkin-Str. 12, O-1276 Buckow	12.-17.2.
Heinz Bogner, Konferenzstr., W-8501 Puschendorf	18.-23.2.
Eberhard Laue, Karl-Marx-Allee 142, O-5000 Erfurt	24.-29.2.
Heidi Krause, Fleischerstr. 66, W-1000 Berlin 47	1.-3.3.
Silke Traub, Südhangstr. 17, W-7527 Kraichtal-Oberöwisheim	4.-8.3.
Hans.-M. Stäbler, Am Hirschanger 33, W-8560 Lauf	9.-14.3.
Cornelia Seng, Kuhbergstr. 40a, W-3500 Kassel	15.-18.3.
Karlheinz Eber, Wodanstr. 10, W-8500 Nürnberg	19.-23.3.
Elfriede Scharrer, Blütenstr. 3b, W-8500 Nürnberg 30	24.-27.3.
Rosemarie Pfister, Im Wolfer 50, W-7000 Stuttgart 70	28.3.-1.4.
Hermann Hörtling, Danneckerstr. 19a, W-7000 Stuttgart 1	2.-8.4.
Albrecht Kaul, Constappel 3, O-8251 Gauernitz	9.-14.4.
Wolfgang Freitag, Regerstr. 12, O-8053 Dresden	15.-20.4.
Birgit Winterhoff, Maximilian-Kolbe-Str. 9, W-4802 Halle	21.-26.4.
Fritz Gaiser, Melanchthonstr. 32, W-5600 Wuppertal	27.4.-2.5.
Dieter Weber, Pfarrfeld 10, W-5901 Wilnsdorf 2	3.-7.5.
Hartmut Hühnerbein, Panoramastr. 55, W-7320 Göppingen-Faurndau	8.-12.5.
Dr. Reinhard Hempelmann, Kuhbergstr. 40a, W-3500 Kassel	13.-20.5.
Heinrich Baumann, Kreuzstr. 19, W-4800 Bielefeld	21.-26.5.
Friedhardt Gutsche, Unter den Tannen 4, W-4952 Porta Westfalica	27.-31.5.
Ulrich Parzany, Im Druseltal 8, W-3500 Kassel	1.-5.6.
Ulrich Seng, Kuhbergstr. 40a, W-3500 Kassel	6.-11.6.
Thomas Lieberwirth, Kirchweg 4, O-9394 Hohenfichte Eppendorf	12.-15.6.
Christel Klein, Friedhofstr. 10, W-4900 Herford	16.-19.6.
Dr. Rolf Dannenbaum, Erwin-Rohde-Str. 27, W-6900 Heidelberg	20.-25.6.
Wolfgang Menz, Hirzsteinstr. 14, W-3500 Kassel	26.-27.6. und 29.-30.6.
Dieter Bernecker, Pfarrberg 6, O-5900 Eisenach	28.6. und 5.7.
Siegfried Fischer, Hugo-Preuß-Str. 42, W-3500 Kassel	1.-4.7. und 6.-7.7.
Uta Bernecker, Pfarrberg 6, O-5900 Eisenach	8.-9.7.
Edgar Schmidt, Steingrubenweg 10, CH-4125 Riehen	10.-13.7.
Karl Albietz, Chrischonarain 205, CH-4126 Bettingen	14.-17.7.
Lothar Lippert, Wällertorstr. 43, W-6349 Edingen	18.-23.7.
Manfred Bönig, Postfach 1272, W-3043 Schneverdingen	24.-30.7.
Rolf Woyke, Diesterwegstr. 21, W-5909 Burbach	31.7.-6.8.
Gabi Bremicker, Bechstr. 7, W-5276 Wiel-Bielstein	7.-13.8.
Günther Höhfeld, Grundstr. 63, W-6336 Solms-Oberbiel	14.-19.8.
Ingfried Woyke, Breitenloher Str. 27, W-5880 Lüdenscheid	20.-25.8.

Eva-Maria Busch, Gottlieb-Daimler-Str. 22, W-6300 Gießen	26.8.-1.9.
Martin Gresing, Hildesheimer Str. 1a, W-3353 Bad Gandersheim	2.-8.9.
Andreas Wenzel, Breslauer Weg 45, W-8192 Geretsried	9.-15.9.
Jürgen Tibusek, Kölner Str. 23a, W-5230 Altenkirchen/Ww.	16.-22.9.
Claudia Müller, Alb.-Schweitzer-Str. 5, W-5000 Köln 51	23.-29.9.
Werner Steiner, Weiherstr. 7, CH-4800 Zopfingen	30.9.-4.10.
Klaus Haag, Chrischonarain 211, CH-4126 Bettingen	5.-8.10.
Alfons Hildebrandt, Am Klingenteich 16, W-6109 Mühltal	9.-14.10.
Daniel Geiss, Wingertstr. 15, W-6000 Frankfurt 1	15.-21.10.
Manfred Heinzelmann, Gottlieb-Daimler-Str. 22, W-6300 Gießen	22.-28.10.
Hartmut Völkner, Holzheimer Str. 15, W-6306 Langgöns	29.10.-5.11.
Hartmut Schweitzer, Gottlieb-Daimler-Str. 22, W-6300 Gießen	6.-13.11.
Klaus Haag, Chrischonarain 211, CH-4126 Bettingen	14.-15.11.
Carola Welz, Kranenbergstr. 84, W-5810 Witten	16.-23.11.
Dr. Stefan Stiegler, Erich-Böhmke-Str. 22, O-2200 Greifswald	24.-29.11.
Claudia Reifenberger, Postfach 1266, W-3550 Marburg	30.11.-5.12.
Achim Kellenberger, Hunneburgweg 1, W-6308 Butzbach	6.-11.12.
Fritz Wilkening, Alte Dorfstr. 52, O-4601 Wittenberg/Apolenzdorf	12.-17.12.
Siegfried Zülsdorf, Schillerstr. 9, W-3200 Hildesheim	18.-24.12.
Johann Wilken, Schullandstr. 14, W-2954 Firrel	25.-31.12.